LES MALADIES
MENTALES

Conception graphique de la couverture: Katherine Sapon
Illustration: *Pollard Willows and Setting Sun* par Vincent van Gogh

DISTRIBUTEURS EXCLUSIFS:

- Pour le Canada et les États-Unis:
  LES MESSAGERIES ADP*
  955, rue Amherst, Montréal H2L 3K4
  Tél.: (514) 523-1182
  Télécopieur: (514) 521-4434
  * Filiale de Sogides Ltée

- Pour la Belgique et le Luxembourg:
  PRESSES DE BELGIQUE S.A.
  Boulevard de l'Europe 117
  8-1301 Wavre
  Tél.: (10) 41-59-66
       (10) 41-78-50
  Télécopieur: (10) 41-20-24

- Pour la Suisse:
  TRANSAT S.A.
  Route du Grand-Lancy, 2, C.P. 125, 1211 Genève 26
  Tél.: (41-22) 42-77-40
  Télécopieur: (41-22) 43-46-46

- Pour la France et les autres pays:
  INTER FORUM
  13, rue de la Glacière, 75624 Paris Cédex 13
  Tél.: (33.1) 43.37.11.80
  Télécopieur: (33.1) 43.31.88.15
  Télex: 250055 Forum Paris

JOHN M. CLEGHORN ET BETTY LOU LEE

LES MALADIES MENTALES

Un survol des progrès accomplis par la psychiatrie contemporaine

Préface du Docteur Yves Lamontagne

**Traduit de l'anglais
par
Jocelyne Delage**

le jour,
éditeur

Données de catalogage avant publication (Canada)

Cleghorn, John M.

Les maladies mentales: un survol des progrès accomplis
par la psychiatrie moderne

Traduction de: Understanding and treating mental illness.

Comprend des références bibliographiques et un index.

ISBN 2-89044-436-8

i. Maladies mentales - Ouvrages de vulgarisation.
2. Psychiatrie - Ouvrages de vulgarisation. I. Lee,
Betty, 1921- . II. Titre.

RC460.C5314 1991   616.89   C91-090768-4

L'ouvrage original a été publié par Hogrefe & Huber Publishers
sous le titre *Understanding and Treating Mental Illness* (ISBN: 0-920887-73-2 et 3-456-81829-7)

Dépôt légal: 4e trimestre 1991
Bibliothèque nationale du Québec

ISBN 2-89044-436-8

Nous dédions ce livre à la mémoire du docteur Sebastian Klaus Littman (1931-1986), psychiatre reconnu pour sa grande bonté et son érudition, membre du Conseil scientifique de l'Association canadienne de psychiatrie et directeur du Département de psychiatrie à l'Université de Calgary.

Publié sous les auspices du Conseil scientifique canadien de l'Association canadienne de psychiatrie

Dr John M. Cleghorn, directeur
Hamilton, Ontario

Dr Donald E. Addington
Calgary, Alberta

Dr Rudy C. Bowen
Saskatoon, Saskatchewan

Dr James G. Harris
Vancouver, Colombie-Britannique

Dr Alexander E. Hipwell
Dartmouth, Nouvelle-Écosse

Dr Jeffrey Ivey
Morden, Manitoba

Dr Nicholas D. John
Saskatoon, Saskatchewan

Dr Andrzej Kubacki
Saint-Jean, Nouveau-Brunswick

Dr Nizarali B. Ladha
St. Phillip's, Terre-Neuve

Dr Yvon-Jacques Lavallée
Sherbrooke, Québec

Dr Manuel Matas
Winnipeg, Manitoba

Dr Hamish Nichol
Vancouver, Colombie-Britannique

Dr Allan Umar-Khitab
Saint-Jean, Nouveau-Brunswick

Dr Robert V. Worling
Summerside, Île-du-Prince-Édouard

REMERCIEMENTS

De nombreuses personnes, dont les docteurs Max Fink et Carol Nadelson, de l'*American Psychiatric Press*, et le docteur Yves Lamontagne, président de l'Association des médecins psychiatres du Québec, nous ont aidés de leurs conseils et de leur expérience, pour mener à terme ce livre.

Les auteurs et les membres du Conseil scientifique désirent aussi souligner la contribution des éditeurs à ce projet. C'est grâce à leur collaboration et à leur disponibilité que nous avons pu structurer ce livre et en améliorer de beaucoup la portée, la présentation et le plaisir de le lire.

Nous sommes très reconnaissants au docteur Richard Bergeron, du Centre hospitalier Pierre-Janet à Hull, d'avoir bien voulu relire le texte français et de nous avoir apporté des suggestions valables. Sa célérité et son efficacité nous ont été des plus précieuses.

Nous désirons aussi remercier très sincèrement Mme Jocelyne Delage, journaliste et écrivain, spécialisée dans le domaine médical, qui a traduit ce livre de façon fort fidèle, claire et rapide. Mme Delage a écrit une quinzaine de livres de vulgarisation médicale, en collaboration avec des médecins, sur des sujets comme la schizophrénie, la dépression, les psychothérapies, les troubles du langage, le syndrome prémenstruel, le sida, les MTS, et autres.

Préface

À l'heure des grands débats sur la santé, l'importance du phénomène des maladies mentales s'avère de plus en plus marquée. La montée du suicide chez les jeunes en est le meilleur exemple et propulse la maladie mentale à l'avant-scène de l'actualité.

De plus en plus, on parle des maladies mentales, mais un examen de la situation révèle que le phénomène est encore largement méconnu quant à son importance relative. L'Organisation mondiale de la santé soutient qu'une personne sur cinq sera affectée de troubles mentaux au cours de sa vie. Certaines études américaines concluent qu'aux États-Unis, ce serait une personne sur trois. Il apparaît donc clairement que les maladies mentales sont un fléau de notre vie moderne et que l'incidence de ces maladies tend à augmenter. Elles touchent les gens dans la phase la plus active de leur vie et handicapent sérieusement la qualité de leur existence. Socialement, ces maladies imposent une charge très lourde au système de santé et entraînent aussi des pertes financières substantielles qui s'étendent à de nombreux secteurs de la vie économique. Pensons seulement que la dépression, l'épuisement professionnel *(burn out)* et toutes les autres maladies mentales sont lourdes de conséquences non seulement pour les individus, mais aussi pour les entreprises. En plus des problèmes personnels de l'individu touché par la maladie mentale, il faut aussi prendre en compte les perturbations que subissent les relations avec la famille, les amis et les collègues de travail ainsi que les problèmes économiques, juridiques et sociaux importants qui s'ensuivent. Retenons simplement les séparations et les divorces, les congés de maladie, le chômage, l'alcoolisme et les toxicomanies, de même que la délinquance.

Si on calcule les coûts directs reliés aux soins de santé de même que les coûts indirects en assurances, en rentes, en pensions, en bien-être social et en permis d'invalidité de toutes sortes, on peut affirmer sans se tromper que les maladies mentales coûtent plus d'un milliard de dollars par année, au Québec seulement, et que pour l'ensemble de la population, la maladie mentale est le problème le plus coûteux[1]. Il est d'autant plus coûteux que la maladie mentale s'attaque à tous, sans distinction d'âge ou de sexe, qu'elle se concentre dans les années les plus productives de la vie des individus et, hélas, qu'elle risque de s'amplifier si l'on se fie aux contextes socio-économiques actuel et futur.

La publication de ce volume constitue donc un apport indéniable à l'éducation des professionnels de toutes sortes et du grand public sur les maladies mentales tout en expliquant clairement les forces et les limites de la psychiatrie moderne. La lecture de cet ouvrage permettra à tous et chacun de connaître les maladies mentales et leurs traitements, de constater le grand besoin de recherche dans ce domaine, de dépister les problèmes de santé mentale dans son entourage, de mieux aider les personnes qui souffrent de troubles mentaux, mais aussi de modifier les tabous et les notions erronées qu'entretient encore la société à l'égard des malades mentaux.

Yves Lamontagne
Président de l'Association
des médecins psychiatres du Québec
Professeur titulaire à la Faculté de médecine
de l'Université de Montréal
Directeur du Centre de recherche
de l'hôpital Louis-Hippolyte-Lafontaine
Président de la Fondation québécoise des maladies mentales

---

1. *L'ampleur des maladies mentales au Québec*, Québec Science éditeur, Québec, 1985.

Avant-Propos

Ce livre s'adresse à tous ceux dont un proche parent ou un ami souffre de maladie mentale ainsi qu'à quiconque s'intéresse à l'évolution des connaissances en psychiatrie, tout particulièrement aux spécialistes des autres domaines de la santé qui voudraient faire le point sur les développements techniques récents.

Notre vision de la santé mentale risque d'être incomplète si nous ignorons les changements très importants qui se sont produits ces dernières années. La psychiatrie a désormais dépassé les divergences traditionnelles des diverses écoles de pensée et s'est orientée vers une approche clinique, préoccupée de mettre au point ou d'appliquer des traitements dont les avantages pratiques sont facilement démontrables.

Pour recueillir l'information la plus sûre, nous avons fait appel à de nombreux spécialistes en santé mentale et nous leur avons demandé d'expliquer l'état des connaissances actuelles dans leurs domaines respectifs.

Les textes ont ensuite été revus par un écrivain scientifique, Mme Betty Lou Lee, qui a réussi à transposer le jargon professionnel en un langage compréhensible et stimulant. Le recueil qui en est résulté constitue un excellent outil de référence aidant à comprendre rapidement comment sont diagnostiqués et traités, de nos jours, les troubles de la santé mentale.

Quelques idées directrices d'importance se dégagent de ce livre: les grandes percées dans les neurosciences et en chimie ainsi que le développement des nouvelles technologies ont permis d'immenses progrès sur les plans du diagnostic et du traitement en psychiatrie; les chercheurs prennent de plus en plus conscience du fait que des anomalies physiques sont à l'origine des troubles mentaux et émotionnels; les méthodes psychologiques, sociales et behaviorales peuvent être, à elles seules, efficaces pour traiter des cas bénins et s'avèrent valables comme compléments des traitements médicaux; enfin, la société bénéficierait énormément de l'amélioration du bien-être et de la productivité des milliers de gens qui souffrent de maladie mentale, car les coûts sociaux qui en découlent sont exorbitants. L'argent ainsi économisé pourrait d'ailleurs servir à financer la recherche en santé mentale, une priorité actuellement. Toute la société y trouverait son compte: les impôts seraient moindres, la productivité accrue, la compétitivité augmentée, et la qualité de vie meilleure.

Malgré les immenses progrès réalisés, nous nous rendons compte à la lecture de ce livre qu'il faudrait trouver d'autres techniques d'intervention. Tant au Canada qu'aux États-Unis, nous aurions avantage à changer de politique en matière de santé mentale et à accroître les sommes allouées au traitement du malade mental et à la poursuite de la recherche qui semble ouvrir des avenues prometteuses.

John M. Cleghorn
Directeur (1983-1990) du Conseil scientifique de l'Association
canadienne de psychiatrie
Professeur émérite et ancien directeur du Département de
psychiatrie de l'Université McMaster
Coordonnateur universitaire (1975-1983) des services
de santé mentale du Conseil de santé
du district Hamilton Wentworth
Professeur de psychiatrie à l'Université de Toronto

CHAPITRE 1

Introduction aux défis, aux traitements et à l'équipe thérapeutique

Les troubles psychiatriques et psychologiques se développent d'ordinaire assez lentement. Lorsque quelqu'un tombe malade, les membres de sa famille ne peuvent pas savoir s'il est maussade, triste ou tout simplement bizarre, surtout au tout début de la maladie. À mesure que le temps passe cependant, les gens se culpabilisent et peuvent se dire: «J'ai toujours été trop dur avec lui» ou bien «Peut-être qu'on ne lui a pas accordé assez d'attention.»

À cause de ses multiples facettes, il n'est pas facile de donner une définition simple de la maladie mentale ou même de la diagnostiquer de façon définitive. Comme pour toutes les maladies, il faut prendre en considération ses causes possibles, ses symptômes, son apparition et son déroulement ainsi que la réponse du sujet aux divers traitements.

Des affections mentales comme la maladie d'Alzheimer comportent clairement des désordres physiques du cerveau. On peut voir au microscope les cellules cérébrales endommagées qui sont souvent carrément différentes des cellules normales.

On pourrait bien se rendre compte un jour qu'un grand nombre de maladies que nous qualifions aujourd'hui de *troubles émotionnels* sont en fait causées par des anomalies physiques directes, impliquant, en règle générale, des déséquilibres biochimiques. C'est ainsi que certaines hypothèses tendent à prouver que la maladie d'Alzheimer serait déclenchée par une accumulation importante d'aluminium dans le cerveau. De même certains problèmes de dépendance face à l'alcool, à la caféine, à l'héroïne ou à la nicotine pourraient être dus à une multiplication de quelque enzyme ou peptide dont on ne comprend pas encore complètement le mécanisme. D'autres troubles, comme la psychose maniaco-dépressive et ses changements d'humeur excessifs, ou la schizophrénie et ses perturbations de la pensée entraînant souvent une grande incohérence, ont pendant longtemps été tenus pour héréditaires. Certains le sont en partie. À l'avenir, on expliquera de nombreuses maladies par la présence d'un gène identifié comme anormal.

D'un autre côté, certains troubles psychiatriques sont un dérèglement de caractéristiques qu'on retrouve chez tout le monde; c'est la gravité du désordre qui fait qu'on peut les qualifier de maladie. Certaines personnes diraient qu'il en est ainsi pour l'anxiété, les phobies et les attaques de panique. Cinq critères permettent de déterminer la gravité du problème:

- l'insatisfaction;
- la démoralisation;
- la détresse;
- l'incapacité;
- la maladie.

Jusqu'ici, aucun test de dépistage de gène ni épreuve de laboratoire ne permettent de mesurer ces niveaux de gravité. Moins on connaît une maladie, plus les hypothèses proposées à son sujet ont tendance à être vagues et bizarres. Cette attitude ressemble aux explications et aux traitements extravagants de la fièvre, lesquels étaient courants avant la découverte des bactéries. Toutefois, quand l'insatisfaction, la démoralisation et la détresse ne sont pas accompagnées par l'incapacité et la maladie, il faudrait changer les situations ou apprendre de nouvelles manières de résoudre les problèmes (voir pages 23 à 24 et 35 à 39). Néanmoins, lorsqu'on remarque une incapacité et les signes d'une maladie, c'est probablement parce que la personne est atteinte de l'une des affections psychiatriques décrites dans ce livre.

Prévalence des maladies mentales[1]

Les troubles psychiatriques comportant de la détresse, de l'incapacité et souvent de la maladie sont terriblement fréquents — beaucoup plus fréquents que la plupart des gens ne le soupçonnent. Ils constituent un problème majeur pour la santé publique, en partie à cause de leur incidence[2] élevée, mais aussi à cause de l'incroyable quantité de ressources privées et publiques qui sont mises à contribution pour y faire face, même si tout le monde s'entend pour dire que l'on n'en fait pas encore assez.

Plusieurs études ont démontré qu'environ un Nord-Américain sur cinq subira ce que l'on pourrait appeler un *trouble psychiatrique* à un moment donné de sa vie. Ce pourcentage s'est révélé systématiquement dans nombre de grandes enquêtes depuis des années. La plus récente de ces enquêtes sur les adultes, subventionnée par le U.S. National Institute of Mental Health (NIMH) [Institut national de la santé mentale des États-Unis], a été publiée en 1984. Elle portait sur 3 000 personnes de trois villes différentes. Le trouble le plus fréquent était l'abus de drogues, qui affectait de 15 à 18 % de la population. On remarquait que les deux tiers de ces personnes consom-

---

1. Nombre de maladies ou d'autres événements médicaux enregistré au sein d'une population donnée, regroupant les anciens et les nouveaux cas *(N.D.T.)*.
2. Nombre de cas de maladies survenus pendant une période de temps donnée au sein d'une population donnée *(N.D.T.)*.

maient aussi de l'alcool de façon excessive et que l'autre tiers prenait d'autres drogues. Mais même si l'on ne considérait pas l'abus de drogues, 20 % des sujets avaient expérimenté un autre type de trouble psychiatrique à un moment donné.

On y prédisait aussi qu'une personne sur huit serait hospitalisée pour une forme ou une autre de maladie mentale pendant sa vie et que les troubles psychiatriques étaient la deuxième cause d'admission à l'hôpital général, chez les personnes de vingt à quarante-quatre ans. De plus, on notait que le suicide était la deuxième cause de décès chez les personnes de quinze à trente-neuf ans. Pire encore, pour le groupe d'âge de quinze à vingt-quatre ans, le pourcentage avait augmenté de façon marquée comparé à ce qu'il était en 1950. Dans les tableaux 1.1 à 1.4, on peut voir la variation du taux de suicide selon le sexe, le pays et l'âge, et pour les statistiques canadiennes, l'âge auquel la mort survient.

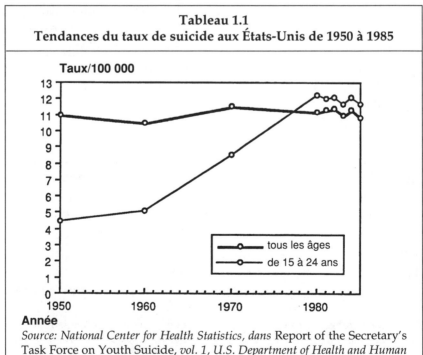

Tableau 1.1
Tendances du taux de suicide aux États-Unis de 1950 à 1985

Source: *National Center for Health Statistics, dans* Report of the Secretary's Task Force on Youth Suicide, *vol. 1, U.S. Department of Health and Human Services, Public Health Service.*

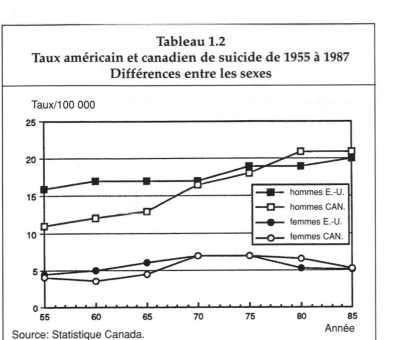

Tableau 1.2
Taux américain et canadien de suicide de 1955 à 1987
Différences entre les sexes

Taux/100 000

hommes E.-U.
hommes CAN.
femmes E.-U.
femmes CAN.

Année

Source: Statistique Canada.

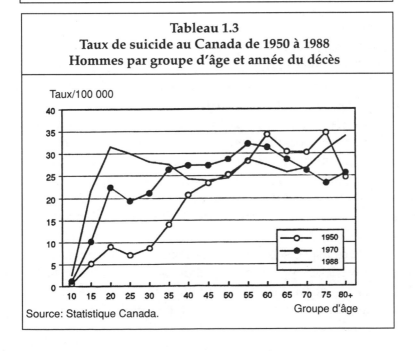

Tableau 1.3
Taux de suicide au Canada de 1950 à 1988
Hommes par groupe d'âge et année du décès

Taux/100 000

1950
1970
1988

Groupe d'âge

Source: Statistique Canada.

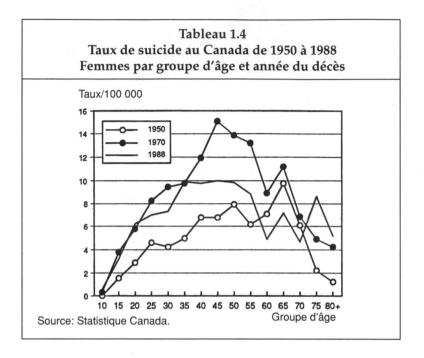

Tableau 1.4
Taux de suicide au Canada de 1950 à 1988
Femmes par groupe d'âge et année du décès

Taux/100 000

○	1950
●	1970
	1988

Groupe d'âge

Source: Statistique Canada.

Les coûts hospitaliers seulement, pour les Nord-Américains qui souffrent de maladie mentale, se chiffrent à plus de 18 milliards de dollars par année et une beaucoup plus grande proportion de gens sont traités ailleurs qu'à l'hôpital.

Les coûts additionnels du chômage et d'une grande quantité de services sociaux pour les malades mentaux et leur famille sont indubitablement beaucoup plus élevés. Par conséquent, il pourrait en résulter un bénéfice énorme pour la société si on réglait, «guérissait», ou mieux encore, si on prévenait ces troubles: les citoyens épargneraient alors des milliards de dollars d'impôt.

L'un des aspects les plus inquiétants des troubles de santé mentale est leur apparition pendant la jeunesse — à la fin de l'adolescence et au tout début de l'âge adulte —, ce qui signifie qu'ils interfèrent avec les études et l'emploi, chambardant un avenir qui s'annonçait autrement heureux et prometteur. La grande incapacité qui accompagne souvent ces maladies pendant des années, sinon des décennies, s'ajoute aux coûts sociaux élevés déjà engagés.

Tableau 1.5 Institutions de santé mentale aux États-Unis en 1987				
Nombre d'institutions	Lits de malades hospitalisés (en milliers)	Taux de malades hospitalisés par population de 100 000	Dépenses en milliards $US	Personnel soignant (en milliers)
4 747	268	99,4	18,5	346

Sources: U.S. National Institute Of Mental Health Statistical Note Series, Statistical Abstract of the USA, 1990.

Au-delà des conséquences d'ordre financier, les maladies mentales entraînent aussi les graves problèmes de la misère et de la souffrance humaines qui, eux, défient complètement les calculs des économistes:

- le jeune schizophrène qui doit abandonner ses aspirations à une carrière très prometteuse en ingénierie;
- le petit enfant d'un maniaco-dépressif qui ne peut comprendre pourquoi papa «fait encore de drôles de choses»;
- la femme qui voit avec désespoir la maladie d'Alzheimer la priver de son mari;
- l'agoraphobe (qui a peur des grands espaces et des foules) coupé de tous contacts sociaux en dehors de la maison.

De plus, alors que nous aimons penser que l'enfance est une période de joie et d'insouciance, les jeunes sont loin d'être immunisés contre les troubles mentaux. En 1983, on a fait une étude fouillée de grande envergure sur ce sujet en Ontario et on a recueilli 2,5 millions de données sur 3 300 enfants de quatre à seize ans. Les résultats ont démontré que, de façon évidente, 18 % d'entre eux souffraient d'une des quatre perturbations émotionnelles les plus courantes de l'enfance, soit:

- les troubles du comportement et leur cortège d'infractions aux règlements, de mensonges, de tricheries et de batailles;
- l'hyperactivité entraînant une courte durée d'attention et de l'impulsivité;
- les troubles émotionnels comportant des symptômes d'anxiété et de dépression;
- la somatisation (du mot grec *soma* qui signifie «corps»), où l'enfant est perçu par les autres et par lui-même comme étant maladif et délicat, ou se plaint de nombreux troubles physiques, comme des douleurs ou des étourdissements dont on ne peut trouver la cause.

Les deux premiers troubles se rencontrent surtout chez les garçons et les deux derniers, surtout chez les filles.

Le taux de 18 % de cette étude est équivalent aux résultats obtenus lors d'études semblables effectuées aux États-Unis, à Porto Rico et en Nouvelle-Zélande.

Une importante donnée tirée de cette étude révèle que, bien qu'en Ontario on ait dépensé, en 1983, une somme de 400 millions de dollars pour des services reliés aux troubles mentaux de l'enfance, cinq enfants sur six atteints de ces troubles n'avaient reçu aucune aide en santé mentale ou en service social pendant les six mois précédents.

Au début de 1990, le rapport d'une étude d'envergure, effectuée par le Bank Street College of Education de New York, démontre qu'à peine un tiers des petits Américains d'âge scolaire perturbés émotionnellement sont inscrits à des programmes qui pourraient les aider. On a découvert que 42 % de ces enfants abandonnaient l'école et qu'en général entre 3 % et 5 % des enfants de l'école primaire pouvaient être considérés comme handicapés émotionnels. De plus, on s'est rendu compte, lors de cette étude, que la plupart des programmes auxquels ces enfants sont inscrits visent surtout à maintenir le calme et le silence dans la classe plutôt qu'à résoudre les problèmes sous-jacents.

Troubles émotionnels de la vie quotidienne

Bien que les chiffres rapportés pour la maladie mentale soient très élevés, un plus grand nombre de personnes croient souffrir occasionnellement de troubles émotionnels causant trois des problèmes mentionnés en page 16: l'insatisfaction, la démoralisation et la détresse. Par exemple, bien des gens souffrent d'*anxiété* à un point tel qu'ils croient perdre tous leurs moyens et ne plus pouvoir endurer la pression qu'on leur fait subir, alors que, pour la plupart des gens, ces crises n'entraînent pas un sentiment d'incapacité et sont seulement temporaires.

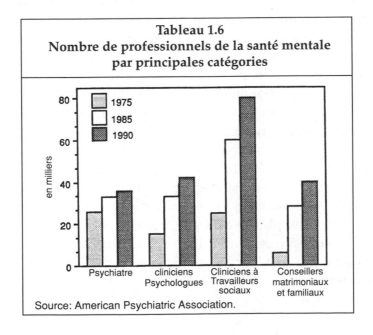

Tableau 1.6
Nombre de professionnels de la santé mentale par principales catégories

Source: American Psychiatric Association.

Presque tout le monde a ses moments de déprime, d'anxiété, de manque d'enthousiasme, et se sent parfois nettement asocial. Toutefois, la plupart des personnes que l'on considère *bien adaptées* peuvent faire face à ces situations de façon rationnelle et logique, en en parlant à des amis ou à des confidents, en faisant quelque chose qui les porte habituellement à se sentir mieux, quelque chose qu'elles font bien et qui les incite à retrouver leur confiance en elles. Lorsqu'elles sont sérieusement troublées, beaucoup de personnes trouvent très utile de discuter de leurs problèmes avec un conseiller religieux.

Parce que nous sommes des créatures sociales et biologiques, ces sentiments de détresse émotionnelle occasionnels sont tout à fait naturels et nous portent à nous tourner vers ceux que nous connaissons pour chercher de l'aide. Nous ne pouvons pas plus éviter ces crises périodiques de vague à l'âme que nous ne pouvons échapper au virus de la grippe.

Quand vous avez une maladie physique et que les remèdes de votre grand-mère, les conseils de vos amis, les efforts de votre médecin de famille et le temps lui-même n'en ont pas raison, vous commencez à penser à consulter un spécialiste. Dans le cas de la maladie mentale, surtout quand elle est grave, le spécialiste le plus qualifié, au point de vue médical et scientifique, est le psychiatre, bien qu'il y ait d'autres groupes de professionnels qui s'occupent aussi des troubles de santé mentale et émotionnelle. Des données en provenance des États-Unis indiquent une augmentation considérable du nombre de professionnels dans ce domaine, même seulement depuis 1975.

La formation et les diplômes requis pour différents professionnels varient grandement entre le Canada et les États-Unis et aussi entre les provinces et les États. Comme notre livre traite des troubles les plus graves qui peuvent comprendre la détresse, l'incapacité et la maladie, nous mettrons l'accent sur les psychiatres puisque leur but est de comprendre et de traiter de telles affections.

Qu'est-ce qu'un psychiatre?

Le psychiatre est un médecin qui se spécialise dans l'évaluation et le traitement de la maladie mentale. Sa formation et ses compétences sont orientées vers le diagnostic et le traitement de graves perturbations de l'humeur, de la mémoire, de la pensée, de la perception, des croyances et du comportement. Il est en mesure d'émettre une opinion éclairée dans une cour de justice lorsqu'on lui en fait la demande et il est autorisé par la loi à prescrire une grande variété de médicaments.

Après ses études, couronnées par un doctorat en médecine, le futur psychiatre doit faire un an d'internat en médecine, chirurgie et autre champ médical. Ensuite, il doit effectuer un stage de spécialisation de quatre ans en tant que résident dans un hôpital sous la supervision de psychiatres expérimentés. À la suite de cette formation, le candidat doit passer des examens portant sur un large éventail de sujets médicaux et psychiatriques et démontrer une habileté évidente pour évaluer, traiter et améliorer le bien-être des malades. Pendant ce processus, le médecin est sous l'observation de deux psychiatres venant d'hôpitaux différents de celui où il a fait son stage.

Les gens confondent souvent le psychiatre, le psychologue et les autres spécialistes de la santé mentale. Le psychologue doit obtenir une maîtrise ou un doctorat en psychologie et doit ensuite suivre un stage de formation d'une ou deux années. Si le titre de «docteur» lui est décerné à cause de son doctorat, il n'est pas pour autant un médecin. Il ne peut, par exemple, prescrire de médicaments. Par ailleurs, il apprend à fond la méthodologie de la recherche, quelquefois beaucoup plus que ne le fait un docteur en médecine, et reçoit une formation dans les domaines de l'évaluation de la personnalité, du counseling, des thérapies — comportementales, cognitives et autres — et apprend à maîtriser le raisonnement scientifique propre à ces approches.

Le terme de *thérapeute* est un terme général qui désigne quiconque offre une thérapie. Il existe une foule de professionnels de formations et d'écoles diverses, qui se font appeler «thérapeutes»; dans la plupart des régions, il n'y a aucune législation qui restreigne l'usage de cette appellation, indépendamment des forces ou faiblesses de la formation des personnes qui adoptent ce titre. Cependant, les lois de la plupart des pays réservent le droit de prescrire des médicaments aux médecins. Néanmoins, quand un thérapeute ne fait pas partie d'un organisme professionnel reconnu par le gouvernement, la personne qui veut suivre une thérapie se trouve dans la position difficile de devoir elle-même porter un jugement sur la compétence du thérapeute sans qu'un organisme officiel l'ait accrédité. On peut trouver à la page 38 les caractéristiques d'un bon thérapeute.

Heureusement, on trouve des psychiatres, des psychologues et d'autres conseillers professionnels dans la plupart des régions de l'Amérique du Nord et, ensemble, ils offrent un éventail considérable de techniques qui peuvent aider à traiter plusieurs troubles mentaux.

Bref historique

Dans le passé, les sociétés ont eu beaucoup de difficulté à comprendre la maladie mentale. Au début du XVIIᵉ siècle, on croyait que les personnes atteintes de ces troubles étaient possédées du démon et on les immolait sur le bûcher comme des sorcières. Vers le début du XIXᵉ siècle, plusieurs pays proposaient toutes sortes de solutions de rechange. En France et en Allemagne, les maladies mentales étaient considérées comme des désordres physiques du cerveau et l'on hospitalisait ceux qui en souffraient; des psychiatres et des neurologues travaillaient ensemble pour essayer de comprendre le processus de cette maladie. À l'opposé, en Angleterre, on attribuait ces troubles aux cycles de la lune, d'où vient la qualification de *lunatique*, que l'on donne à ces personnes. Les Quakers ont essayé de les aider d'une manière civilisée et humaine, et ils ont mis sur pied des asiles de «lunatiques». En particulier, le *Lunacy Act* de 1890 les assurait du droit à l'internement, mais ne prévoyait aucun traitement.

Dans l'Amérique du Nord du XIXᵉ siècle, on considérait les aliénés mentaux comme des malades et on a construit des asiles à leur intention; ceux-ci étaient habituellement situés loin des centres urbains, sur des fermes où travaillaient les malades eux-mêmes. Les psychiatres qui s'en occupaient portaient le nom d'*aliénistes*. Au mieux, ces institutions étaient humaines et calmes; au pire, c'étaient des «fosses aux serpents» ou des «asiles de dingues». L'histoire des hôpitaux psychiatriques a été cyclique; tantôt la philosophie était humanitaire et reflétait de grands idéaux, tantôt le personnel était corrompu et les institutions peu subventionnées; ces périodes étaient entrecoupées de mouvements de réforme.

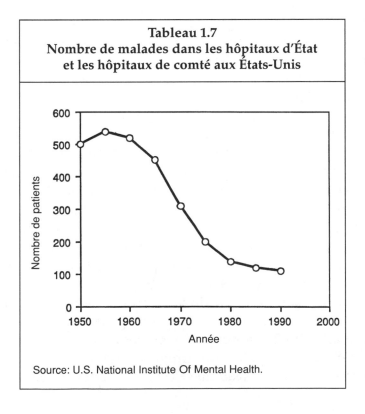

Tableau 1.7
Nombre de malades dans les hôpitaux d'État et les hôpitaux de comté aux États-Unis

Source: U.S. National Institute Of Mental Health.

En règle générale, la population des hôpitaux psychiatriques a continué à s'accroître jusqu'à il y a environ trente ans; à cette époque, on comptait aux États-Unis plus de 550 000 malades dans les hôpitaux d'État et dans les hôpitaux de comté. Depuis ce pic, une quantité de décisions judiciaires et de changements dans le mode de traitement, surtout grâce à l'évolution des médicaments psychotropes, ont permis de réduire ce nombre à environ 100 000.

Bien que ceci nous semble difficile à croire dans les années 1990, ce ne fut qu'au milieu du XXᵉ siècle que l'amélioration des communications de masse a permis au grand public de prendre conscience de la manière dont les facteurs psychologiques peuvent influencer le comportement. Nous trouvons maintenant tout naturel de parler de *lapsus freudien* et de faire régulièrement de la «psychanalyse de cuisine» à propos des raisons qui motivent nos amis ou nos connaissances à agir comme ils le font. De nos jours, étant mieux informés et plus sensibilisés, nous comprenons beaucoup plus facilement la dimension émotionnelle de la vie quotidienne, les besoins des enfants, les crises et souffrances du développement humain ainsi que la façon tordue que nous avons quelquefois de nous percevoir les uns les autres et de communiquer entre nous.

Cette bonne intelligence est propre aux gens normaux, aux gens normaux ayant des problèmes et à quelques personnes ayant eu un environnement troublé et des malheurs dès le début de leur développement. Des prises de conscience psychologiques sont utiles pour apprendre à vivre d'une manière moins anxieuse et plus satisfaisante. Mais elles ne sont pas suffisantes en elles-mêmes pour aider à traiter les désordres psychiatriques graves décrits dans ce livre; pas plus d'ailleurs que le fait de comprendre la nature de la pneumonie et de ses causes ne permettrait d'aider quelqu'un lorsqu'il a de la difficulté à respirer. Rendus à un certain point, il nous faut faire appel à un spécialiste.

Heureusement, grâce aux progrès scientifiques des trente dernières années, le travail du psychiatre moderne dépasse largement les séances sur le divan ou les interminables débats entre partisans de diverses écoles de pensée. La science de la psychiatrie a évolué constamment de sorte que maintenant ses champs de compétence incluent non seulement la psychologie, mais aussi les neurosciences, l'imagerie électronique, la psycho-pharmacologie moderne et plusieurs domaines de recherche pour évaluer l'efficacité du traitement. De nos jours, la majorité des malades sont traités en clinique ou au bureau du médecin. Les hôpitaux généraux ont des services psychiatriques où la durée de séjour moyenne est d'environ un mois. De plus, l'admission à un hôpital psychiatrique spécialisé n'est plus une sentence à vie — le séjour moyen dans une institution psychiatrique est maintenant de moins de deux mois, comparé à dix, vingt ou même quarante ans dans le passé, surtout dans le cas de la schizophrénie.

Les troubles particuliers de l'esprit et du cerveau sont le champ d'intérêt des psychiatres, mais, en aucun cas, le cerveau ne se trouve isolé du reste du corps. Pour le meilleur ou pour le pire, il y a une interaction constante entre le cerveau et le corps — réfléchissez seulement à la façon différente dont vous pensez, dont vous vous sentez et dont vous agissez quand une vilaine grippe vous assaille.

L'un des champs de connaissance du psychiatre est l'aspect physique: la biologie du cerveau et ce qui peut empêcher son bon fonctionnement; les anomalies des gènes et leurs répercussions sur le fonctionnement des cellules; les influences des messagers chimiques dans le cerveau; ainsi que la façon d'utiliser la technologie de pointe et les méthodes pour faire face à ces problèmes.

Mais au cours des cent dernières années, les psychiatres et les psychologues ont aussi développé des aptitudes et des techniques précises pour évaluer l'habileté d'une personne à prendre sa vie en main, à apprendre de nouvelles méthodes de résolution de problèmes ou à cerner ce qui a fait défaut, afin de lui apprendre à vivre de façon confortable et productive.

En dépit de l'importance de l'histoire et de la contribution de la technologie moderne, le psychiatre prend d'abord en considération le contexte social du malade et les nombreux effets que ce contexte peut avoir sur lui. Un contexte social est évidemment constitué de plusieurs cercles d'influences compris dans le réseau social d'un être humain. Une personne peut être déprimée parce qu'elle a, seule, la responsabilité de plusieurs enfants et n'a personne sur qui s'appuyer ou à qui parler. Une autre personne peut devenir déprimée parce qu'elle porte un gène qui ne permet pas à son cerveau de produire assez de substances chimiques pour lui permettre de conserver une humeur égale. Pour qu'un traitement soit efficace, il est essentiel de distinguer ces deux situations.

Le développement de ce champ d'investigation a aussi démontré qu'il est bien important de prendre en considération le contexte culturel d'un malade, puisque le comportement anormal s'exprime de différentes façons selon le milieu où il s'exerce. Dans un certain milieu culturel, les gens bouleversés seront plus portés à se plaindre de symptômes physiques; dans un autre milieu, on se plaindra de symptômes émotionnels. En dépit des définitions, de nombreuses études effectuées au cours de notre siècle auprès de différentes ethnies, partout dans le monde, ont montré que de 15 % à 20 % des gens, dans la plupart des populations, sont portés à manifester des troubles de santé mentale impliquant des comportements anormaux.

Pendant les cent dernières années environ, les psychiatres sont devenus plus compétents pour évaluer la personnalité, c'est-à-dire les modèles de pensée et de comportement qui sont uniques à chacun d'entre nous et qui découlent de facteurs héréditaires, d'influences familiales et de l'impact d'événements significatifs. Plusieurs études effectuées au cours du XXᵉ siècle ont aussi aidé les psychiatres à mieux comprendre comment les gens réagissent face aux incapacités physiques ou psychologiques.

Par exemple, une personne qui a été l'enfant timide de parents assez âgés, amateurs de lecture, qui a eu de bons résultats scolaires et qui n'a jamais fait de sport, peut réagir à la dépression par des symptômes de repli sur elle-même, de culpabilité et d'autodépréciation. Son voisin, un homme bruyant, extroverti, sportif, provenant d'une grande famille sociable, peut réagir en devenant irritable, violent et alcoolique.

Évaluations et traitements parallèles

Le but de ce livre est d'expliquer ce qui est connu, mais aussi ce qui n'est pas encore connu, sur les troubles psychiatriques et les genres de traitement qui ont vraiment fait leurs preuves. De tels renseignements sont importants pour les gens qui doivent choisir une forme d'aide professionnelle, que ce soit pour eux-mêmes ou pour l'un des leurs, maintenant ou plus tard.

Mais aussi, les organismes qui paient pour les services de santé exigent de plus en plus de renseignements sur l'efficacité des traitements particuliers, pour être en mesure d'évaluer les bénéfices potentiels par rapport aux coûts d'assurance et d'impôt du contribuable. Ces organismes refusent de plus en plus de payer pour des traitements qui sont réputés inefficaces. D'un autre côté, quand il n'y a pas de traitement connu, c'est au médecin qu'il revient de continuer à chercher des solutions fonctionnelles et de ne pas démissionner face à la maladie d'un patient.

La première étape consiste à faire l'**anamnèse du malade;** celle-ci commence par une entrevue en profondeur pour détecter quelle sorte de détresse pousse la personne à chercher de l'aide à ce moment précis de sa vie. Le médecin lui pose alors une série de questions. Quels événements se sont produits dernièrement dans sa vie? Y a-t-il eu des changements dans sa façon de vivre? Sa détresse émotive gêne-t-elle son rendement au travail ou perturbe-t-elle sa vie familiale? Quel était son niveau de fonctionnement optimal dans le passé et en quoi a-t-il changé? Y a-t-il eu chez elle une perturbation évidente du fonc-

tionnement cérébral comme de graves troubles de la mémoire?
A-t-elle subi une exposition à des substances toxiques ou souffert d'une maladie infectieuse grave dernièrement ?

La deuxième étape est souvent une **évaluation neurolo-
gique** minutieuse comportant probablement un électro-encé-
phalogramme (EEG), qui révélera le niveau d'activité électrique
des diverses parties du cerveau, ou un type de radiographie appelé *scanographie, tomographie* ou *balayage* électronique qui fait
voir l'anatomie et les structures du cerveau. La scanographie la
plus courante est la tomographie axiale à calculateur intégré
(computerized axial tomography [CAT]), mais l'imagerie par résonance magnétique *(magnetic resonance imaging [MRI])*, qui est
une radiographie plus précise, devient de plus en plus populaire. Cette technique de visualisation permet d'avoir une image
du cerveau presque aussi fidèle que lorsqu'on examine les tissus au cours d'une autopsie. Nous parlerons plus en détail de
ces diverses technologies au chapitre 2.

La troisième étape est l'**évaluation psychologique,** s'il ne
semble pas clairement y avoir un trouble médical relié au dysfonctionnement du cerveau. Cette étape consiste en une investigation des problèmes psychologiques variés. Le médecin demande au patient ce qui, d'après lui:

- ne va pas;
- cause le trouble dont il souffre;
- est son plus grand souci quant à son état.

Le médecin pose fréquemment une foule de questions pour
examiner plus à fond ces problèmes:

- Est-ce que des pensées répétitives précèdent les épisodes
  d'anxiété ou de dépression ?
- Est-ce que la détresse se produit dans des circonstances
  particulières?
- Est-ce que des membres de la famille, des connaissances
  ou des relations ont le même problème?

- Est-il survenu un événement particulier comme un accident grave ou la perte d'un être cher ou d'un bien personnel?
- La crise existentielle a-t-elle été causée par le passage à un stade majeur de développement, tel qu'une collation de diplôme, le départ de la maison familiale, un mariage, un divorce ou une retraite?
- Pour les femmes en particulier, y a-t-il des antécédents d'abus sexuels?
- Le patient a-t-il une piètre estime de lui-même? Se sent-il en pleine possession de ses moyens, a-t-il le sentiment d'avoir une identité solide, un passé bien rempli et un avenir bien assuré, ou éprouve-t-il un sentiment de fragmentation et de perte de ses moyens?
- Est-ce que la famille désire des changements et quels sont ses besoins de stabilité? Le patient a-t-il un cercle d'amis et de connaissances sur lesquels il peut compter s'il a besoin de soutien? Le patient fait-il partie d'un groupe d'entraide?
- Les habitudes alimentaires du patient diffèrent-elles beaucoup de celles de son groupe social? Consomme-t-il de l'alcool ou des drogues illicites?

Ce ne sont là que quelques questions posées par le psychiatre pour en arriver à faire une évaluation raisonnablement juste. De plus, il peut interroger les membres de la famille et utiliser des tests psychologiques ainsi que des épreuves en laboratoire avant de poser un diagnostic précis. Chacun des troubles psychiatriques majeurs qui peuvent être découverts fait l'objet d'un chapitre de ce livre.

Avec l'aide du patient, le médecin essaiera de trouver ce qui l'a prédisposé à souffrir de cette maladie; ce qui en a précipité l'apparition; ce qui la perpétue; s'il existe des facteurs importants qui réduisent les possibilités d'amélioration; s'il y a des forces particulières ou des facteurs de protection qui permettent au patient de fonctionner à un meilleur niveau que celui auquel on pourrait s'attendre, tels qu'une bonne relation avec son ou sa partenaire de vie, des talents ou des habiletés particulières.

La quatrième étape, après la cueillette de toutes ces données et l'établissement du diagnostic, consiste à trouver le **traitement** approprié et à l'appliquer. Heureusement, il y a plusieurs sortes de traitements psychiatriques et on peut en utiliser une variété de combinaisons pour traiter un même patient.

Médicaments

Dans chacun des chapitres suivants, on traite en détail d'une maladie mentale précise et on passe en revue les divers médicaments qui sont les plus efficaces dans chaque cas. Mais il vaut la peine de présenter ici un aperçu des principaux types de traitement qui sont maintenant disponibles.

Les neuroleptiques. Ces médicaments ont été introduits en Amérique du Nord en 1954 par l'éminent psychiatre Heinz Lehmann. Ils ont permis à plusieurs milliers de personnes troublées de vivre à l'extérieur des hôpitaux, de sorte que nous n'avons plus de ces asiles stéréotypés des siècles passés. À cause de leur puissance, de leurs effets secondaires et souvent de leur nature très particulière, on se sert surtout de ces médicaments pour traiter les troubles psychotiques.

Cependant, ces substances ne font que calmer les symptômes, elles ne guérissent pas. Il existe un besoin urgent, et l'occasion n'a jamais été meilleure pour la recherche scientifique de dépasser la génération courante de médicaments et d'en développer d'autres plus spécifiques comportant moins d'effets secondaires.

Les antidépresseurs et le lithium. Ils constituent un autre groupe de médicaments efficaces qui ne sont pas de rapides «survolteurs». Ces substances agissent lentement et, pendant plusieurs semaines, modifient les humeurs dépressives et les déséquilibres chimiques qui auraient été engendrés au sein du cerveau. Ces médicaments peuvent vraiment guérir, mais leur action est si lente que la souffrance persiste et continue à créer des coûts sociaux et émotionnels. Une plus grande compréhension de la chimie du cerveau et de la façon de changer l'humeur plus rapidement serait une contribution majeure dans ce domaine.

Les tranquillisants et les anxiolytiques (agents antianxiété). Ces médicaments, dont on se sert beaucoup, sont très utiles pour aider les gens à maîtriser leurs crises d'anxiété. Bien qu'ils soient très efficaces pour traiter des troubles graves de ce genre de même que des troubles phobiques, ils comportent aussi un risque d'accoutumance, et cela devrait être une motivation suffisante pour pousser les chercheurs à développer des médicaments plus appropriés.

Autres thérapies

La psychothérapie. Cette forme de traitement implique qu'une personne apprenne à régler ses troubles émotionnels — lesquels peuvent causer une grave insatisfaction, de la démoralisation et de la détresse — en les analysant avec un thérapeute médical ou non médical. Habituellement, nous apprenons à faire face aux événements grâce à nos parents ou à nos amis, mais certains se prennent dans des ornières et répètent maintes et maintes fois les mêmes modèles de comportement malheureux, comme la personne qui se retrouve, relation après relation, avec une personne alcoolique.

Bien des troubles existentiels sont souvent des réactions à des événements marquants du cycle de la vie, comme une naissance, une entrée à l'école, un mariage, un divorce, une retraite ou un décès. Une réaction est jugée normale ou anormale selon la culture et le groupe ou la famille du patient. Une famille, par exemple, peut penser qu'il est normal pour une jeune fille de devenir indépendante et de poursuivre une carrière alors qu'une autre famille s'attend que la jeune fille reste à la maison et s'occupe de ses frères et sœurs plus jeunes.

Désapprendre des façons inefficaces de résoudre des problèmes et en apprendre de plus saines est quelquefois une tâche longue et ardue; le thérapeute doit aussi faire preuve d'un doigté considérable. Mais, quelquefois, la psychothérapie peut être très brève et un minuscule changement peut entraîner une réaction en chaîne à long terme.

Par exemple, prenons le cas d'une jeune femme qui a peur de quitter la maison parce que sa mère malade ne peut s'occuper d'elle-même; elle est partagée entre un besoin désespéré d'avoir sa vie à elle et un sentiment de culpabilité à l'endroit de ce qui pourrait arriver à sa mère. Elle commence à avoir des douleurs à l'estomac et des attaques d'anxiété et ne peut plus sortir de chez elle. Son thérapeute reconnaît qu'il est normal qu'elle se sente frustrée et fâchée de cette situation, et cette rétroaction contribue à diminuer une partie de son anxiété et de sa culpabilité. Lors de la deuxième séance, qui regroupe ses frères et sœurs, ces derniers se rendent soudain compte qu'elle porte seule tout le fardeau et décident de participer aux soins donnés à leur mère pour que leur sœur puisse se trouver un appartement à elle. Son anxiété disparaît alors.

Il y a plusieurs formes de psychothérapie et plusieurs manières d'y participer. Quelques-unes sont plus efficaces en tête à tête avec le thérapeute, d'autres comprennent la famille tout entière et d'autres encore incluent des groupes de personnes qui partagent les mêmes problèmes. Les couples et les familles peuvent se trouver pris dans des cycles autoblessants tout comme le peut une personne seule.

Ce que nous appelons thérapie *dynamique* comporte des séances régulières, pendant des périodes de temps variées. Au cours de ces séances, le thérapeute essaie de découvrir la vraie personne qui se cache derrière ce qui peut être une façade protectrice, utilisée comme armure pour repousser de nouvelles blessures, ou dans d'autres cas une perte de conscience des événements du passé qu'il est trop douloureux de se rappeler. Par cette forme de thérapie, on essaie de développer la prise de conscience de forces émotionnelles internes qui engendrent des méthodes inefficaces de prise en charge de soi. Son but est de remonter le moral, d'augmenter la confiance en soi et de fournir la compréhension nécessaire pour choisir des manières efficaces de résoudre les problèmes de même que l'habileté d'accepter ce qui ne peut vraiment pas être changé.

La psychothérapie est particulièrement utile pour ce genre de problèmes. Une thérapie dynamique brève peut impliquer des séances d'une heure par semaine pendant moins d'un an. Plusieurs centres offrent des thérapies à long terme qui peuvent quelquefois s'étaler sur plusieurs années.

Bien des gens ont l'impression d'avoir été aidés par la psychanalyse, mais jusqu'ici il a été impossible d'apprécier scientifiquement son efficacité, comme on a pu le faire pour d'autres traitements. Ses effets sont plus subtils et difficiles à mesurer bien qu'ils puissent avoir changé des choses en profondeur chez le malade qui en a bénéficié. Malheureusement, ce type d'aide psychiatrique n'est, en lui-même, pas très utile pour traiter les troubles psychiatriques graves décrits dans ce livre. Les gens qui ont des problèmes très graves peuvent aussi éprouver d'autres difficultés que la psychanalyse peut aplanir. Cependant, ne choisir que cette forme de thérapie pour le traitement de maladies mentales graves peut équivaloir à choisir de traiter un ulcère gastroduodénal seulement en prenant conscience de ses causes psychologiques, sans faire appel à un spécialiste qui peut traiter sa manifestation physique de manière vigoureuse et efficace.

Alors qu'on rencontre des personnes qui ne peuvent s'entendre entre elles sans qu'il y ait de la faute ni de l'un ni de l'autre, il en est de même pour un thérapeute et son client. Quelquefois, il s'agit d'une incompatibilité de caractère. Ce n'est pas parce qu'une combinaison ne fonctionne pas qu'une autre ne fonctionnera pas. Il ne faudrait pas renoncer à la psychothérapie après une seule expérience malheureuse, comme il ne faut pas arrêter de chercher l'âme sœur parce qu'une première rencontre nous a désappointés.

La psychothérapie est un processus plus complexe que l'acte médical d'un éminent spécialiste qui sait que la bactérie *a* requiert l'usage de l'antibiotique *x*. La psychothérapie est à la fois un art et une science. Il est donc tout naturel qu'il existe chez les psychothérapeutes un certain nombre de qualités qui aient donné, au cours de décennies d'exercice, de relativement bons résultats.

Les médecins qui sont spécialement compétents dans ce domaine sont chaleureux, soucieux des autres, empathiques et compréhensifs. Ils se doivent d'être fiables et de tenir leurs promesses, car beaucoup de gens qui se retrouvent en thérapie ont perdu confiance en qui que ce soit parce qu'ils ont été trop blessés et déçus dans le passé.

Comme personne d'entre nous n'est parfait, les thérapeutes doivent se méfier de leur propre tempérament et de leur vulnérabilité. Ils doivent avoir du respect pour les malades et ne pas les traiter comme des enfants ou des idiots. De plus, ils doivent avoir un optimisme réaliste à propos des améliorations auxquelles ils doivent s'attendre. Ils doivent aussi avoir la force d'être flexibles, de savoir quand parler et quand écouter, de permettre au malade de mûrir et, quand vient le temps, de les laisser aller complètement. Évidemment, les thérapeutes ne doivent pas abuser, sexuellement ou verbalement, de leurs patients, porter des jugements, être condescendants ou peu expansifs.

Toutes ces qualités sont importantes parce que la psychothérapie ne fonctionne pas seulement par la compréhension ou la prise de conscience, mais elle donne des résultats à cause de la qualité de la relation que le médecin et son patient arrivent à établir entre eux pendant la durée de la thérapie. Une certaine façon de traiter peut conduire à la guérison, à la croissance et au développement. Alors que les patients peuvent souffrir parfois de leur relation avec leur thérapeute ou être déçus par lui, tout comme ils l'ont expérimenté avec d'autres dans le passé, le fait de comprendre et de surmonter sa peine permet au patient de devenir moins vulnérable et de développer de meilleures relations avec autrui.

La thérapie cognitive behaviorale. Cette approche de résolution des problèmes émotifs est fondée sur le fait que les pensées peuvent souvent déterminer les sentiments et les actions. Plutôt que de pousser les gens à des prises de conscience émotionnelles ou à une compréhension plus approfondie des traumatismes de leur enfance, ce type de thérapie vise, de façon spécifique, à changer directement les modèles de comportement du patient, selon un plan préétabli. Le thérapeute peut concevoir une prescription de comportement individualisée, afin que le patient apprenne à renverser des vagues de pensées négatives qui risquent de l'entraîner dans leur tourbillon ou encore à freiner les premiers signes d'une attaque de panique.

Il n'est pas surprenant que certains types de personnes réagissent mieux à une sorte de psychothérapie qu'à une autre. Le patient pratico-pratique et dynamique aimera peut-être mieux apprendre de nouvelles aptitudes et techniques pour modifier son comportement ou ses façons de penser qui vont à l'encontre du but recherché. Ceux qui font de l'introspection ou qui ont un sens poussé de la tradition et de l'histoire familiale peuvent préférer une approche qui s'attarde aux modèles familiaux au fil des générations.

De plus, beaucoup de femmes modernes vont se méfier d'une psychothérapie vieux jeu orientée vers l'homme. Le mouvement féministe a bouleversé les rôles traditionnels des hommes et des femmes de sorte que les normes en ce qui a trait aux rôles masculins et féminins changent peu à peu. Bien des thérapeutes ne cherchent plus maintenant à confiner la normalité aux vieux rôles conventionnels.

La thérapie de réadaptation. Cette approche est utilisée quand des aptitudes fondamentales n'ont pas été développées ou ont été perdues au cours d'une maladie grave. La réadaptation implique habituellement une nouvelle sorte d'apprentissage, par exemple développer les aptitudes nécessaires pour arriver à travailler plus efficacement, à trouver un emploi, à entretenir l'endroit où l'on vit, à magasiner ou à se comporter adéquatement pendant une entrevue. Heureusement, il existe plusieurs programmes conçus pour les personnes atteintes de maladies émotionnelles graves qui peuvent les aider à reprendre une vie indépendante.

La thérapie électroconvulsive[3] (*electroconvulsive therapy ou ECT*). Ce traitement est le plus controversé en psychiatrie, et l'on s'en sert le plus souvent pour guérir la dépression aiguë. Une bonne partie des craintes à propos de cette technique est basée sur son utilisation excessive et inappropriée dans le passé. La thérapie électroconvulsive ou par électrochocs était souvent administrée sans anesthésie, et les préposés maintenaient le patient par les bras et les jambes pour lui éviter de se blesser lorsque survenait la convulsion — c'était une expérience tout à fait effrayante. Maintenant, on procède d'abord à une anesthésie générale du patient et on lui donne des médicaments pour relâcher ses muscles afin que ses membres ne se mettent pas à bouger de manière désordonnée sous l'effet de l'électrochoc. En dépit de tout ceci, une enquête effectuée en Grande-Bretagne a démontré que de 50 % à 60 % des malades ont peur de cette technique, même si on la leur explique avec soin. La plupart d'entre eux acceptent toutefois de la subir et signent un document de consentement éclairé où ils doivent répondre à des questions indiquant qu'ils comprennent le traitement et les risques qu'il comporte.

Beaucoup de malades et leur famille ont peur du dommage au cerveau et de la perte de mémoire. Autrefois, le malade éprouvait une légère perte de mémoire, ce qui est maintenant grandement réduit, sinon éliminé, en plaçant les électrodes se-

---

3. Il s'agit d'une électrocution incomplète provoquant une perte de conscience et une crise épileptique; l'électrochoc ne laisse aucun souvenir dans l'esprit de celui qui le subit (*N.D.T.*).

lon la latéralisation[4]: par exemple, du côté droit de la tête des droitiers, car à cause de la latéralisation, chez eux, c'est du côté gauche que se trouve le siège de la mémoire verbale.

D'autres ont peur de la douleur, qui est généralement minime, grâce à l'anesthésie. Par contre, bien des psychiatres disent à leurs confrères qu'ils voudraient qu'on leur administre une thérapie électroconvulsive si jamais ils souffraient d'une dépression, car ils ont été témoins de la douleur associée à cette maladie-là et voudraient s'en sortir le plus vite possible.

De nos jours, on ne se sert des électrochocs que dans le cas de dépressions qui ne répondent pas aux médicaments antidépresseurs. Quand on utilise cette technique correctement, elle est efficace, sûre et donne assez souvent des résultats rapides, bien qu'on ne sache pas encore tout à fait pourquoi. Quoi qu'il en soit, elle peut représenter une bouée de sauvetage quand une personne très déprimée risque de se suicider avant que la thérapie médicamenteuse ne fasse effet. Nous parlerons plus en détail de cette approche de la dépression au chapitre 3.

La chirurgie. Le concepteur d'une opération que l'on appelle *lobotomie* a reçu un prix Nobel parce que cette intervention, avant que l'on ait accès aux médicaments et aux électrochocs, soulageait la souffrance des malades mentaux. Alors que quelques malades répondaient relativement bien à ce traitement et pouvaient même poursuivre une vie professionnelle normale, plusieurs se retrouvaient privés de toute vitalité émotionnelle. D'un autre côté, les cicatrices des tissus cérébraux pouvaient aussi déclencher l'épilepsie chez certains malades dont environ 5 % sont morts à la suite d'une hémorragie cérébrale causée par cette intervention chirurgicale. D'autres malades devinrent excitables et incapables de maîtriser leurs

---

4. La latéralisation est l'organisation, entre les âges de trois et six ans, de l'asymétrie du corps du côté droit (droitiers) ou gauche (gauchers) liée à la localisation des fonctions du langage. L'hémisphère gauche du cerveau contrôle les fonctions du côté droit du corps, et vice versa *(N.D.T.)*.

émotions alors que d'autres encore nécessitèrent des soins complets à cause des lésions cérébrales qui en résultèrent.

Ces résultats variés et imprévisibles étaient dus à une absence de précision de la chirurgie qui endommageait quelquefois des parties du cerveau nécessaires à son bon fonctionnement. Lorsqu'on a raffiné la technique et concentré l'intervention très précisément sur certaines parties des lobes frontaux, on a pu obtenir de meilleurs résultats, mais on a fini par abandonner, de façon presque générale, cette approche dans les années cinquante.

En gros, on se sert maintenant de la neurochirurgie en général afin de remédier à une variété de troubles neurologiques, y compris ceux qui sont causés par des tumeurs. On utilise aussi la chirurgie pour enlever des parties du cerveau qui causent des convulsions.

Nous pourrions découvrir un jour que quelques-unes des cellules cérébrales qui agissent comme usines chimiques peuvent être remplacées quand elles sont devenues inefficaces, ou peuvent être ralenties quand elles font de la surproduction. On pourrait implanter dans le cerveau de petits morceaux de tissu cérébral qui sécréteraient la quantité exacte et la sorte de substance chimique nécessaire. La recherche actuelle touchant la génétique et l'implantation de tissu cérébral chez l'animal est prometteuse, mais les applications sur les humains requerront des efforts scientifiques énormes pendant encore quelques décennies.

Le nouveau développement de la banque américaine de tissu cérébral, que les chercheurs utilisent maintenant à grande échelle, est un premier pas dans cette direction.

Cette banque permet aux experts d'étudier et de comparer les caractéristiques médicales des tissus cérébraux sains et malades beaucoup plus facilement que par le passé. Bien des malades et leur famille décident en effet de participer à ce programme en signant un document de don d'organe à cette banque[5].

_____

5. On peut obtenir de plus amples détails en s'adressant au McLean Hospital, 115, Mill Street, Belmont, Massachusetts, 02178.

Composantes de l'équipe thérapeutique

Les maladies mentales graves nécessitent souvent le recours à un groupe étroitement coordonné de professionnels de la santé mentale travaillant ensemble pour aider le malade et sa famille à faire face aux problèmes qui découlent de la perturbation du comportement. De telles équipes thérapeutiques de psychiatrie adulte ou infantile se composent de quelques-uns ou de tous les spécialistes ci-après mentionnés.

L'infirmière ou l'infirmier psychiatrique. Auparavant, c'était surtout des femmes qui occupaient cet emploi, mais de plus en plus d'hommes ont joint leurs rangs; les études se font au niveau collégial ou au niveau universitaire; le baccalauréat en sciences infirmières décerné par une université est le diplôme que favorise l'organisme professionnel des infirmières et infirmiers. À la suite de sa formation en sciences infirmières, une personne qui veut se diriger vers les sciences infirmières psychiatriques doit suivre certains cours ou bien faire un stage comme infirmière dans un service psychiatrique interne ou externe. Plusieurs années de pratique permettent d'acquérir une bonne expérience, et ces personnes deviennent alors expertes dans l'évaluation des troubles des malades et dans la façon de s'en occuper. Elles en viennent aussi à connaître l'utilisation des médicaments et leurs effets secondaires et elles peuvent s'occuper de ces malades au jour le jour, sous la supervision d'un médecin qui assume la responsabilité et les risques juridiques de ces malades. Une infirmière psychiatrique d'expérience est une professionnelle bien formée qui peut occuper des postes de direction dans les cliniques ou bien s'orienter vers la pratique privée.

La travailleuse sociale ou le travailleur social est un membre inestimable de l'équipe d'évaluation et de traitement. Ce membre de l'équipe a une compétence spéciale pour comprendre les personnes dans leur contexte social. Alors que plusieurs professionnels de cette discipline travaillent dans des agences publiques et au sein d'équipes de politique sociale du gouvernement, d'autres font de la clinique et développent des aptitudes en service social et en psychothérapie. Ces derniers sont des experts quand il s'agit d'aider les clients et les familles à résoudre des problèmes émotionnels. La formation de base pour ces professionnels est au moins un baccalauréat, mais on demande habituellement une maîtrise en service social (selon les exigences de leur organisme professionnel); ces études permettent à la travailleuse ou au travailleur social d'obtenir une bonne connaissance de l'organisation communautaire et des nombreuses ressources de soutien, qui sont quelquefois bien compliquées à comprendre, surtout en ce qui a trait aux pauvres et aux classes défavorisées. Ils sont compétents pour aider les handicapés à se trouver un logement convenable et à choisir des programmes de formation pour augmenter leurs aptitudes. Les personnes qui font du service social commencent souvent leur carrière dans le secteur public; quelquefois, plus tard, elles entreprennent une pratique privée, se spécialisant dans le travail clinique avec des gens ayant des problèmes de couple ou de drogue; ou bien, elles font de la psychologie industrielle; et ainsi de suite. Quelques-unes d'entre elles peuvent diriger une clinique, parce que leur connaissance du système social constitue une bonne base pour son administration.

L'ergothérapeute a des aptitudes spéciales pour évaluer les atouts et les déficiences de personnes ayant des incapacités psychologiques, physiques ou développementales; il peut les aider à surmonter ces handicaps de même qu'à découvrir des moyens parallèles pour faire face aux défis mentaux ou physiques. De plus, ce professionnel peut aider les malades à apprendre à utiliser leur temps de loisir d'une façon constructive et à développer des méthodes spécifiques pour maîtriser leur détresse. Il est aussi capable d'évaluer le potentiel de travail d'un malade et de concevoir des étapes progressives lui permettant d'accroître ses responsabilités. Ceci peut se faire à l'hôpital ou dans la communauté. Les experts en ce domaine détiennent habituellement un baccalauréat ou une maîtrise en ergothérapie d'une université (selon les exigences de leur organisme professionnel). Une bonne partie de la formation scolaire comprend des cours d'anatomie et des disciplines connexes; on leur apprend de plus en plus à se servir de la technologie électronique (comme les appareils de rétroaction biologique) pour aider leurs malades.

La **puéricultrice ou le puériculteur**[6] doit obtenir un diplôme du cégep ou un baccalauréat de l'université; cette personne doit apprendre en profondeur les étapes du développement de l'enfant, surtout au niveau psychologique et cognitif, de même que le fonctionnement d'une famille. Cette formation lui donne de bons outils pour comprendre le comportement autant d'un enfant sain que d'un enfant perturbé; elle lui permet aussi de participer à leur soin, que ce soit à la maison, à l'hôpital ou dans les centres communautaires. Quelques professionnels de puériculture continuent leurs études dans différents domaines et deviennent administrateurs, infirmiers ou thérapeutes.

Le psychologue, que l'on décrit à la page 25, joue aussi un rôle crucial dans l'évaluation et le traitement des patients.

Traitement et paradoxe de la désinstitutionnalisation

Comme on a vidé de façon dramatique les hôpitaux psychiatriques au cours des quarante dernières années, bon nombre de cette clientèle a de la difficulté à se réinsérer dans la société. Dans bien des cas, lorsque le soutien familial ou amical était inexistant, il en est résulté du chômage, de l'errance et de la faim. Il est très compréhensible que ces personnes puissent quelquefois sembler un peu énervées aux gens qui n'ont pas ces problèmes et les frôlent dans la rue.

---

6. Du mot latin *puer* qui signifie «enfant» *(N.D.T.).*

En grande partie à cause du sensationnalisme des médias qui ont rapporté les quelques crimes commis par d'anciens malades mentaux, le public en a peur et il en résulte pour eux un réel isolement social. Par conséquent, dans un monde de plus en plus renseigné sur la maladie mentale, les préjugés contre ses victimes semblent demeurer aussi forts. Ainsi, dans une récente étude aux États-Unis, les gens ont coté la maladie mentale comme la pire des vingt et une incapacités énumérées qui pourraient leur arriver et, sur une échelle d'acceptation sociale, ils ont coté les ex-prisonniers avant les anciens malades mentaux. Une étude en Californie rapporte que seulement 17 % des personnes interrogées ont été d'accord avec la déclaration suivante: *Les malades mentaux ne sont pas dangereux.*

À l'occasion, les stéréotypes sociaux se confirment. N'importe quelle personne qui croit qu'un touriste du Japon se comporte de la même façon qu'un touriste du Texas n'a, de toute évidence, jamais rencontré ni l'un ni l'autre. Mais le caractère dangereux d'un malade mental n'est pas soutenu par les faits. La plupart des malades mentaux sont en réalité repliés sur eux-mêmes, timides et plutôt anxieux à l'endroit des autres. Des études répétées ont démontré que moins de 2 % des malades mentaux présentent un quelconque danger pour la société. Malgré tout, nous sommes quelques-uns à sentir que le côté imprévisible de ces gens est une raison d'en avoir peur, alors qu'ils sont, en règle générale, plutôt passifs.

Par opposition, les conducteurs ivres nord-américains sont quelques-unes des personnes les plus dangereuses qui soient, puisqu'ils sont responsables d'environ 30 000 morts par année. Pourtant, on a conservé au cours des ans, de façon remarquable, de la tolérance et même de la sympathie pour ces personnes. Cette attitude semble toutefois être en train de changer maintenant.

Au fur et à mesure que la recherche psychiatrique avance et que le public se renseigne, la peur du malade mental et l'isolement social qui en résulte diminueront probablement. On n'a pas peur et on n'isole pas les gens atteints de polio, de diabète ou de la maladie de Parkinson et, en fait, on leur témoigne généralement de la sympathie et on leur donne du soutien. Alors qu'il deviendra progressivement évident que plusieurs maladies mentales sont dues à des troubles physiques sous-jacents qui déclenchent seulement des modèles de comportement bizarre, le niveau de compréhension envers ces victimes pourrait aussi augmenter.

Une enquête entreprise par la National Restaurant Association [l'Association nationale des restaurateurs], le premier groupe commercial à avoir jamais étudié l'expérience de travail de malades mentaux rétablis, constitue un pas dans cette direction. Les résultats montrent que plus de 75 % des employeurs étudiés ont coté ces gens comme «aussi bons» ou «meilleurs» que leurs collègues de travail, en termes de motivation, de qualité du travail et de fidélité au travail.

Sources d'information

On peut trouver des références, pour obtenir de l'aide ou des renseignements plus détaillés sur les troubles dont nous parlons, dans quelques-uns des chapitres de ce livre. Vous pouvez obtenir des renseignements au sujet des services disponibles dans votre communauté de votre médecin de famille, de l'agence de santé publique de votre voisinage, du centre de services communautaires ou des associations de santé mentale, répertoriés dans les pages jaunes de votre annuaire téléphonique. De plus, une visite à une bibliothèque locale peut aussi se révéler très utile.

Quelques renseignements peuvent vous aider considérablement quand une personne de votre entourage a des troubles de comportement et que vous ne comprenez pas ce qui se passe. Un mot de mise en garde cependant: certaines personnes ressentent chaque trouble médical qu'elles étudient. Il est possible de trouver en vous-même les symptômes de presque toutes les maladies. Tout le monde a déjà eu un mal de tête, mais très peu de personnes ont une tumeur au cerveau. Nous connaissons tous quelqu'un qui s'est senti déprimé, paranoïde ou pris de panique à un certain moment, mais il est important de faire attention et de ne pas tirer trop de conclusions prématurées à propos de votre propre situation ou de la santé mentale de vos amis, à la suite d'une simple première lecture des chapitres suivants.

CHAPITRE 2

La schizophrénie

La schizophrénie, l'une des maladies mentales les plus complexes et les plus dispendieuses, affecte autant les hommes que les femmes. Environ 1 % des Nord-Américains en souffrent et, seulement aux États-Unis, on compte 2,5 millions de victimes. Au Canada, on répertorie 260 000 schizophrènes. Cette maladie coûte de 25 à 30 milliards de dollars annuellement en soins de santé aux États-Unis. Si l'on prend au hasard n'importe quel jour de l'année, on peut vérifier qu'environ 25 % des malades hospitalisés à travers le pays sont des schizophrènes.

Si, dès demain, l'on trouvait un remède miracle pour guérir la schizophrénie, les contribuables pourraient économiser une somme d'argent inestimable. Car les victimes de schizophrénie occupent plus de lits dans les hôpitaux, les maisons de santé et les institutions de traitement à long terme que les victimes de toute autre maladie. Qui plus est, cette maladie atteint les gens au sortir de l'adolescence ou au début de la vingtaine, au moment où ils se lancent dans la vie.

Le terme de *schizophrénie* vient de deux mots grecs qui signifient «diviser» et «esprit»; c'est la raison pour laquelle bien des gens pensent à tort que la maladie est un trouble de personnalité double comme celui du Dr Jekyll et de M. Hyde, ou un trouble de personnalité multiple comme celui que l'on décrit dans le livre *The Three Faces of Eve*, où plusieurs identités distinctes se sont développées, souvent inconnues l'une de l'autre, et souvent comme tentative de «fuite» devant des abus graves subis pendant l'enfance.

Mais, contrairement à ces stéréotypes, la coupure en est une de la réalité. Les schizophrènes passent une grande partie de leur temps dans un autre monde, où des voix à l'intérieur de leur tête peuvent commenter les choses qu'ils font ou pensent et leur dire quoi faire, ou tenir des conversations entre elles. Ils peuvent voir, entendre, toucher, sentir et goûter des choses qui ne sont pas là. Ils n'ont pas le sentiment de pouvoir se maîtriser, sentiment que nous ressentons la plupart du temps. Ils pensent souvent qu'ils sont dominés par des êtres d'une autre planète ou que leurs ennemis les surveillent et les dirigent à l'aide du téléphone ou de la radio.

Pour bon nombre de schizophrènes, le processus de la pensée est devenu si erratique que leur discours n'a plus de sens pour personne. Ils peuvent soudainement exprimer des sentiments de grande joie, d'anxiété, de surprise, de tristesse ou de colère qui n'ont absolument rien à faire avec les circonstances.

Les victimes de cette maladie ont de la difficulté à distinguer la réalité de la fantaisie. Pendant les épisodes aigus, alors qu'ils sont en proie à la terreur ou à la colère, un petit pourcentage de ces malades peuvent devenir violents et se blesser ou blesser les autres; mais, la plupart du temps, ils sont réservés et plutôt tristement inoffensifs. À cause de leurs actes, paroles et apparence bizarre, leurs amis et leur famille se sentent frustrés et souvent les abandonnent à leurs idées délirantes et à leurs hallucinations, ce qui ajoute à leur repli sur eux-mêmes et à leur isolement.

Margaret Gibson, auteure atteinte de schizophrénie, nous donne un aperçu de cet autre monde et des terreurs qu'il peut recéler:

Il y a certaines chaises sur lesquelles on ne peut pas s'asseoir, des coups à la porte alors qu'il n'y a personne... J'ai vu Satan, un ange déguisé en chauffeur de taxi, et j'ai couru dans la neige pieds nus avec mon fils de trois ans parce que nous n'étions plus en 1976... Seulement mon fils et moi sommes vivants, et nous cherchons un refuge souterrain où nous serions en sécurité avec les autres qui ne sont pas l'ennemi.

Les premiers stades de la maladie peuvent ne pas être très dramatiques. Les membres de la famille peuvent décrire la personne comme «n'étant pas elle-même»: elle peut leur sembler être plus introvertie et repliée sur elle-même et avoir de la difficulté à faire face à la famille, à l'école ou au travail. Elle peut manquer de dynamisme ou d'intérêt ou avoir des troubles de concentration. Mais il reste que ces symptômes sont plutôt vagues et peuvent être causés par un peu n'importe quoi: comme une dépression ou la consommation de marijuana; c'est pourquoi on ne peut conclure à une schizophrénie sans que la personne ait, au préalable, été évaluée minutieusement par un professionnel de la santé mentale.

Environ 25 % des gens qui sont schizophrènes trouvent que leurs symptômes ne sont jamais vraiment graves. Grosso modo, 50 % peuvent être traités par des médicaments. Toutefois, ces médicaments peuvent souvent causer des effets secondaires assez graves. Les autres 25 % résistent généralement à la médication ou à toute forme de thérapie et se trouvent souvent relégués à long terme à un état d'isolement et à l'hospitalisation.

Il y a aussi des formes plus légères de schizophrénie où la personnalité ne se trouve pas totalement désorganisée et où les gens semblent presque normaux, bien que les symptômes de la maladie se développent en sourdine. En voici un exemple:

À la fin de son adolescence, Éric commença à se plaindre d'une difficulté à se concentrer, d'une confusion interne et d'une incapacité à contrôler ses pensées. Il commença à passer la plupart de son temps dans sa chambre, le regard perdu dans le vide et ne comprenant apparemment pas grand-chose à ce qu'on lui disait. Quelquefois, il se mettait soudainement à fixer un objet, une lampe par exemple.

Vers l'âge de vingt-trois ans, après deux séjours à l'hôpital psychiatrique, alors qu'il travaillait depuis deux ans et prenait avec succès une petite dose d'un médicament antipsychotique appelé *perphénazine*, il se pensa mieux et crut qu'il pouvait cesser de prendre ses médicaments. Lors de sa visite de routine à la clinique, son médecin remarqua qu'il semblait plus anxieux et moins cohérent et le persuada de recommencer à suivre son traitement. Pendant son retour en voiture à la maison, à une intersection, un agent de circulation pointa sa main vers sa voiture pour lui faire signe d'avancer. Il fut pris de terreur, sortit en trombe de son auto et retourna en courant à la clinique, prétendant que la police le poursuivait.

Il accepta volontairement d'entrer à l'hôpital pour sa propre sécurité; sa frayeur se calma et il expliqua qu'un préposé aux douanes avait trouvé ses médicaments lors d'un récent voyage aux États-Unis. Il croyait que ce préposé avait averti le corps policier qu'il était un trafiquant de drogue et qu'il serait bientôt incarcéré.

On augmenta sa dose de médicament et il put quitter l'hôpital après un séjour de quatre semaines; cependant, la thérapie médicamenteuse le ralentissait et il dut reprendre son travail à un rythme beaucoup plus lent. Au bout de six mois, on réduisit sa médication et il devint un peu plus énergique.

Causes

Au cours des siècles, on n'a pas manqué d'explications pour cette maladie mentale. La possession du démon était l'une des plus populaires. Au siècle dernier, on disait que la masturbation était responsable de cette maladie. Puis, ce fut au tour de la mauvaise alimentation. Il y a quelques décennies, ce sont les parents que l'on rendait responsables de l'état de leur enfant. Ils en ressentaient une énorme culpabilité, car on disait que la maladie résultait de la façon dont ils élevaient leur enfant. Toutes ces théories ont été abandonnées.

De nos jours, comme dans bien d'autres domaines de la maladie mentale, divers facteurs sont mis en cause et varient significativement selon les gens. Il est beaucoup plus clair maintenant que la prédisposition à la maladie peut être héréditaire. Si l'un des parents souffre de schizophrénie, le risque de l'enfant augmente dramatiquement, passant de 1 sur 100 à 1 sur 10. Si les deux parents sont schizophrènes, le risque augmente à 45 sur 100. Il est intéressant de noter que ces pourcentages de risque sont similaires même quand l'enfant est adopté par des parents non schizophrènes. Comme ce point est important pour trouver une explication à cette maladie, il est très utile de parler de ces risques un peu plus en détail.

Parce que la majorité des enfants de schizophrènes ne souffrent pas de la maladie et que la majorité des schizophrènes n'ont pas de parents schizophrènes, il doit y avoir d'autres facteurs en cause que la simple mauvaise chance génétique. Les complications avant ou pendant la naissance et/ou des traumatismes crâniens ont été identifiés comme facteurs de risque. On sait aussi que le stress peut empirer les symptômes et que les schizophrènes peuvent avoir de piètres mécanismes pour faire face à différentes situations, mais il n'y a pas de preuve scientifique formelle que le stress en lui-même ait un rôle précis dans le développement de la maladie.

De nouvelles techniques pour examiner la structure et le fonctionnement du cerveau révèlent des différences chez les schizophrènes, et la plupart des psychiatres croient qu'elles résultent de troubles physiques complexes du fonctionnement cérébral. Un rapport récent du National Institute of Mental Health a fourni la meilleure preuve jusqu'ici que la schizophrénie est un trouble physiologique du cerveau et non seulement psychologique. En étudiant quinze paires de jumeaux identiques, dont l'un était schizophrène et l'autre, normal, les scientifiques ont découvert des différences anatomiques subtiles dans leurs cavités cérébrales. Certaines des cavités ou «ventricules» étaient élargies chez les jumeaux malades mentalement alors qu'au contraire les sièges cérébraux de la mémoire, de l'émotion et de la prise de décision étaient de grandeur inférieure. Ces différences indiquaient que les tissus avaient rétréci ou s'étaient développés anormalement. Comme les jumeaux étudiés étaient identiques, cette recherche montre clairement que d'autres facteurs que l'hérédité sont impliqués dans la schizophrénie — peut-être des infections virales, une anoxie ou des traumatismes qui ont affecté le développement des tissus nerveux.

Il appert, en particulier, que quelques aires du cerveau qui contrôlent le mouvement et la réponse émotionnelle ont un nombre anormalement élevé de récepteurs pour la dopamine, un important messager chimique. En 1974, le Dr Philip Seeman de l'Université de Toronto découvrait que de nombreux schizophrènes se trouvaient dans cette situation.

La dopamine est une substance associée aux groupes d'agents chimiques appelés *neurotransmetteurs*, nécessaires pour assurer la communication des cellules nerveuses entre elles. Lorsqu'un influx électrique voyage le long d'une dendrite ou tentacule d'un neurone, une petite quantité de neurotransmetteurs est nécessaire pour assurer la transmission ou synapse avec la dendrite du neurone avoisinant tel qu'on peut le voir à la figure 2.1.

Puisque cette notion de physiologie est plutôt importante, plusieurs éléments de cette illustration requièrent une explication. Par exemple, l'axone est la ligne du tronc nerveux qui achemine rapidement les influx électriques d'un endroit à un autre. À l'intérieur se trouvent les microtubules impliquées dans le transport lent de substances qui nourrissent le neurone. Le terme de *neurone* comprend à la fois l'axone et le corps cellulaire. Des messagers chimiques très importants comme la dopamine sont fabriqués dans le corps cellulaire et leur énergie est produite dans la mitochondrie et entreposée dans de petits sachets appelés *vésicules*. La synapse est le lieu de contact entre les cellules nerveuses, c'est une fente où les neurotransmetteurs sont libérés.

Plusieurs médicaments prescrits dans les cas de schizophrénie et d'autres maladies psychiatriques sont conçus pour s'adapter à cette réalité anatomique. Quelques-uns augmentent la libération d'un neurotransmetteur par le corps ou dans d'autres cas agissent afin de réduire son action en bloquant le récepteur sur le côté éloigné de la synapse. D'autres médicaments bloquent le recaptage du neurotransmetteur lui-même une fois qu'il est libéré.

Figure 2.1
**Physiologie fondamentale
de la dendrite et de la synapse d'un neurone**

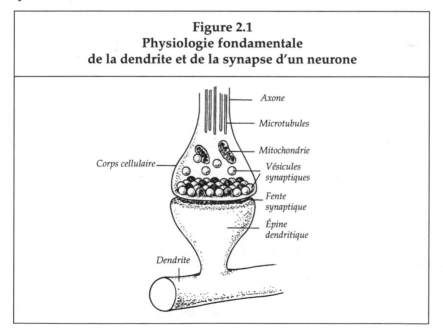

Les médicaments antipsychotiques appelés neuroleptiques ont été soigneusement conçus pour bloquer le récepteur du neurone avoisinant afin que l'influx électrique ne puisse être transmis. La figure 2.2 montre comment le corps fabrique la dopamine et les divers éléments contre lesquels les neuroleptiques doivent agir pour atteindre leur but.

Figure 2.2
Schéma de la production de la dopamine et de l'action bloquante des neuroleptiques

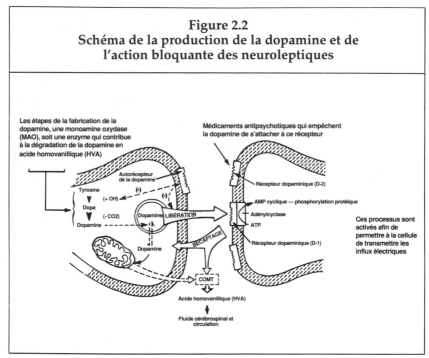

Dans le corps cellulaire, sur la gauche, on montre les étapes de la fabrication de la dopamine. La tyrosine est un acide aminé présent dans un régime normal et elle est transformée en dopamine, un messager chimique impliqué dans la vigilance et dans l'apprentissage normaux; elle est produite en trop grande quantité chez le schizophrène. La monoamine oxydase (MAO) est une enzyme qui contribue à la dégradation de la dopamine en HVÀ (acide homovanillique). La dopamine est normalement libérée dans l'intervalle ou fente synaptique entre les corps cellulaires et elle active un processus chimique qui à son tour entraîne la transmission de l'influx électrique dans le neurone du côté gauche du diagramme.

Dans la schizophrénie, si un système de dopamine est surac-tivé, il peut provoquer une surcharge d'informations qui, atteignant les centres cérébraux supérieurs, brouilleront les messages. Les neurones dopaminiques proviennent du centre profond du cerveau et se rendent vers les centres supérieurs des lobes frontaux (voir figure 2.3).

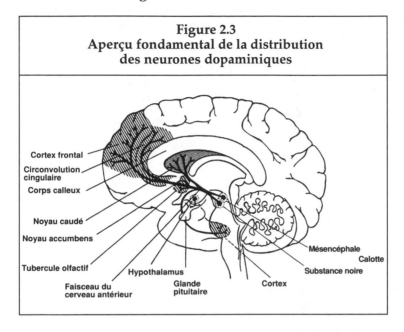

Figure 2.3
Aperçu fondamental de la distribution
des neurones dopaminiques

Cortex frontal
Circonvolution cingulaire
Corps calleux
Noyau caudé
Noyau accumbens
Tubercule olfactif
Faisceau du cerveau antérieur
Hypothalamus
Glande pituitaire
Cortex
Mésencéphale
Calotte
Substance noire

La distribution des neurones dopaminiques est illustrée par les lignes foncées tracées à l'intérieur du cerveau dans la figure 2.3. Le devant du cerveau est à gauche et l'arrière du cerveau est à droite. Ce système de neurones peut être anormal dans la schizophrénie et la dopamine sécrétée est alors empêchée, par les médicaments antipsychotiques, d'activer les autres neurones. Les neurones se rendent à la partie frontale du cortex où siègent les facultés de planification et d'attention de même que d'autres fonctions intellectuelles supérieures. Ils s'acheminent aussi vers la circonvolution cingulaire qui est impliquée dans les facultés de communication et d'attachement aux autres personnes de même que vers le noyau caudé qui aide à la coordination du mouvement et à la pensée.

Traitement

Du Moyen Âge aux années cinquante, un schizophrène admis dans un hôpital psychiatrique avait habituellement peu de chances d'en sortir. Ce n'est que lors de la mise au point des *phénothiazines*, les premiers médicaments efficaces pour contrôler les épisodes psychotiques, que des malades qui avaient passé des années dans les arrière-salles purent maîtriser leurs symptômes suffisamment pour recevoir leur congé de l'institution psychiatrique. C'est un psychiatre de l'Université McGill qui a le premier expérimenté ces médicaments à Montréal et, depuis plus de trente ans, ils ont révolutionné le traitement et le mode de vie des schizophrènes. Ces médicaments, de même que les nombreux antipsychotiques et neuroleptiques qui les ont suivis, n'assurent certes pas une guérison de la maladie et souvent ne réussissent même pas à enrayer tous les symptômes. Mais ils permettent cependant de contrôler les manifestations les plus intenses de la schizophrénie, telles que les hallucinations qui, autrement, empêcheraient les gens de fonctionner au travail ou dans leurs relations sociales.

Toutefois, ces médicaments miracles ne sont pas sans entraîner des effets secondaires. Les malades se plaignent souvent qu'ils les «envoient en orbite»; leur usage prolongé peut causer des mouvements spontanés comme des tics, des tremblements et des secousses qui sont difficiles à contrôler. Contrairement aux expressions faciales et aux gestes, ces mouvements ne sont néanmoins pas dirigés vers les autres.

Une forme de tics se nomme *dyskinésie tardive*, comportement anormal qui se développe lentement sous l'effet de l'usage prolongé de ces médicaments et qui implique des mouvements incontrôlables de la bouche et de la langue qui peuvent être carrément repoussants et embarrassants. De 20 % à 30 % environ des schizophrènes prenant des neuroleptiques depuis plusieurs années ont à faire face à ce désagrément et, chez quelques-uns d'entre eux, l'arrêt de la médication n'entraîne pas nécessairement l'arrêt de ces tics. Les personnes qui prennent des neuroleptiques pour des maladies autres que la schizophrénie sont plus susceptibles d'expérimenter cet effet secondaire: virtuellement, 100 % d'entre elles ont ces mouvements désordonnés de la bouche si elles prennent le médicament assez longtemps.

Par contraste, environ 3 % des schizophrènes voient survenir cet effet secondaire chaque année où ils prennent ces médicaments et ces pourcentages s'additionnent avec les ans. Toutefois, bien des gens n'auront pas de dyskinésie tardive. Il faut faire des recherches de toute urgence afin de trouver ce qui protège ces personnes, puisque l'explication de leur immunité pourrait servir à protéger les autres de ce fâcheux effet.

Les médicaments neuroleptiques sont essentiels non seulement dans le traitement des épisodes schizophréniques, mais leur usage continu est très important pour prévenir une récurrence des symptômes graves de la maladie. L'arrêt de la médication est une cause courante de crise psychotique.

Les médicaments de ce genre sont nombreux et possèdent tous des caractéristiques, des forces, des effets secondaires et des facteurs de risque qui leur sont propres. Aux figures 2.1 et 2.2, lesquelles proviennent d'un manuel récent à l'intention des psychiatres et des pharmaciens, on trouvera l'énumératon des neuroleptiques les plus communs. Remarquez la grande variation de doses et d'effets impliqués. En raison des différences de forces et d'effets secondaires de ces médicaments, les psychiatres doivent les étudier avec soin avant de les prescrire.

Les malades qui cessent de prendre la médication indiquée peuvent trop souvent passer du dialogue avec leurs hallucinations dans une unité hospitalière à une discussion avec elles-mêmes sur un banc de parc. Mais bien avant que ces problèmes de rechute ne surviennent, il est vraisemblable que la scolarité, la formation professionnelle et le développement des aptitudes sociales du schizophrène auront été interrompus par la maladie, de sorte qu'il aura de la difficulté à trouver du travail et à se faire des amis. Son apparence, ses paroles et ses actes peuvent avoir l'air plutôt étranges à l'occasion. Sa famille peut être devenue trop découragée pour vouloir s'en occuper — elle a connu aussi beaucoup de souffrances.

L'entraînement aux habiletés sociales, un bon logement supervisé, une réadaptation professionnelle, des informations et le soutien de la famille, des groupes d'entraide autant pour le schizophrène que pour sa famille peuvent tous être nécessaires avant que la victime de cette maladie ne puisse poursuivre une vie productive dans sa communauté. Des programmes pour épauler le malade à développer ses habiletés sociales et d'autres habiletés essentielles sont nombreux et comprennent aussi des vidéos s'adressant au malade lui-même.

Il semble que beaucoup de ces programmes sont plus efficaces s'ils commencent pendant le séjour à l'hôpital, plutôt qu'une fois que le malade a reçu son congé, et s'ils sont complétés par un suivi effectué par diverses agences communautaires. Bien que cette approche ait tendance à être plus dispendieuse, les résultats semblent plus probants que si les programmes commencent après le congé de l'hôpital du malade.

Les familles sont capables de mieux faire face à la maladie une fois qu'elles la comprennent; elles apprennent à gérer certains aspects du comportement et savent qu'elles peuvent compter sur de nombreuses ressources pour les soutenir et les conseiller. Des groupes d'entraide pour les familles et les amis se sont formés tout autour du monde. On y trouve du soutien direct, des conseils, des recommandations pour améliorer la santé et une aide pour solliciter des fonds pour la recherche en schizophrénie.

Alors que quelques individus atteints de cette maladie doivent se faire admettre et réadmettre dans plusieurs hôpitaux et ne peuvent encore être bien aidés, nous savons que, dans d'autres cas, ce trouble peut cesser de se développer à tout moment et que certains schizophrènes peuvent guérir. Heureusement, le vieil adage qui disait: «Schizophrène un jour, schizophrène tou-

Tableau 2.1
Fréquence des réactions indésirables aux neuroleptiques oraux

Réactions	Phénothiazines			Thioxanthènes	Butyrophénone	Diphénylbutylpipéridine	Dibenzoxazépine	Dihydroindolone
	Aliphatique	Pipérazine	Pipéridine					
Somnolence	> 30%	2-10%	10-30%	10-30%	2-10%	10-30%	> 30%	> 30%
EFFETS EXTRAPYRAMIDAUX								
Maladie de Parkinson	10-30%	> 30%	2-10%	> 30%	> 30%	10-30%	> 30%	> 30%
Acathisie	2-10%	> 30%	2-10%	> 30%	> 30%	10-30%	> 30%	> 30%
Réactions dystoniques	2-10%	10-30%	< 2%	10-30%	> 30%	10-30%	10-30%	> 30%
EFFETS CARDIOVASCULAIRES								
Hypotension orthostatique	> 30%	2-10%	10-30%	> 30%	2-10%	10-30%	10-30%	2-10%
Tachycardie	10-30%	2-10%	2-10%	2-10%	< 2%	2-10%	10-30%	< 2%
Anomalies de l'ECG**	10-30%	2-10%	10-30%	2-10%	< 2%	2-10%	< 2%	< 2%
Arythmie cardiaque	2-10%	-	10-30%	< 2%	< 2%	< 2%	-	-
EFFETS ANTICHOLINERGIQUES	10-30%	2-10%	10-30%	10-30%	10-30%	10-30%	10-30%	10-30%
EFFETS ENDOCRINIENS								
Inhibition de l'éjaculation	2-10%	2-10%	10-30%	< 2%	< 2%	-	2-10%	-
Gain de poids	> 30%	2-10%	10-30%	10-30%	< 2%	2-10%	< 2%	< 2%
RÉACTIONS CUTANÉES								
Photosensibilité	2-10%	2-10%	2-10%	< 2%	< 2%	< 2%	< 2%	-
Éruptions	2-10%	< 2%	10-30%	10-30%	< 2%	2-10%	2-10%	2-10%
Pigmentation anormale de la peau	10-30%	< 2%	2-10%	< 2%	< 2%	-	-	-
EFFETS OCULAIRES								
Pigmentation lenticulaire	2-10%	< 2%	2-10%	2-10%	< 2%	< 2%	< 2%	-
Rétinopathie pigmentaire	2-10%	< 2%	10-30%	-	-	-	-	-
Dyscrasies sanguines	2-10%	< 2%	2-10%	< 2%	< 2%	-	2-10%	< 2%
Jaunisse cholestatique	< 2%	< 2%	< 2%	< 2%	< 2%	-	< 2%	< 2%
Jaunisse cholestatique	< 2%	< 2%	< 2%	< 2%	< 2%	< 2%	< 2%	-
Convulsions épileptiques	2-10%	< 2%	< 2%	2-10%	< 2%	2-10%	< 2%	< 2%

Source: Bezchlibnyk-Butler, K. et Jeffries, J. Clinical Handbook of Psychotropic Drugs, Hogrefe & Huber Publishers, Toronto, 1990.

Tableau 2.2
Comparaison entre différents neuroleptiques

	Décanthate de flupenthixol (Fluanxol)	Énanthate de fluphénazine (Moditen; Prolixin)	Décanoate de fluphénazine (Modécate; Prolixin)	Fluspirilène (Imap)	Décanoate d'halopéridol (Haldol LA)	Palmitate de pipotiazine (Piportil L4)
Classe chimique	Thioxanthène	Phénothiazine de pipérazine	Phénothiazine de pipérazine	Diphénylbutylpipéridine	Butyrophénone	Phénothiazine de pipéridine
Forme	Estérifié avec une chaîne d'acides gras carbone-10 et dissous dans de l'huile végétale; doit être hydrolysé afin de libérer le flupenthixol; métabolites inactifs	Estérifié avec d'acides gras carbone-7 et dissous dans de l'huile de sésame; doit être hydrolysé afin de libérer la fluphénazine	Estérifié avec une chaîne d'acides gras carbone-10 et dissous dans de l'huile de sésame; doit être hydrolysé afin de libérer la fluphénazine	Médicament sous une forme microcristalline en suspension aqueuse; action immédiate après l'injection; ne doit pas être hydrolysé	Estérifié avec une chaîne d'acides gras carbone-10 et dissous dans de l'huile de sésame; doit être hydrolysé afin de libérer l'halopéridol	Estérifié avec de l'acide palmitique dans de l'huile de sésame; doit être hydrolysé afin de libérer la pipothiazine
Force fournie	2 %- 20 mg/ml 10 %-100 mg/ml	25 mg/ml	25 mg/ml 100 mg/ml (investigationnel)	2 mg/ml 10 mg/ml	50 mg/ml 100 mg/ml	25 mg/ml 50 mg/ml
Éventail habituel des doses	20-80 mg	25-100 mg	12,5-50 mg	2-10 mg	50-300 mg	50-300 mg
Dose maximale dans la documentation	800 mg/semaine	1250 mg/semaine (Dencker)	400 mg/semaine (Clarke)	60 mg/semaine (Clarke)	1200 mg/injection (Chouinard)	600 mg/injection
Durée habituelle de l'action	3 semaines	2 semaines	4 semaines	1,5 semaine	4 semaines	4 semaines

	Décanthate de flupenthixol (Fluanxol)	Énanthate de fluphénazine (Moditen; Prolixin)	Décanoate de fluphénazine (Modécate; Prolixin)	Fluspirilène (Imap)	Décanoate d'halopéridol (Haldol LA)	Palmitate de pipotiazine (Piportil L4)
Équivalence de la dose à 100 mg CPZ (approximativement)	1,8 mg (50 mg q 4 semaines)	0,93 mg/jour (13 mg q 2 semaines)	0,46 mg/jour (13 mg q 4 semaines)	0,3 mg/jour (2 mg q 1 semaine, femmes 3 mg q 1 semaine, hommes)	(1,1 mg/jour) (30 mg q 4 semaines)	0,85 mg/jour (24 mg q 4 semaines)
PHARMACOCINETIQUE **Début de l'action**	24-72 heures	24-96 heures	Approximativement 4 heures	En quelques jours	48-72 heures	
Niveau plasmatique de pointe	4-7 jours	2-5 jours	En moins de quelques heures	En 24 heures	3-9 jours	Approximativement 4 jours
Élimination de la demi-vie	8 jours (injection unique) 17 jours (doses multiples)	3 1/2-4 jours (injection unique)	6-10 jours (injection unique) 14,3 jours (doses multiples)	Approximativement 9 jours; excrété lentement: moins de 50 % en 7 jours (approximativement 70 % du médicament excrété en 27 jours)	18-21 jours	6-11 jours (rat); 8-9 jours (chien); approximativement 10 % du niveau plasmatique de pointe du médicament encore détectable dans le plasma 45 jours après une injection

Source: Bezchlibnyk-Butler, K. et Jeffries, J., Clinical Handbook of Psychotropic Drugs, Hogrefe & Huber Publishers, Toronto, 1990.

jours» n'est plus d'actualité. Environ 25 % des personnes atteintes d'une maladie de «type schizophrénique» ne présentent qu'une crise et s'en remettent complètement. De récentes études laissent entendre que 50 % d'entre elles peuvent s'en remettre presque complètement lorsqu'elles ont entre quarante-cinq et cinquante-cinq ans.

Même les personnes qui ont vivoté au fond des salles psychiatriques pendant des décennies ont pu, d'après certaines études, se remettre à fonctionner dans la société quand on leur donnait un soutien adéquat et que l'on maintenait la médication.

En fait, on a connu récemment une percée majeure et intéressante dans ce domaine. On a en effet démontré qu'un médicament, dont le nom générique est la clozapine, connu commercialement sous le nom de Clozaril, a le pouvoir remarquable d'aider les malades réfractaires à une longue liste d'autres médicaments antipsychotiques. Le médicament fut conçu en 1961 et distribué en Europe environ dix ans plus tard. Un certain nombre d'études ont depuis démontré qu'il possède un profil particulier. Des schizophrènes y répondent fortement et quelques-uns deviennent en fait indépendants. De plus, les effets secondaires sont d'ordinaire minimes, mis à part l'agranulocytose, comparativement aux autres médicaments puissants utilisés pour le traitement de la schizophrénie. C'est en février 1990 que l'on a approuvé, aux États-Unis, l'utilisation de ce médicament. Au Canada, la commercialisation a été approuvée en mars 1991. Le médicament a soulevé bien des tollés pour diverses raisons.

Il existe certains effets secondaires reliés à ce médicament. Dans les cas extrêmes, des gens en meurent. Des études approfondies ont démontré qu'un petit pourcentage des usagers (2%) peuvent faire de l'*agranulocytose*; cette maladie diminue la capacité de l'organisme à produire des globules blancs, lesquels sont indispensables au système immunitaire de l'organisme. Un peu moins de la moitié des malades qui sont atteints de cette affection en meurent, ce que l'on peut éviter en mettant fin à l'usage de clozapine.

Ce médicament ne convient pas à tout le monde. Environ 40 % des personnes qui pourraient en bénéficier ne répondent pas à cette médication ou ont des réactions si graves qu'on doit arrêter le traitement. Même ceux qui y répondent bien doivent se prêter à une psychothérapie de soutien et suivre une formation en habiletés sociales qui les aideront à bien fonctionner ailleurs que dans les hôpitaux psychiatriques.

Ce médicament est très dispendieux puisqu'il coûte environ 8 500 dollars par année. La compagnie Sandoz qui fabrique ce médicament a demandé qu'il ne soit pas vendu en pharmacie, même sur ordonnance*. Au lieu de cette commercialisation, afin d'aider à détecter les risques d'agranulocytose, le médicament n'est disponible que dans le contexte d'un «système de prise en charge du malade», qui a aussi causé une grande surprise. Dans cette approche, les schizophrènes doivent subir des examens médicaux et des tests de détection sanguine régulièrement pour surveiller le taux de globules blancs dans leur sang. Sandoz a mandaté par contrat certaines firmes spécifiques pour recueillir les échantillons de sang chaque semaine et administrer le test de détection du taux de globules blancs.

Cette approche est une première dans le domaine de la vente de médicaments. On exerce maintenant des pressions sur cette firme pour réduire le prix du médicament. On dit qu'en Oklahoma, si tous les schizophrènes prenaient de la clozapine, les frais encourus dépasseraient tout le budget de cet État pour la santé mentale. De plus, dans certaines régions européennes, le médicament est disponible pour environ 1 500 dollars par année.

Mais Sandoz explique que ces bas prix répondent à des coûts régulateurs différents et à des contrôles de prix variés, et qu'aux États-Unis le but est d'atteindre le niveau le plus élevé

---

* Cette politique n'existe plus au Québec.

de sécurité du malade. Plusieurs personnes croient que si un certain nombre de décès suivaient l'administration du médicament, on le retirerait du marché; des centaines et des milliers de gens seraient alors privés des bienfaits que semble pouvoir produire la clozapine. En attendant, diverses agences régulatrices décident de la marche à suivre. Quelques critiques notent que comme l'assurance-maladie est prête à payer de grosses sommes d'argent chaque année pour garder les gens en vie, 50 000 dollars et plus pour la dialyse du rein par exemple, il semble inapproprié de faire une telle levée de boucliers pour une somme de 8 700 dollars qui aiderait un si grand nombre de schizophrènes.

Dans tous les cas, il y a un problème de logique ici. Si la santé des malades s'améliore assez pour qu'ils puissent retourner sur le marché du travail, ils ne peuvent plus obtenir des médicaments gratuitement de l'assurance-maladie, alors que c'est cette dernière qui a fourni l'argent pour la médication qui leur a permis de prendre un emploi. Malgré tout, l'expérimentation de ce médicament est très utile de plusieurs façons; le fait qu'il soit si efficace pour certaines personnes est très encourageant et peut conduire au développement de médicaments connexes qui seront moins coûteux et auront peut-être des effets secondaires moins nocifs.

En plus des traitements variés qu'ont proposés les psychiatres et les autres scientifiques, il est important de souligner un côté plus humanitaire de ce monde. Aux États-Unis, un peu partout au pays, on offre aux schizophrènes, tout comme aux autres personnes souffrant d'une quelconque maladie mentale, un large éventail de traitements dans des institutions subventionnées par l'entreprise privée. D'après les normes standard, les coûts sont en général assez élevés; les subventions publiques disponibles varient d'un État ou d'une province à l'autre. C'est pourquoi on a souvent recours à l'assurance privée pour payer le traitement dans ces institutions. Les centres de traitement, qu'ils soient publics ou privés, sont d'une importance capitale en santé mentale puisque la famille immédiate et les amis ont souvent beaucoup de difficulté à gérer les troubles de ce genre.

Tableau 2.3
Système de prise en charge du malade prenant le Clorazil

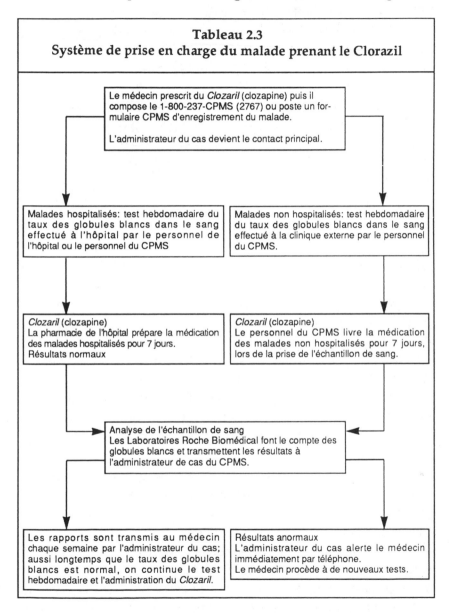

Le médecin prescrit du *Clozaril* (clozapine) puis il compose le 1-800-237-CPMS (2767) ou poste un formulaire CPMS d'enregistrement du malade.

L'administrateur du cas devient le contact principal.

Malades hospitalisés: test hebdomadaire du taux des globules blancs dans le sang effectué à l'hôpital par le personnel de l'hôpital ou le personnel du CPMS

Malades non hospitalisés: test hebdomadaire du taux des globules blancs dans le sang effectué à la clinique externe par le personnel du CPMS.

Clozaril (clozapine)
La pharmacie de l'hôpital prépare la médication des malades hospitalisés pour 7 jours.
Résultats normaux

Clozaril (clozapine)
Le personnel du CPMS livre la médication des malades non hospitalisés pour 7 jours, lors de la prise de l'échantillon de sang.

Analyse de l'échantillon de sang
Les Laboratoires Roche Biomédical font le compte des globules blancs et transmettent les résultats à l'administrateur de cas du CPMS.

Les rapports sont transmis au médecin chaque semaine par l'administrateur du cas; aussi longtemps que le taux des globules blancs est normal, on continue le test hebdomadaire et l'administration du *Clozaril*.

Résultats anormaux
L'administrateur du cas alerte le médecin immédiatement par téléphone.
Le médecin procède à de nouveaux tests.

Bien que ces centres varient, ils sont tous orientés vers le confort, le soin, la thérapie et la réadaptation. Dans quelques cas, il s'agit de petites entreprises situées dans une grande maison alors que dans d'autres cas, il s'agit d'hôpitaux de grande envergure, quelquefois situés dans un environnement très agréable. Sans avoir l'intention d'attirer l'attention sur l'une de ces entreprises en particulier, il est utile d'en examiner quelques-unes pour avoir une idée de ce monde spécialisé. L'un des ces centres de petite envergure, consacré exclusivement aux schizophrènes, est situé en Géorgie. Dans cette institution, le traitement est intensif et l'on travaille de près avec les écoles de médecine régionales; des études publiées indiquent un taux de succès élevé après un an d'opération. Le coût moyen est d'environ 3 400 dollars par mois, logement inclus.

À la page 69, on peut voir un centre de traitement privé de 150 lits, situé en Nouvelle-Angleterre. Pour illustrer les différences entre ces institutions de réadaptation, celle-ci est une entreprise à but non lucratif qui existe depuis cent cinquante ans. Ce centre comprend aussi une ferme laitière extensive qui aide au financement des programmes de traitement. Il compte un bon nombre de programmes de thérapeutique médicamenteuse et d'autres programmes reliés à la santé mentale.

Des experts croient que les centres de traitement privés peuvent être excessivement dispendieux, puisqu'ils coûtent aux usagers 700 dollars par jour et que les résultats de quelques-uns d'entre eux ne sont pas tellement meilleurs que les autres. Mais ils sont devenus populaires et on y enseigne des techniques d'adaptation qui peuvent être utilisées longtemps après la fin du traitement formel.

Au Canada, ces types de services sont habituellement fournis directement par le système d'assurance-maladie du gouvernement. Une fois que le malade s'est remis de sa psychose dans un hôpital provincial ou régional, la réadaptation s'effectue en suivant des programmes offerts dans la communauté, alors que le patient vit chez lui, dans un appartement ou dans une maison de pension supervisée.

Figure 2.4
Une partie du centre récréatif
d'un établissement privé
à but non lucratif en Nouvelle-Angleterre

Recherche

Nous manquons encore sérieusement d'études contrôlées avec soin afin de déterminer quelles sont les caractéristiques ou types de malades et les stades de la maladie qui sont les plus susceptibles d'être traités ainsi que les combinaisons de traitement qui donneront les meilleurs résultats. Si nous pouvions arriver à trouver cette combinaison, les bénéfices seraient spectaculaires pour les malades, les familles et la société.

Des enquêtes plus approfondies sur les récepteurs de la dopamine, comme nous l'avons mentionné, sont non seulement prometteuses pour le décryptage de quelques mécanismes biochimiques impliqués dans la schizophrénie, mais aussi pour la mise au point d'une meilleure thérapie médicamenteuse. Quelques médicaments dont on se sert en ce moment pour contrôler les symptômes semblent y arriver en occupant ces récepteurs afin que les quantités excessives de dopamine ne puissent s'y insérer.

Heureusement, nous avons à notre portée des techniques informatisées assez puissantes et intéressantes pour pouvoir nous apprendre l'anatomie du cerveau et, de façon remarquable, son fonctionnement. Dans le passé, de telles études ne pouvaient se faire qu'au moment de l'autopsie des victimes de diverses maladies. Mais ces nouvelles techniques nous aident à mieux comprendre la maladie mentale et comment les traiter. Jetons un coup d'œil rapide sur quelques-unes de ces technologies, parce qu'elles sont importantes et qu'elles le seront sûrement de plus en plus dans un avenir rapproché.

Bien des gens ont entendu parler de la tomographie axiale à calculateur intégré (TAC) (*computerized axial tomography [CAT]*); il s'agit d'une technique servant à l'étude du cerveau et des autres systèmes de notre organisme. Cet appareil, le tomographe, est assisté par ordinateur et permet d'analyser des «tranches» (le terme grec *tomos* signifie «coupure» ou encore «tranche») en coupe transversale à différents axes ou angles de visionnement. Pour cela, des rayons X de faible puissance sont dirigés vers la tête du malade et un appareil fort complexe mesure la quantité de radiation qui pénètre la structure que l'on analyse. Le point intéressant ici est que la diffusion des rayons X selon différents angles ou axes permet de produire une image en coupe transversale du cerveau, dans n'importe quel angle.

Il existe une autre technique, l'imagerie par résonance magnétique (IRM) (*magnetic resonance imaging [MRI]*). Quand les tissus sont placés dans un champ magnétique et soumis à des ondes radio de certaines fréquences, ils émettent un signal qui peut aisément se mesurer. En pratique, plusieurs milliers de ces signaux sont ainsi projetés et l'ordinateur les rassemble en une image bidimensionnelle du cerveau ou de tout autre système analysé. On admet généralement que les appareils d'IRM produisent de meilleures images que celles de TAC. Toutefois, les appareils d'IRM peuvent coûter 1,5 million de dollars, un montant exorbitant; aussi a-t-on pris certains raccourcis qui donnent des résultats presque aussi bons mais à un moindre coût. Sur la photo ci-dessous, on peut voir une composante d'un système d'IRM plus ou moins typique. Sur les photos des pages 72 et 73, on voit le genre d'images que peut générer le système d'IRM.

Figure 2.5
L'équipement de l'imagerie par résonance magnétique

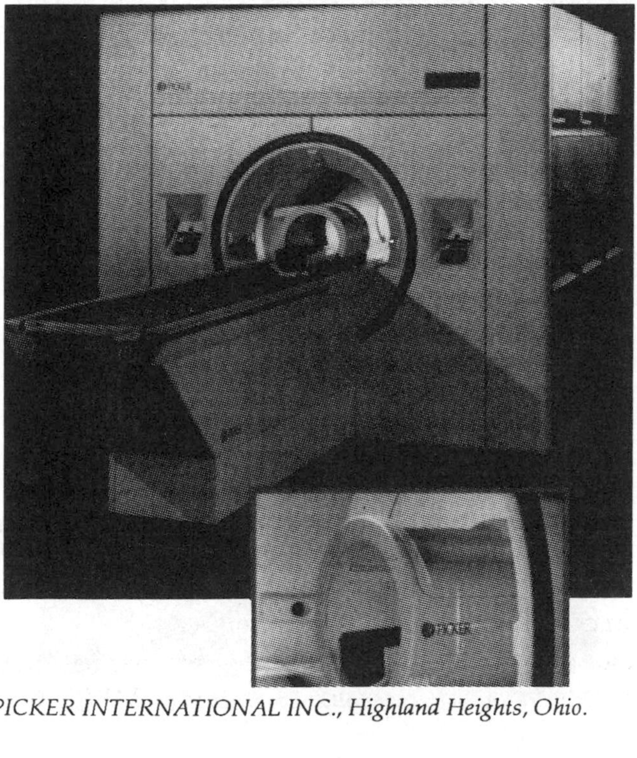

Source: PICKER INTERNATIONAL INC., Highland Heights, Ohio.

Figure 2.6
Un exemple de résultats générés par l'IRM

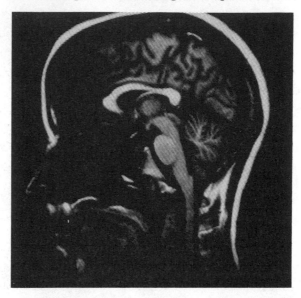

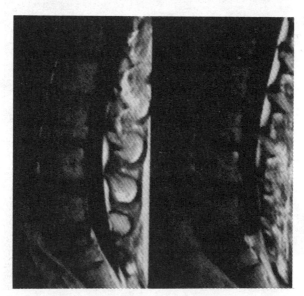

Source: PICKER INTERNATIONAL INC., Highland Heights, Ohio.

Figure 2.7
Un exemple plus poussé d'images par IRM

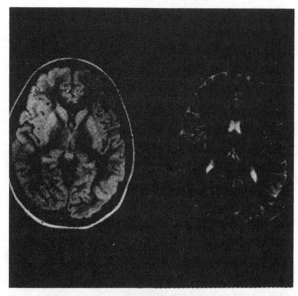

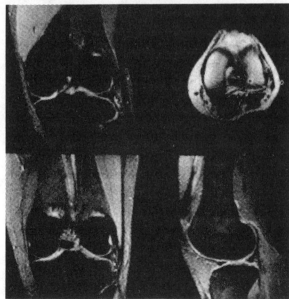

Source: PICKER INTERNATIONAL INC., Highland Heights, Ohio.

Figure 2.8
Le tomographe à émission de positrons

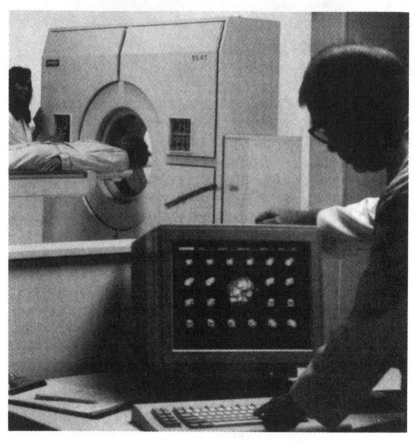

Source: *SIEMENS MEDICAL SYSTEMS INC., Hoffman Estates, Illinois.*

En utilisant ces diverses techniques d'analyse anatomique, les psychiatres ont découvert que bien des gens qui souffraient de schizophrénie démontraient des différences physiques du cerveau comparé à celui des gens normaux. En particulier, dans les aires des ventricules où circule le liquide céphalorachidien, on remarque un élargissement; il n'est toutefois pas encore sûr si ce facteur est la cause de la schizophrénie ou s'il est causé par elle.

Au contraire des techniques de TAC et d'IRM, la tomographie à émission de positrons (TEP) *(positron emission tomography scan [PET])* peut fournir des images illustrant le fonctionnement actuel du cerveau, plutôt que «simplement» son anatomie. D'infimes quantités, tout à fait inoffensives, de substance radioactive peuvent être ajoutées à des injections de glucose, le carburant principal du cerveau, ou à une substance naturelle qui devient de la dopamine lorsqu'on l'injecte dans le sang, ou même aux médicaments dont l'on se sert pour traiter la schizophrénie. La radioactivité nous permet de voir ces substances à l'écran lorsqu'elles s'accumulent en divers endroits du cerveau. L'appareil de TEP agit quelque peu comme un compteur Geiger extrêmement complexe qui mesure les très petites quantités de radioactivité dans le glucose qui circule à travers le cerveau. Cette technique n'a rien de commun avec celle d'un appareil à rayons X, lequel émet lui-même sa propre radioactivité.

Le malade étendu sur une civière a la tête dans le scanographe; des images surgissent montrant si les diverses parties du cerveau utilisent le glucose normalement, s'il y a des taux anormaux de dopamine dans certaines aires et si le médicament bloque bien les récepteurs dopaminiques.

Au moyen de cette technique, les scientifiques peuvent dorénavant voir quelle quantité d'un certain médicament est requise pour éliminer les symptômes; et les premiers résultats de ces études indiquent que les dosages requis peuvent être considérablement plus faibles qu'on ne le croyait auparavant. Cette nouvelle connaissance pourrait permettre de faire avancer la recherche en vue de réduire ou d'éliminer les effets secondaires et de doser la médication sur mesure. Néanmoins, quelques autres années de recherche seront nécessaires avant que l'on puisse mettre cette connaissance en pratique.

Dans les prochaines décennies, les percées en génétique pourraient permettre de détecter les causes physiques sous-jacentes de plusieurs maladies mentales. Par exemple, un projet de grande envergure est présentement en cours pour caractériser le génome humain, c'est-à-dire la série complète de directives qui servent à créer un être humain et qui sont inscrites dans l'ADN (acide désoxyribonucléique) que l'on trouve dans les 46 chromosomes contenus dans chaque cellule humaine.

Au cours des trente-cinq années qui se sont écoulées depuis que James Watson et Francis Crick ont découvert la structure complexe de l'ADN, seulement une infime fraction des directives de l'ADN ont été déchiffrées. De nouvelles techniques sont maintenant accessibles et pemettent d'effectuer ces études beaucoup plus rapidement.

Chaque chromosome contient des milliers de sièges appelés *gènes;* chaque gène contient les schémas directeurs de régulation de certaines cellules. Trouver un gène porteur d'un défaut associé à une maladie donnée équivaut à chercher une aiguille dans une botte de foin; mais une telle découverte ouvrirait la voie à une localisation précise de l'anomalie d'un gène — c'est-à-dire l'un des nombreux schémas directeurs comportant une erreur qui transmet des directives inappropriées à certaines cellules. Ceci n'est pas une mince tâche — c'est peut-être l'équivalent de trouver quelques erreurs typographiques dans une encyclopédie complète.

Localiser avec précision le gène défectueux pour la schizophrénie serait une découverte sans précédent. Elle rendrait possible l'élaboration d'un test qui pourrait être administré dès le tout début de la grossesse pour détecter quels bébés risquent de développer la maladie. Toutefois, ce n'est pas sur le point de survenir. Des travaux préliminaires dans plusieurs pays, portant sur l'étude de membres schizophrènes de la même famille, indiquent qu'il y a probablement diverses sortes de schizophrénie: quelques-unes sont génétiques, d'autres ne le sont pas et d'autres présentent différentes variations génétiques de ce trouble.

Le but ultime serait de remplacer le gène défectueux; un gène normal serait greffé à un microorganisme qui le transporterait dans la cellule pour remplacer le gène anormal; mais cette technique est encore moins imminente que le test prénatal.

Des recherches plus poussées sont aussi nécessaires pour étudier les différences de sexe impliquées dans la schizophrénie. L'âge moyen d'hospitalisation des femmes atteintes de cette maladie est de vingt-cinq ans alors que celui des hommes est de dix-huit ans. Les femmes semblent avoir plus de facilité à s'en sortir — et elles ont des taux moins élevés de suicide, chômage, hospitalisation et relations perturbées.

Les différences cérébrales entre les sexes, l'influence hormonale et les facteurs sociaux sont les possibilités sur lesquelles on se penche dans l'étude de ces disparités. Par exemple, les œstrogènes ont tendance à bloquer l'action de la dopamine et, bien sûr, les femmes ont beaucoup plus d'œstrogènes que les hommes. Le déclenchement plus tardif de la maladie chez la femme peut aussi lui donner plus de temps pour compléter son instruction et développer des habilités professionnelles et sociales, de sorte qu'elle est en meilleure position pour faire face à la maladie une fois qu'elle se développe.

Sources d'information

Organismes

Association de parents de jeune adulte schizophrène
Hôpital Louis-H.-Lafontaine
7401, rue Hochelage
Montréal (Québec)
H1N 3M5
(514) 259-9458

Programme Jeunes adultes
Hôpital Louis-H.-Lafontaine
6070,rue Sherbrooke Est
Suite 106
Montréal (Québec)
H1N 1C1
(514) 259-9458

Club Ami-e
5621, chemin de la Côte-des-Neiges
Suite 4
Montréal (Québec)
H3T 1Y8

Groupe de parents et amis du malade mental
6875, boul. Lasalle
Verdun (Québec)
H4H 1R3

Les amis de la santé mentale, banlieue Ouest
C.P. 1117
250, chemin Lakeshore
Pointe-Claire (Québec)
H9S 4H9
(514) 695-2251
(514) 697-0966

Regroupement des parents et amis au cœur de la santé mentale
1000, boul. Sainte-Anne
Joliette (Québec)
JE6 6J2
(514) 753-9903

Regroupement des parents et amis du malade émotionnel
175, rue Saint-Marcel
Drummondville (Québec)
J2B 2E1
(819) 472-6967

Regroupement des parents et amis du malade mental
1007, rue Pierre-Bédard
Chicoutimi (Québec)
G7H 2P3
(418) 549-3872

Regroupement des parents et amis du malade mental
432 ouest, boul. Saint-Cyrille
Québec (Québec)
G1S 1S3
(418) 683-1623

Solidarité-Psychiatrie
1369, rue Beaubien Est
Montréal (Québec)
H2G 1B5
(514) 271-1653

Canadian Friends of Schizophrenics
95, Barber Greene Road, # 309
Don Mills (Ontario)
M3C 3E9
(416) 445-8204
Un groupe d'entraide pour les schizophrènes et leur famille.
Il existe des divisions dans plusieurs communautés.

The National Alliance for the Mentally Ill
2101, Wilson Boulevard, Suite 302
Arlington, VA 22201
(703) 524-7600.

Livres en français

LALONDE, Pierre, éditeur responsable, *La schizophrénie expliquée*. Gaëtan Morin éditeur, Montréal, 1988.

PAQUETTE, Ronald, DELAGE, Jocelyne et LALONDE, Pierre, *L'abîme du rêve: La tempête de la schizophrénie*. Gaëtan Morin éditeur, Montréal, 1990. (Ce livre raconte l'histoire de Ronald Paquette, un schizophrène qui lutte depuis 22 ans contre la schizophrénie.)

SIDOUN, Paul et LALONDE, Pierre, *Schizophrénie*. Édisem, Saint-Hyacinthe et Maloine S.A., Paris, 1988.

Livres en anglais

BERNHEIM, K.F., LEVINE, R.R.J. et BEALE, C.T., *The Caring Family*. Random House, New York, 1982.

BEZCHLIBNYK-BUTLER, K. et JEFFRIES, J., *Clinical Handbook of Psychotropic Drugs*. Hogrefe & Huber Publishers, Toronto, 1990.

NORTH, Carol S., *Welcome, Silence: My Triumph over Schizophrenia*. Avon Books, New York, 1989. (Ce livre raconte l'histoire d'une jeune schizophrène qui a lutté contre la schizophrénie depuis sa tendre enfance et, malgré de multiples hospitalisations, a réussi à faire son cours de médecine et sa spécialisation en psychiatrie.)

SEEMAN, M.V., LITTMANN, S.K. et al., *Living and Working With Schizophrenia*. 2e éd., University of Toronto Press, Toronto, 1982. (Traduit en français sous le titre de *Vivre et Travailler avec la schizophrénie* par A. Lesage et Y. Lamontagne, Edisem, Montréal, 1983.)

THORNTON, John, *Schizophrenia Simplified: A Field Guide to the Social, Medical and Legal Complexities*. Hogrefe & Huber Publishers, Toronto, 1991. (Ce livre relié par une spirale est un manuel comprenant une série d'organigrammes uniques en leur genre dans lesquels sont élaborées les conséquences de ce trouble mental en insistant sur des dimensions importantes pour le malade et les membres de sa famille.) TORREY, E.F., *Surviving Schizophrenia: A Family Manual*. Harper and Row, New York, 1983.

Vidéos

DESCHAMPS, Laurette (réalisatrice) et LALONDE, Pierre (consultant psychiatrique), *L'abîme du rêve*. Ciné-Sita, 1989. Pour louer ou acheter ce vidéo, il faut s'adresser au Cinéma libre:

tél.: (514) 849-5888

téléc.: (514) 843-5681.

LIBERMAN, Robert, *Social and Independent Living Skills*. Il s'agit de quatre vidéos de très bonne qualité conçus à l'UCLA; on y enseigne l'adaptation sociale et la réadaptation de malades mentaux ayant de graves troubles de santé mentale. Ces modules sont utilisés de façon extensive dans les institutions de malades hospitalisés ou de malades non hospitalisés, les centres de traitement résidentiels, les cliniques de pratique privée et les centres locaux de services sociaux. Pour acheter ces vidéos, il faut s'adresser à la compagnie Hogrefe & Huber Publishers de Toronto.

CHAPITRE 3

La dépression

Nous avons tous connu des jours tristes et gris. Nous nous sentons alors déprimés. Mais ce sentiment ne dure pas. Dès que le soleil pointe à l'horizon, tout redevient beau.

Quand on parle de *dépression*, ce n'est pas de cette réaction de découragement de courte durée que l'on traite. Non. Il s'agit plutôt d'un état qui dure, qui est plus profond et qui entraîne des fluctuations de l'humeur, du comportement et de la pensée; les troubles ne sont pas que psychologiques; le malade peut ressentir des symptômes physiques qui ne disparaissent pas avec l'arrivée d'un bouquet de fleurs inattendu ou avec les encouragements de certains amis nous incitant à «nous en sortir».

Cette maladie a un bon et un mauvais côté. Environ 90 % des gens qui en sont atteints peuvent être traités avec succès, mais la dépression est l'une des maladies mentales les plus courantes. On s'attend à ce qu'environ une Nord-Américaine sur quatre souffre d'une dépression clinique à un moment donné de sa vie. Pour ce qui est des hommes, le rapport est de 1 sur 10. Chez la plupart des gens, la dépression est courte et dure peut-être un an. Mais pour environ 30 % des déprimés, la dépression chronique s'installe et il devient impossible d'avoir une vie normale. Il existe un autre aspect troublant: une personne qui a souffert de dépression sera susceptible de souffrir d'une autre crise quelques années plus tard.

Contrairement à l'opinion courante, la dépression clinique peut se développer à tout âge; chez les jeunes surtout, on soupçonne ce trouble d'être l'un des facteurs majeurs de suicide, ce dernier étant la troisième cause de décès chez les jeunes de quinze à vingt-quatre ans.

En général, comparativement aux adultes, les enfants ont tendance à exprimer ce trouble différemment, surtout pendant les années du primaire. Un enfant habituellement de bonne humeur peut devenir irritable et se comporter incorrectement sans raison évidente. À l'opposé, un enfant d'âge préscolaire, peut devenir excessivement tranquille, replié sur lui-même et malheureux. Pendant l'adolescence, plusieurs jeunes se plaindront de sentiments d'impuissance et de manque de valorisation. Les enfants comme les adolescents atteints de ce trouble peuvent avoir de la difficulté à dormir: ils refusent de dormir ou, encore, ont des réveils fréquents ou prématurés.

À proprement parler, il y a deux types principaux de dépression que l'on appelle techniquement les *troubles affectifs*.

Le premier type, appelé *dépression majeure* ou *trouble unipolaire*, est extrêmement commun: jusqu'à 20 % des Nord-Américains vont en souffrir à un moment donné de leur vie. Il est de notoriété publique que les femmes demandent deux fois plus d'aide que les hommes pour ce trouble, bien que la maladie ne soit pas deux fois plus fréquente chez elles. Statistiquement, les femmes sont plus susceptibles d'aller chercher de l'aide professionnelle pour toutes sortes de problèmes médicaux.

Pendant des semaines, la personne atteinte de dépression peut avoir des troubles de l'alimentation et du sommeil; son appétit disparaît, elle perd du poids et elle est tout à fait éveillée à cinq heures du matin. Les activités normales ont perdu leur attrait pour elle. La victime de ce trouble ne peut s'enthousiasmer pour quoi que ce soit et hésite au lieu de prendre des décisions. Tout lui semble négatif. L'avenir lui semble aussi sombre que le présent, tout va mal et c'est strictement sa faute. Des sentiments d'inutilité l'accablent et le suicide est souvent une pensée récurrente.

Le deuxième type principal de trouble affectif se nomme *manie dépressive* ou *trouble bipolaire* parce qu'il comporte deux phases très distinctes. Pendant la phase maniaque, la personne est euphorique, habituellement hyperactive et se sent invincible; et on ne parle pas ici uniquement d'adolescents masculins. Malheureusement, ceux qui sont atteints de ce trouble peuvent aussi être extrêmement irritables et montrer un manque de jugement déplorable — envoyer paître son patron, surprendre et consterner sa conjointe en vidant son compte de banque pour lui acheter un vison ou un piano de concert dont personne ne peut jouer. Quand cet individu se trouve en phase dépressive, il présente souvent des symptômes graves de dépression.

Entre ces deux extrêmes, des périodes de fonctionnement normal peuvent durer des mois ou des années — ceci varie selon les individus. Certains auront plus de périodes de manie et d'autres, de dépression.

Jacques, par exemple, à trente-six ans, était un agent immobilier très prospère; sa famille remarqua qu'il travaillait encore plus fort que d'habitude et il semblait avoir une énergie inépuisable. Il paraissait ne devoir dormir que quelques heures par nuit, il voulait faire l'amour plus souvent avec son épouse et il commençait à parler de conclure des marchés extrêmement avantageux. Quand sa famille ou un de ses amis lui faisait remarquer que ça ne semblait pas réaliste, il les insultait et les accusait de ne pas avoir confiance en ses habiletés. Mais quand il parla d'acheter le pont de la Paix sur la rivière Niagara, ils comprirent que quelque chose ne tournait pas rond.

Il refusa fermement de consulter un médecin; un soir, à la fin de la soirée, la police l'arrêta pour excès de vitesse; il devint grossier avec l'agent de police lorsque celui-ci exigea un alcootest. Lorsqu'il appela son avocat du poste de police, ce dernier convainquit la police de l'amener à l'hôpital. Le médecin de garde trouva qu'il n'était pas dangereux pour lui-même ou les autres, seul argument pour lequel il aurait pu l'admettre à l'hôpital contre son gré, mais quand l'agent de police lui fit remarquer qu'il conduisait à 145 kilomètres (90 milles) à l'heure, le médecin remplit un formulaire pour le mettre sous observation pendant soixante-douze heures. À l'hôpital, Jacques continua à se vanter de ses exploits comme vendeur, parlant rapidement et quelquefois avec incohérence et dormant très peu. On lui donna du *Clonazépam*, un tranquillisant, et du lithium. En deux semaines, il s'était beaucoup calmé et il put comprendre ce qu'il avait fait; il en était toutefois excessivement gêné. Une semaine plus tard, il put retourner à la maison et à son travail; ses relations avec sa famille redevinrent comme elles étaient avant l'épisode maniaque. Il n'essaya plus d'acheter le pont de la Paix.

À part ces deux troubles dépressifs majeurs, il existe d'autres types de dépressions moins courantes, tel les troubles affectifs saisonniers (ou *seasonal affective disorder [SAD]*) parce qu'elle survient à l'automne et au printemps. Il existe une controverse à propos de cette forme de dépression: on se demande encore si elle ne survient qu'au moment des changements de saison ou si elle ne peut se manifester à d'autres moments de l'année chez un sujet donné. Une autre sorte de dépression est la dépresion dite «somatique» dont le qualificatif vient du terme grec *soma* qui signifie «corps»; dans cette variété, ce sont les plaintes de malaises physiques qui prédominent, et pourtant on ne peut trouver aucune cause à ces malaises. Dans cette forme de dépression, la personne n'a pas de changements d'humeur manifestes, mais elle est continuellement accablée de pensées lugubres. Il existe aussi une autre sorte de dépression et c'est la *dépression chronique sous-jacente;* elle ne comporte que peu de symptômes physiques, mais la personne est incapable de se sentir gaie ou de prendre plaisir à la vie.

Causes

D'après un bon nombre de preuves scientifiques, quelques groupes de personnes sont plus sujets à la dépression que d'autres. Il semble certain qu'un facteur génétique soit en cause. Les enfants de parents qui ont tous deux un trouble affectif évident ont de 30 à 40 % plus de chances de faire une dépression. Si un jumeau identique a une dépression majeure, son jumeau a 70 % de risque d'en être atteint. Mais chez les faux jumeaux, le risque n'est que de 25 %.

D'autres troubles psychiatriques comme la schizophrénie ou l'agoraphobie (peur des grands espaces) peuvent entraîner un risque plus élevé de dépression, au fur et à mesure que le malade sent ses capacités diminuer et la maîtrise de sa propre vie lui échapper.

La dépression est assez commune lors de maladies comme l'hypothyroïdisme, où la glande thyroïde fonctionne au ralenti, ou la maladie de Cushing, qui atteint les glandes pituitaire et surrénales.

La dépression peut être directement causée par un trouble physique — un accident cérébrovasculaire peut affecter le siège de l'humeur dans le cerveau ou une défaillance rénale peut entraîner un grave déséquilibre chimique. Elle peut aussi résulter des diverses maladies dont a souffert le malade pendant sa vie.

Ce trouble est aussi fréquemment déclenché par la prise de médicaments, dont les antihypertensifs qui réduisent la pression sanguine, quelques bêtabloquants utilisés pour les maladies cardiaques et l'angine de poitrine. De plus, l'abus d'alcool est souvent une cause de la dépression. De telles dépressions peuvent durer longtemps et on doit les traiter même après l'arrêt de la médication en question.

Plus souvent, les causes sont reliées à l'enfance, comme la perte d'un parent. Elles peuvent être à l'origine d'une dépression, mais on remarque que bien des gens qui ont subi de tels traumatismes ne font jamais de dépression. Des relations familiales stables et durables sont des facteurs de protection contre la dépression. Ce serait le nombre ou la durée des facteurs adverses qui feraient la différence.

Dans une étude, effectuée dans un milieu socio-économique faible de London on a trouvé que les femmes couraient plus de risques de faire une dépression si elles avaient perdu un parent avant l'âge de onze ans, si deux ou plus de leurs enfants âgés de moins de quatorze ans vivaient avec elle à la maison, si elles n'avaient pas de travail en dehors de la maison et si elles n'avaient pas d'être cher à qui se confier.

La dépression frappe tous les groupes d'âge, mais les aînés y sont particulièrement sensibles, probablement parce qu'ils doivent faire face à beaucoup de facteurs de risque tels que la maladie physique, la perte d'êtres chers et souvent une très grande solitude.

Traitement

À cause des progrès effectués en psychiatrie et dans les autres sciences au cours des vingt dernières années, on considère généralement le traitement de la dépression comme l'un des grands succès de la psychiatrie. Notre habileté à prévenir ou traiter ce trouble a énormément augmenté, en grande partie grâce à la mise au point de meilleurs médicaments.

Habituellement, le traitement de la dépression relève de trois catégories:

* biologique;
* psychologique;
* sociale.

Les méthodes biologiques

La première de ces approches inclut les médicaments antidépresseurs et la thérapie électroconvulsive *(electroconvulsive therapy [ECT])* ou électrochocs.

Chose curieuse, en dépit des causes «émotionnelles» de cette maladie, deux systèmes de neurotransmetteurs biochimiques sont à l'origine de la dépression. Ce sont les substances chimiques essentielles à la transmission de l'influx électrique d'un neurone à l'autre. En étudiant les médicaments qui sont efficaces pour contrôler la dépression, on a pu identifier la sérotonine et la noradrénaline.

En général, il y a aujourd'hui plus de 20 antidépresseurs avec lesquels les psychiatres peuvent traiter cette maladie. La classe principale de médicaments efficaces est constituée par les antidépresseurs tricycliques ou ATC *(tricyclic anti-depressants [TCA])*, mis au point dans les années cinquante. Ils bloquent la réabsorption des neurotransmetteurs après leur libération dans la fente qui sépare les neurones. L'accumulation de ces substances augmente le taux trop bas de sérotonine et de noradrénaline des personnes dépressives.

Beaucoup de ces médicaments ont des effets secondaires, mais ils ne sont habituellement pas trop graves: la bouche sèche et un léger brouillement de la vision, deux symptômes qui ont tendance à s'atténuer avec le temps. Un autre problème fréquent est une faible diminution de la pression artérielle qui peut causer des étourdissements si un indivudu étendu se lève rapidement. Le tableau 3.1 montre un extrait d'un manuel portant sur les médicaments psychotropes où l'on explique et compare quelques-uns des effets secondaires et la fréquence des divers médicaments dont on se sert pour traiter la dépression.

Une autre classe de médicaments utilisés pour traiter la dépression sont les inhibiteurs de la monoamine oxydase ou IMAO (*monoamineoxidase inhibitors [MAOI]*). Leur bienfait pour la dépression fut découvert accidentellement. On les employait auparavant pour traiter la tuberculose mais après un certain temps, on a pu observer que les tuberculeux qui étaient aussi déprimés le devenaient beaucoup moins lorsqu'ils prenaient ce médicament.

La MAO (monoamine oxydase) est une substance normalement utilisée pour la dégradation de la sérotonine et de la noradrénaline; en réduire son efficacité revient à augmenter la quantité des deux neurotransmetteurs en question. Le résultat final est le même qu'avec les ATC (antidépresseurs tricycliques), mais les IMAO sont plus difficiles à utiliser. Si le régime du malade contient une grande quantité de tyramine, substance que l'on trouve dans le vin, le fromage et d'autres aliments, la combinaison peut entraîner l'hypertension artérielle. En partie à cause de ces difficultés, les IMAO sont utilisés moins souvent que les tricycliques, mais, pour quelques personnes, ce sont les seuls médicaments efficaces.

Pour les maniaco-dépressifs en phase maniaque aiguë, des tranquillisants majeurs sont habituellement requis pour réduire l'hyperactivité et rendre l'humeur et le comportement à un niveau normal. Lorsque que le malade oscille entre la dépression et la manie à plusieurs reprises, ce qui perturbe périodiquement le cours de sa vie, le lithium s'avère un moyen préventif efficace pour réduire les risques de rechute. On peut devoir en continuer l'usage pendant de longues périodes de temps et subir des tests régulièrement pour en vérifier le taux dans le sang.

Pour ceux qui ne répondent pas au lithium, un autre médicament tel que la carbamazépine peut quelquefois se révéler utile.

Tableau 3.1
Fréquence des réactions indésirables aux antidépresseurs

Réaction	Amoxapine	Maprotiline	Trazodone	Isocarboxazide	Phénelzine	Tranylcypromine	Bupropion	Fluoxétine
EFFETS ANTICHOLINERGIQUES								
Bouche sèche	>30%	>30%	2-10%	10-30%	>30%	10-30%	10-30%	2-10%
Vision brouillée	2-10%	10-30%	2-10%	2-10%	10-30%	2-10%	2-10%	2-10%
Constipation	>30%	10-30%	2-10%	2-10%	10-30%	2-10%	2-10%	2-10%
Sudation	2-10%	2-10%	-	<2%	2-10%	-	2-10%	2-10%
Miction retardée	10-30%	2-10%	<2 %	2-10%	2-10%	2-10%	2-10%	<2%
EFFETS SUR LE SYSTÈME NERVEUX CENTRAL								
Somnolence	10-30%	10-30%	10-30%	2-10%	10-30%	10-30%	2-10%	10-30%
Insomnie	10-30%	<2%	<2%	2-10%	10-30%	10-30%	2-10%	10-30%
Excitation/hypomanie	2-10%	2-10%	-	2-10%	10-30%	10-30%	2-10%	10-30%
Désorientation/confusion	2-10%	2-10%	<2%	2-10%	2-10%	2-10%	2-10%	10-30%
Maux de tête	2-10%	<2%	2-10%	10-30%	2-10%	-	2-10%	10-30%
EFFETS EXTRAPYRAMIDAUX								
Non spécifiques	2-10%	2-10%	2-10%	2-10%	2-10%	<2%	2-10%	2-10%
Tremblements (légers)	2-10%	10-30%	2-10%	2-10%	10-30%	2-10%	2-10%	10-30%
EFFETS CARDIOVASCULAIRES								
Hypotension orthostatique/étourdissements	10-30%	2-10%	10-30%	10-30%	10-30%	10-30%	2-10%	10-30%
Tachycardie	10-30%	2-10%	2-10%	-	10-30%	10-30%	<2%	-
Changements de l'ECG	<2%	<2%	<2%	-	-	-	<2%	<2%
Arythmie cardiaque	<2%	<2%	<2%	2-10%	-	<2%	<2%	<2%
Troubles gastrointestinaux (nausées)	2-10%	2-10%	10-30%	10-30%	10-30%	10-30%	2-10%	10-30%
Dermatite, éruption cutanée	10-30%	10-30%	<2%	2-10%	<2%	2-10%	2-10%	2-10%
Faiblesse, fatigue	2-10%	-	<2%	2-10%	<2%	<2%	2-10%	-
Gain de poids (+ de 6 kg [13 lb])	-	10-30%	2-10%	10-30%	10-30%	2-10%	<2%	-
Troubles sexuels	2-10%	<2%	<2%	2-10%	<2%	2-10%	<2%	2-10%
Convulsions épileptiques	<2%	2-10%	<2%	-		-	<2%	<2%

Source: BEZCHLIBNYK-BUTLER, K. et JEFFRIES, J., Clinical Handbook of Psychotropic Drugs. Hogrefe & Huber Publishers, Toronto, 1990.

Bien entendu, dans tout exposé concernant le traitement médicinal moderne de la dépression, il faut mentionner un médicament que quelques observateurs considèrent comme l'un des plus prometteurs parmi les nouveaux médicaments. C'est la **fluoxétine**, dont le nom commercial est Prozac, un produit de la compagnie Eli Lilly. Ce composé semble avoir au moins deux avantages importants qui incitent certaines personnes à le considérer comme un véritable médicament miracle. Premièrement, il est au moins aussi efficace que les autres médicaments pour aider ceux qui souffrent de dépression à surmonter leur maladie. Deuxièmement, il semble avoir moins d'effets secondaires, ce qui le rend plus facile à prendre à long terme. Ce médicament particulier n'est pas directement relié aux tricycliques ni aux IMAO, mais il constitue en quelque sorte une nouvelle avenue pour la recherche d'un médicament efficace dans ce domaine.

En s'appuyant sur des données plus complètes, il ne semble pas que l'usage de ce médicament cause moins de problèmes que les tricycliques ou les IMAO, tel qu'on le laisse entrevoir au tableau 3.2. Ce tableau présente un résumé des données et des commentaires de l'étude de 2 938 sujets effectuée par Glenn L. Cooper, telle que rapportée dans le *British Journal of Psychiatry*.

Une partie de cet article présente aussi d'intéressants graphiques qui rassemblent minutieusement certains détails de ce résumé. Pour donner un peu de couleur locale au domaine de la recherche des médicaments de haute puissance, voici trois graphiques dont il faut tenir compte. Le tableau 3.3 donne les causes les plus fréquentes d'arrêt de la médication dans l'étude dont nous avons parlé. Comme vous le savez, on a laissé entendre au groupe qui prenait des placebos qu'il prenait un médicament actif, alors qu'en fait il ne prenait qu'une pilule inerte.

Tableau 3.2
Extrait du résumé du British Journal of Psychiatry, 1988

Auteur:
Glen L. Cooper

Journal:
British Journal of Psychiatry, 1988, vol. 153, supp. 3, p. 77 à 86.

Population étudiée:
Les données ont été recueillies à partir d'essais cliniques comparatifs de 4 336 malades (surtout des adultes) souffrant d'un trouble dépressif majeur.

Médicaments	Nbre de malades	Dosage
Fluoxétine	2 938	de 20 à 80 mg/j
Tricycliques	599	dose titrée
(amitgriptyline,		
imipramine		
doxépine)		
Placebos	799	—

Plans d'étude:
Le plan le plus courant était une phase à double inconnue, comparative, de six semaines, suivie par un traitement à long terme sans inconnue.

Événements indésirables:

Incidence d'effets secondaires courants associés aux ATC:
Les malades traités à la fluoxétine avaient une plus grande incidence de nervosité, d'insomnie et d'anxiété que les malades prenant des médicaments similaires ou des placebos, mais, chez la plupart des malades, ces symptômes étaient légers et tolérables. Par contraste, on a rapporté plus de somnolence avec les ATC qu'avec la fluoxétine.

Un indicateur sensible de la gravité d'une réaction indésirable est la proportion de malades qui arrêtent [le traitement]. ...de la nervosité, de l'insomnie et de l'anxiété n'étaient pas des raisons fréquentes pour l'arrêt de la prise de fluoxétine. Les interruptions causées par la somnolence et les effets secondaires anticholinergiques étaient plus fréquentes avec les ATC qu'avec la fluoxétine ou les placebos.

L'incidence des plaintes pour des effets anticholinergiques était similaire pour les malades traités avec de la fluoxétine et des placebos.

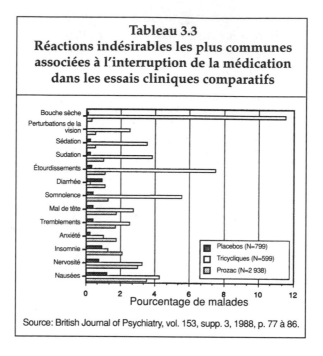

Tableau 3.3
Réactions indésirables les plus communes
associées à l'interruption de la médication
dans les essais cliniques comparatifs

Bouche sèche
Perturbations de la vision
Sédation
Sudation
Étourdissements
Diarrhée
Somnolence
Mal de tête
Tremblements
Anxiété
Insomnie
Nervosité
Nausées

Placebos (N=799)
Tricycliques (N=599)
Prozac (N=2 938)

0   2   4   6   8   10   12
Pourcentage de malades

Source: British Journal of Psychiatry, vol. 153, supp. 3, 1988, p. 77 à 86.

Au tableau 3.4, on voit le pourcentage de malades qui expérimentent les diverses «réactions indésirables» alors qu'ils prennent de la fluoxétine, comparé aux sujets de l'étude qui prennent la fausse pilule et à ceux qui prennent des tricycliques.

Tableau 3.4
Réactions indésirables les plus
communes associées à la prise de fluoxétine
dans les essais cliniques comparatifs

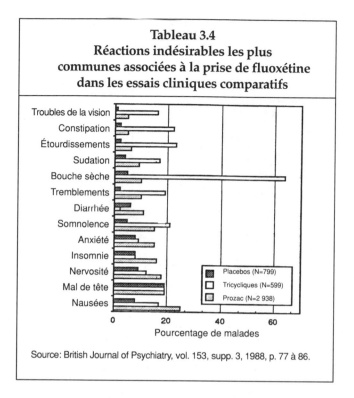

Source: British Journal of Psychiatry, vol. 153, supp. 3, 1988, p. 77 à 86.

Un autre graphique intéressant de cette étude, le tableau 3.5 aide à soutenir le point de vue que cette médication particulière est relativement sûre même pour les malades plus âgés.

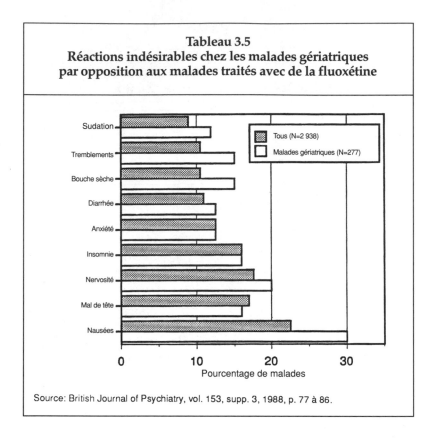

Tableau 3.5
Réactions indésirables chez les malades gériatriques
par opposition aux malades traités avec de la fluoxétine

Source: British Journal of Psychiatry, vol. 153, supp. 3, 1988, p. 77 à 86.

Les lecteurs ayant un intérêt pour la science médicale en soi pourraient trouver très intéressant cet extrait tiré d'une brochure écrite pour les médecins, que l'on peut lire au tableau 3.6. Il illustre minutieusement le langage utilisé pour décrire les résultats selon les règles de l'art et les incertitudes en ce qui a trait à un médicament nouveau et important. Les découvertes spécifiques rapportées sont aussi plutôt intéressantes en elles-mêmes.

Tableau 3.6
Extrait tiré d'une brochure écrite pour les médecins
en ce qui a trait à la pharmacologie clinique de Prozac

Pharmacodynamique

On présume que l'action antidépressive de la fluoxétine est reliée à son inhibition du captage de la sérotonine dans le système nerveux central neuronal. Des études effectuées chez l'homme à des doses cliniquement appropriées ont démontré que la fluoxétine bloquait le captage de la sérotonine dans les plaquettes de l'homme. Des études chez l'animal ont aussi démontré que la fluoxétine est un inhibiteur beaucoup plus puissant de la sérotonine que de la noradrénaline.

On a émis l'hypothèse que l'antagonisme des récepteurs muscariniques, histaminergiques et α_1-adrénergiques est associé aux divers effets anticholinergiques, sédatifs et cardiovasculaires des médicaments antidépresseurs tricycliques classiques. La fluoxétine se fixe à ces récepteurs et à d'autres récepteurs de membrane du tissu cérébral beaucoup moins puissamment *in vitro* que ne le font les médicaments tricycliques.

Absorption, distribution, métabolisme et excrétion

Biodisponibilité systémique — Chez l'homme, à la suite d'une dose unique de 40 mg par voie orale, on a obtenu des concentrations plasmatiques de pointe de fluoxétine de 15 à 55 ng/ml après 6 à 8 heures.

Les aliments ne semblent pas affecter la biodisponibilité systémique de la fluoxétine bien qu'ils puissent retarder son absorption sans aucune conséquence. Ainsi, la fluoxétine peut être administrée avec ou sans aliments.

Fixation aux protéines — Au-dessus d'un niveau de concentration de 200 à 1 000 ng/ml, environ 94,5 % de la fluoxétine se fixe, in vitro, aux protéines du sérum humain, incluant l'albumine et l'a 1-glycoprotéine. L'interaction entre la fluoxétine et d'autres médicaments se fixant dans une proportion élevée aux protéines du plasma n'a pas été complètement évaluée, mais peut être importante (voir Précautions).

Métabolisme — La fluoxétine est métabolisée en grande partie dans le foie et transformée en norfluoxétine et d'autres métabolites non identifiés. Le seul métabolite actif identifié, la norfluoxétine, est formé par la déméthylation de la fluoxétine. Chez l'animal, la puissance et la sélectivité de la norfluoxétine comme bloqueur du captage de la sérotonine sont essentiellement équivalentes à celles de la fluoxétine. La première voie d'élimination semble être le métabolisme hépatique alors que les métabolites inactifs sont excrétés par le rein.

Questions cliniques reliées au métabolisme et à l'élimination

La complexité du métabolisme de la fluoxétine a plusieurs conséquences qui peuvent potentiellement influencer son emploi clinique.

Accumulation et élimination lente — L'élimination relativement lente de la fluoxétine (demi-vie de deux à trois jours) et de son métabolite actif, la norfluoxétine (demi-vie de sept à neuf jours) assure une accumulation significative de ces espèces actives en cas d'administration chronique. Après 30 jours d'administration de 40 mg/jour, on a observé des concentrations plasmatiques variant de 91 à 302 ng/ml pour la fluoxétine et de 72 à 258 ng/ml pour la norfluoxétine. Les concentrations plasmatiques de fluoxétine ont été plus élevées que les études réalisées avec des doses uniques permettaient de le prévoir, sans doute parce que le métabolisme de la fluoxétine n'est pas proportionnel à la dose. Par contre, la pharmacocinétique de la norfluoxétine semble être linéaire. Ceci signifie que la demi-vie de la fluoxétine après une dose unique était de 8,6 jours et, après des doses multiples, de 9,3 jours.

Ainsi, même si les malades ont une dose fixe, on obtient des concentrations plasmatiques stationnaires seulement après des semaines d'administration continue. Cependant, les concentrations plasmatiques ne semblent pas augmenter sans limite. Spécifiquement, les malades ayant reçu de la fluoxétine à des doses de 40 à 80 mg/jour pendant des périodes durant jusqu'à trois ans ont présenté, en moyenne, des concentrations plasmatiques similaires à celles observées chez les malades traités pendant 4 à 5 semaines.

Les longues demi-vies de la fluoxétine et de la norfluoxétine assurent que, même quand le traitement est arrêté, l'agent médicamenteux peut prendre des semaines avant d'être éliminé de l'organisme. Cette situation peut avoir des conséquences quand on arrête le traitement avec de la fluoxétine, ou quand on prescrit des médicaments qui peuvent interagir avec la fluoxétine et la norfluoxétine, lorsqu'on interrompt la prise de Prozac.

Maladie du foie — Comme on peut le prévoir, étant donné le siège principal du métabolisme du médicament, une insuffisance hépatique peut altérer l'élimination de la fluoxétine. Chez les malades atteints de cirrhose alcoolique, la demi-vie de la fluoxétine s'est prolongée, comptant une moyenne de 7,6 jours comparée à une durée de 2 à 3 jours remarquée chez les sujets sans maladie du foie; chez les malades atteints de cirrhose alcoolique, la demi-vie de la norfluoxétine s'est prolongée, comptant une moyenne de 12 jours comparativement à une durée de 7 à 9 jours remarquée chez les sujets normaux. Ceci suggère qu'on doit envisager avec prudence l'emploi de la fluoxétine chez les malades atteints d'insuffisance hépatique.

On recommande l'adoption de posologies réduites ou de doses moins fréquentes chez ces malades (voir Précautions et Posologie).

Maladie des reins — Lors d'études réalisées avec des doses uniques, la pharmacocinétique de la fluoxétine et celle de la norfluoxétine ont été similaires, à tous les niveaux d'atteinte rénale, y compris chez les malades anéphriques recevant des hémodialyses de façon chronique. En cas d'administration chronique toutefois, il pourrait y avoir une accumulation supplémentaire de la fluoxétine ou de ses métabolites (y compris peut-être certains métabolites qui n'ont pas encore été identifiés) chez les malades atteints d'insuffisance rénale grave; on recommande l'adoption de posologies réduites ou de doses moins fréquentes pour ces malades (voir Précautions).

Âge — Les effets de l'âge sur le métabolisme de la fluoxétine n'ont pas été complètement étudiés. La disposition de doses uniques de fluoxétine chez des sujets âgés (plus de 65 ans) en bonne santé n'a pas été très différente que chez des sujets plus jeunes en bonne santé. Mais, étant donné la longue demi-vie et la disposition non linéaire de l'agent, une étude à dose unique ne suffit pas à éliminer la possibilité d'une modification de la pharmacocinétique du médicament chez les personnes âgées, particulièrement si elles présentent une maladie générale ou reçoivent plusieurs médicaments pour le traitement de maladies concomitantes.

Sans verser dans des considérations trop scientifiques, il est intéressant de souligner que le composé bien connu tryptophane, que l'on retrouve dans un régime normal, se transforme dans l'organisme en un messager chimique appelé 5-hydroxytryptophane que l'on connaît aussi sous le nom de 5HT. Comme on le voit à la figure 3.1 ci-dessous, la fluoxétine agit un peu comme un substitut du 5HT, qui se trouve souvent en faible quantité chez les déprimés. Un autre médicament important est la réserpine qui peut interférer avec l'entreposage du 5HT dans certains granules d'entreposage; cette situation, à son tour, peut entraîner une déplétion de 5HT, ce qui peut déclencher une dépression. Mais un régime faible en tryptophane peut aussi déclencher une dépression bien que les régimes normaux ne soient généralement pas déficients dans ce domaine.

Figure 3.1
**Rôle du tryptophane et des autres agents
dans la dépression**

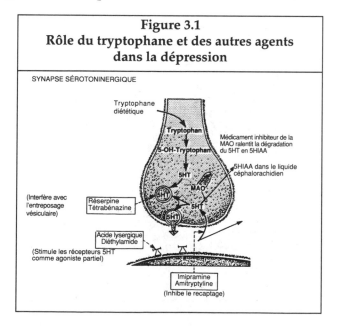

SYNAPSE SÉROTONINERGIQUE

Tryptophane diététique

Tryptophan

5-OH-Tryptophan

Médicament inhibiteur de la MAO ralentit la dégradation du 5HT en 5HIAA

5HT

5HIAA dans le liquide céphalorachidien

MAO

5HT

5HT

(Interfère avec l'entreposage vésiculaire)

Réserpine Tétrabénazine

Acide lysergique Diéthylamide

(Stimule les récepteurs 5HT comme agoniste partiel)

Imipramine Amitryptyline
(Inhibe le recaptage)

Dans cette illustration, on parle d'un autre médicament, l'amitriptyline, qui retarde la réabsorption du 5HT après sa libération du corps cellulaire et permet ainsi qu'une plus grande quantité de celle-ci active la cellule avoisinante. C'est un antidépresseur efficace. Quelque part, dans la même ligne de pensée, les IMAO (inhibiteurs de la monoamine oxydase) ralentissent la dégradation du 5HT en une substance appelée 5HIAA et laissent ainsi plus de 5HT disponible pour soulager la dépression. À nouveau, la fluoxétine agit comme un substitut pour le 5HT, dont la carence semble reliée à la dépression.

Figure 3.2
Distribution des neurones sérotoninergiques

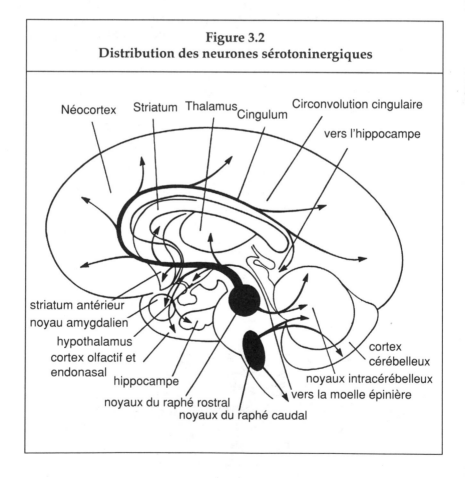

En voyant la figure 3.2, on peut transposer à un contexte considérablement plus large. Il s'agit d'un diagramme du cerveau coupé en deux d'avant (gauche) en arrière (droite) pour en révéler les structures internes. Les lignes foncées et les flèches démontrent la large distribution des neurones sérotoniniques qui libèrent les messagers chimiques 5HT (5-hydroxy-tryptophane). La plupart de ces neurones proviennent de noyaux profondément enfouis dans le cerveau que l'on appelle les noyaux du raphé rostral. On trouve à l'extérieur de l'illustration les noms de quelques-unes des importantes structures cérébrales.

Les médicaments antidépresseurs demandent en général un délai de 14 à 21 jours avant qu'on remarque un effet. Les pharmacologues pensent en termes de neurotransmetteurs ayant une cascade d'effets qui prennent un long moment à se produire. Les changements chimiques en aval peuvent en fait être ceux qui sont les plus importants. Un autre point de vue concernant ce laps de temps est la nécessité de sensibiliser les neurones; peut-être ont-ils besoin d'être stimulés maintes et maintes fois avant de devenir actifs et de continuer à fonctionner d'eux-mêmes.

À vrai dire, ceci est semblable à ce qui arrive dans ce que nous appelons l'apprentissage. Dans les thérapies orientées vers la psychologie, l'individu doit se préoccuper des pensées positives et se désintéresser des pensées négatives. C'est un fait connu que l'apprentissage dans le système nerveux survient par l'entremise de multiples stimuli électriques, qui éventuellement produisent des changements chimiques permanents et renforcent les connexions entre certains neurones.

Approches psychologiques

Ce genre de traitement de la dépression implique le soutien durant une crise ou de l'aide pour faire accepter la maladie. On peut aider les gens qui font face à des conflits ou à un stress émotionnel suivant des pertes, des troubles de relation et une piètre estime de soi-même à comprendre leur monde psychologique intérieur et les raisons qui les rendent vulnérables à la dépression. On peut orienter la thérapie selon de multiples approches bien connues pour aider les gens à résoudre les problèmes psychologiques:

- **La thérapie cognitive** cherche à briser un modèle de pensée négatif — non à le transformer en une vision du monde en rose mais en une optique de la vie plus positive, logique et probablement plus réaliste. Une étape pour y arriver consiste à encourager les malades à formuler diverses façons de regarder leurs problèmes émotionnels et d'examiner les implications de chacun. L'idée générale est de promouvoir un sentiment de compétence, entraînant une plus grande confiance en soi et une vision plus positive.
- **La thérapie behaviorale** implique souvent l'entraînement des malades à prendre part à des activités qui les aideront clairement à se départir de comportements qu'ils ont besoin de changer. L'accent est ici assez spécifique et on ne s'attarde pas à retrouver les traumatismes émotionnels qui peuvent avoir généré un comportement. Le but est de définir un problème donné, de s'y attaquer scientifiquement et directement au moyen de techniques comme:
  - *la désensibilisation systématique* qui implique généralement une substitution étape par étape de la relaxation à l'anxiété;
  - *le modelage* ou *l'apprentissage* du changement par le biais de l'observation directe des autres;
  - *la répétition de comportement* impliquant généralement le jeu de rôle;
  - *le renforcement positif;*
  - *l'autorégulation* par l'entremise de la supervision de son propre comportement.
- **La thérapie familiale ou la thérapie de couple** est utile pour ceux qui ont à faire face à des difficultés de relation.

• **La thérapie de groupe** aide les gens qui sont dans le même bateau à partager leurs expériences ou leurs peurs qui sont habituellement à la base de problèmes similaires.

Quelquefois, il faut combiner plus d'une de ces techniques pour obtenir un bon résultat.

En psychiatrie, il y a une grande controverse concernant la pertinence de la thérapie médicamenteuse ou de la thérapie cognitive-psychologique; dans certains cas, il semblerait que les deux sont efficaces. Toutefois, pour certaines dépressions, les médicaments ou les électrochocs sont nécessaires. C'est le cas des dépressions où l'on remarque un changement d'humeur et un ralentissement des fonctions motrices et végétatives, lesquels sont tout à fait indépendants d'un changement de façon de penser ou d'estime de soi.

Thérapie électroconvulsive (ECT)

Comme nous l'avons mentionné au chapitre 1, les ECT ont bien sûr entraîné beaucoup de controverses et de critiques. Néanmoins, cette thérapie peut être efficace quand les diverses approches psychologiques ou les médicaments antidépresseurs n'ont pas l'effet désiré ou quand la personne a une maladie physique, comme des troubles cardiaques, qui peut rendre certains psychotropes dangereux. Pour ceux dont la dépression est si grave que leur vie peut être en danger, les ECT peuvent aussi donner des résultats rapides. Leurs effets secondaires incluent les maux de tête passagers et des pertes temporaires de la mémoire immédiate.

Étant donné l'équipement moderne en vente aujourd'hui, il n'y a rien qui empêche l'utilisation de l'ECT, mais il y a des cas où le risque est accru. Les patients ayant des tumeurs cérébrales et ceux qui ont eu un accident cérébrovasculaire peuvent subir d'autres lésions cérébrales avec l'ECT, mais il existe des précautions particulières à prendre pour prévenir ces accidents qui sont habituellement transitoires. Il peut y avoir un certain risque pour le malade qui vient de subir une crise cardiaque ou qui souffre d'hypertension artérielle grave parce que l'ECT augmente temporairement la tension artérielle. La thérapie électro-convulsive a une histoire beaucoup plus ancienne que les gens ne le soupçonnent et elle a sûrement évolué considérablement depuis sa première utilisation la première fois.

Des solutions sociales plus élaborées

Il existe aussi des approches sociales et communautaires qui peuvent comporter des directives pour améliorer les habiletés d'adaptation, de l'aide pour développer des relations de soutien, une implication des centres communautaires et une éducation des gens au sujet des troubles affectifs. Les médecins et les thérapeutes réfèrent souvent les malades ayant surmonté leur dépression à divers organismes sociaux qui offrent du counselling pour les problèmes de couple ou de famille, de même qu'une formation pour développer chez le patient l'affirmation et le respect de soi-même. De plus, des cours d'initiation au rôle de parent efficace sont offerts dans plusieurs communautés par l'entremise des organismes du secteur privé ou public ou des écoles publiques.

Dans l'ensemble, un diagnostic précoce et un traitement efficace peuvent être cruciaux pour prévenir le suicide ou la mort par détérioration physique d'une personne dépressive.

Il est aussi important que des troubles physiques, comme l'anémie ou les troubles de la glande thyroïde, qui peuvent causer quelques-uns des symptômes de la dépression, soient évalués dès le début chez les patients qui présentent les caractéristiques de la dépression.

Recherche

L'un des besoins majeurs dans ce domaine est de mettre au point de meilleurs moyens de prédire quelles personnes pourront bénéficier des divers médicaments qui sont accessibles maintenant, lesquelles répondront le mieux aux psychothérapies et dans quels cas une combinaison de traitements serait préférable.

La plupart des gens cessent de prendre des antidépresseurs après une période de trois à six mois et n'ont pas de rechute. Toutefois, quelques personnes ont de telles rechutes. Elles doivent alors prendre ces médicaments à long terme, ce qui implique de faire face à une variété d'effets secondaires. C'est la raison pour laquelle il est très important de diffuser largement de l'information sur la sécurité et la durée optimale d'un traitement à long terme. Des connaissances plus poussées de l'interaction de la chimie du cerveau sur le contrôle de l'humeur pourraient mener à l'élaboration d'antidépresseurs qui agiraient en quelques heures ou quelques jours plutôt qu'en semaines ou en mois.

Par exemple, dans une étude, on a démontré que la simple privation de tryptophane dans un régime alimentaire entraînait graduellement une légère dépression. Le tryptophane est simplement un acide aminé diététique normal nécessaire à la synthèse chimique de la sérotonine dans le cerveau. Dans cette optique, une recherche majeure est actuellement en cours pour trouver une façon de survolter l'action de la sérotonine plus rapidement que les antidépresseurs ne le font. La fluoxétine (Prozac), décrite plus haut, agit comme la sérotonine, mais elle a une action prolongée.

Ce serait une grande percée en psychiatrie, si l'on pouvait trouver des façons de protéger des premières attaques de la dépression les personnes qui risquent de développer des troubles affectifs et même de tomber malade. Les gens âgés qui souffrent de la solitude et d'un sentiment d'inutilité ainsi que les mères monoparentales ayant plus d'un enfant et n'ayant personne à qui se confier ou personne pour les soutenir sont deux catégories de personnes pouvant être sujettes à la dépression. Des expérimentations sociales formelles, où l'on réunirait des gens de ces catégories pour reproduire artificiellement une famille reconstituée, pourraient peut-être être des façons valables de traiter plusieurs problèmes d'un seul coup.

Des études récentes sur les facteurs qui influent sur les changements de l'humeur, comme la lumière et la température, sont prometteuses pour clarifier les raisons des fluctuations de l'humeur. À ce sujet, on a mis au point une nouvelle sorte de pochette lumineuse qui semble réduire les effets du *trouble affectif saisonnier*.

On a récemment découvert des gènes porteurs de chromosomes qui causent la dépression chez certaines personnes. Il faut les identifier et apprendre comment ils produisent dans le cerveau les substances chimiques anormales qui finissent par faire basculer l'humeur dans des profondeurs dévastatrices.

Sources d'information

Organismes

Depression/Awareness, Recognition, Treatment (D/ART), National Institute of Mental Health, Rockville, MD 20857

National Depressive and Manic Depressive Association, 53 West Jackson Blvd., Box USN, Chicago, ILL 60604

National Mental Health Association Information Center, 1021 Prince Street, Alexandria, VA 22314

The National Foundation for Depressive Illness, P.O. Box 2257, New York, NY

The National Association for Research on Schizophrenia and Depression, 60 Cutter Mill Road, Suite 200, Great Neck, NY 11021

Livres

BURNS, D., *Feeling Good.* Signet, New York, 1981.

EMERY, G., *Getting Undepressed.* Simon and Schuster Ltd., Toronto, 1988.

FIEVE, R.R., *Mood Swing.* Bantam Books, New York, 1975. (Traité de la maladie maniaco-dépressive.)

GILLETT, R., *Overcoming Depression: A Practical Self Help Guide to Prevention and Treatment.* MacMillan Canada Ltd., Toronto, 1988.

KLEIN, D.F. et WENDER, P.H., *Do You Have Depressive Illness? How to Tell, What to Do.* Plume, New York, 1988.

LAMONTAGNE, Y. et DELAGE, J., *La dépression.* Éditions La Presse, Montréal, 1988.

CHAPITRE 4

L'anxiété

Imaginez qu'en marchant dans la rue vous vous trouviez soudain face à face avec un gros chien grondant férocement. Votre cœur cesse de battre, vos muscles se durcissent, votre bouche s'assèche et votre respiration se fait haletante. Vous venez d'éprouver une réaction de peur naturelle qui a préparé votre corps à combattre ou à fuir: vous devez tenir bon et vous battre ou bien fuir la situation le plus vite possible.

Bien que, comme mécanisme de survie, nous expérimentions tous de la peur, de l'anxiété ou de simples phobies (telles que la peur des serpents), ce genre de comportement est anormal s'il est persistant, perturbateur et se produit sans raison.

Les statistiques indiquent qu'environ 8,3 % des Nord-Américains ont, à un moment donné de leur vie, souffert d'affections que l'on appelle troubles anxieux. Ce chiffre peut sembler relativement modeste, mais il représente quelque 23 millions de personnes.

Certains anxieux souffrent d'un état d'anxiété généralisée, qui, pendant des mois, les a rendus nerveux, anxieux ou préoccupés à propos d'un quelconque malheur, possible mais non défini, qui pourrait se produire ou leur serait arrivé à eux-mêmes ou aux autres. Lorsqu'ils sont anxieux, ils peuvent se sentir peu solides, étourdis, nauséeux, sur des charbons ardents, agités et irritables. Parmi les symptômes qui les assaillent, on peut noter des palpitations, des myalgies, le souffle court, les mains moites et froides, de la diarrhée ainsi que des bouffées de chaleur ou de froid.

On a appelé *agoraphobie* une affection qui isole les gens au fur et à mesure qu'ils refusent de sortir de leur maison à cause d'une peur des grands espaces. Ce terme est dérivé des mots grecs *agora* et *phobia* qui signifient «place du marché» et «peur». Cette sorte particulière de panique est souvent la plus pénible, parce qu'elle peut se traduire par un confinement complet du sujet à la maison.

On sait aujourd'hui que ce n'est pas la «place du marché» en elle-même ou tout autre place publique dont les agoraphobes ont peur, mais que c'est surtout de la possibilité pour eux de subir un accès de panique dans un endroit où il leur serait difficile ou impossible de s'échapper. Ils peuvent avoir ces attaques à la maison et même se réveiller en pleine crise.

De façon imprévisible, et dans des circonstances parfaitement normales, les gens qui sont victimes de ce trouble sont soudainement envahis par la panique: des palpitations, de la sudation, des étourdissements, des tremblements et de la faiblesse. Ils sont suffoqués, terrifiés à l'idée de perdre la maîtrise d'eux-mêmes, ayant peur de devenir fous ou de mourir. Ces crises durent habituellement quelques minutes, mais dans de rares cas elles peuvent durer des heures.

Le chariot à moitié plein de victuailles abandonné dans une allée à l'heure de la fermeture de l'épicerie a plus de chances d'avoir été laissé par une personne essayant de fuir une attaque de panique que par quelqu'un qui a oublié son portefeuille à la maison.

Arnold, un comptable de trente ans, consulta son médecin pour une peur extrême, de la sudation, un souffle court, des palpitations, des douleurs à la poitrine et des maux de tête. Des tests de sang, un examen physique et un électrocardiogramme ne révélèrent aucune anomalie. Sa femme, comptable elle aussi, et lui étaient mariés et heureux en ménage depuis trois ans; ils avaient une vie sociale active; à cause de ses attaques de panique, il commença à éviter de conduire sa voiture et lui demandait de l'accompagner partout. Il en vint ensuite à ne plus pouvoir aller au travail et demanda un congé de maladie.

Il confia au médecin que ces attaques avaient commencé lorsqu'il avait parlé avec sa femme d'acheter une maison et d'avoir des enfants et il finit par admettre que ces responsabilités l'effrayaient. Le médecin le traita avec de l'imipramine et une psychothérapie afin de l'aider à trouver des moyens de faire face à sa peur de prendre de plus grandes responsabilités.

De plus, il suivit une thérapie behaviorale et cognitive pour le désensibiliser de sa peur de s'éloigner de la maison. Il s'en remit au bout de quelques mois, s'étant convaincu qu'il pouvait prendre en main les nouvelles responsabilités qui l'attendaient, et il recommença une vie plus normale.

Au fil des ans, on a compilé des listes de phobies de toutes sortes: la claustrophobie ou peur des espaces fermés est bien connue; les enfants ont aussi beaucoup de plaisir à prononcer le mot triskaidécaphobie ou peur du chiffre 13. Certaines de ces phobies sont étranges: la sidérodromophobie ou peur des rails, l'osmophobie ou peur des odeurs et la bélonophobie ou peur des aiguilles.

Les psychiatres les regroupent toutes sous le nom de phobies simples et les décrivent ainsi: peur persistante et déraisonnable d'un objet spécifique ou d'une situation. Ce peut être une peur des hauteurs, du noir, d'un certain animal, d'un oiseau ou d'un insecte, de la vue du sang ou de la traversée d'un pont.

Une jeune professionnelle avait peur des sauterelles pendant son adolescence; à l'âge de vingt ans, elle devint incapable de profiter de la vie au grand air pendant l'été. Elle cherchait toujours des sauterelles, conduisait sa voiture les fenêtres hermétiquement closes et essayait d'éviter les quelques voyages que requérait son emploi. Cette phobie, évidemment, en vint éventuellement à affecter sa vie sociale, son emploi et son estime d'elle-même.

Il y a aussi des phobies sociales, où le sujet a peur — c'est plus souvent un homme — d'être embarrassé ou humilié. Il s'agit ici beaucoup plus que d'avoir «des papillons dans l'estomac», comme le ressentent la plupart des gens qui prennent la parole ou doivent monter sur une scène. C'est une anxiété intense qui cause une détresse marquée et peut être déclenchée par le fait de manger au restaurant ou de prendre part à des activités sociales. Parce que le sujet évite ces situations ou essaie de les endurer, elles peuvent interférer avec sa vie sociale et/ou sa carrière.

Le stress post-traumatique suit un événement traumatisant, mais les attaques de panique l'accompagnant surviennent souvent dans des situations complètement étrangères au traumatisme original.

Voici le cas d'une vendeuse ayant été attaquée à deux reprises au cours de vols commis dans le magasin où elle travaillait. Un an après la deuxième attaque, elle n'a plus été capable de retourner à son travail même si elle était guérie de ses blessures physiques. Elle évitait de sortir le soir, se plaignait de douleurs à la nuque, prenait des Valium pour se calmer et avait des attaques de panique même dans la sécurité de sa maison. Son sommeil était constamment troublé par des cauchemars où elle voyait un voleur portant cagoule venir vers elle; elle s'éveillait, prise de panique et terrifiée.

Ce trouble a été mondialement reconnu à la suite de l'expérience des vétérans de la guerre du Viêt-nam aux États-Unis; il a aussi été décrit par des victimes de viol et de voies de fait.

Une autre atteinte du même type est le trouble obsessionnel-compulsif où les gens accomplissent des rituels répétitifs et compliqués, ayant peur d'une catastrophe s'ils ne les suivent pas minutieusement. Ils peuvent faire le tour de la maison et s'assurer du verrouillage de toutes les serrures de portes et fenêtres à trois reprises avant d'aller se coucher. Ils peuvent être obsédés par les «microbes» et désinfecter des objets, comme le combiné du téléphone, après chaque usage. Ils peuvent se sentir incapables de faire un détour s'il y a eu un accident sur la route qu'ils prennent habituellement pour se rendre au travail.

Plusieurs des coûts de ces troubles pour la société sont cachés. Le sujet peut aller d'un médecin à l'autre, ayant peur que les symptômes physiques des troubles de panique soient dus à quelque maladie sérieuse comme une maladie cardiaque ou de la sclérose en plaques, exigeant de plus en plus de tests pour vérifier son état. D'un autre côté, si les phobies sont reliées à la maladie, aux aiguilles ou au sang, l'individu peut éviter les traitements médicaux ou dentaires durant les premiers stades de la maladie.

On s'est récemment rendu compte que le tiers des alcooliques avaient des troubles d'anxiété, ce qui implique la possibilité que le traitement pour l'anxiété puisse prévenir l'alcoolisme ou améliorer le sort de quelques alcooliques.

On considère que les femmes sont plus susceptibles que les hommes de souffrir de tous ces troubles à l'exception des phobies sociales, mais il se pourrait bien que la véritable incidence chez les hommes soit masquée par l'abus d'alcool. Comme l'a dit un médecin en décrivant les modèles d'adaptation: «Les hommes ont plus tendance à aller au débit de boisson que chez le médecin.»

Il en résulte des bris de relations et des pertes d'emploi. Comme les troubles anxieux les plus graves ont tendance à survenir chez les jeunes adultes, alors qu'ils ont à prendre d'importantes décisions pour leur vie, beaucoup d'entre eux ne peuvent avoir une carrière fructueuse et une vie familiale épanouie. Tout comme pour la schizophrénie, cette situation rend le coût total pour la société beaucoup plus élevé que si les gens atteints étaient plus vieux.

Causes

On pointe le doigt dans bien des directions lorsque l'on recherche les causes des troubles anxieux — tout comme celles de bien d'autres troubles mentaux, il s'agit probablement d'une combinaison de facteurs qui varient d'une personne à l'autre.

Dans certains cas, la génétique peut jouer un certain rôle: des études ont montré qu'en moyenne, on retrouve aussi des troubles d'anxiété chez 17 % des membres de l'entourage des sujets atteints.

Jusqu'ici, on a très peu d'idées sur la façon dont l'anxiété et les phobies pourraient être transmises par les parents ou engendrées par les expériences de l'enfance. Les enfants peuvent adopter des comportements qu'ils remarquent chez leurs parents, mais on n'a pas pu prouver que cela causait le trouble lorsqu'ils deviennent adultes. La plupart des peurs d'enfant qui sont considérées comme normales, telle que la peur du noir, disparaissent spontanément.

Toutefois, il semble y avoir une association entre les phobies acquises à l'école par les adolescents et les troubles anxieux des adultes. Bien des adultes se rappellent des épisodes de séparation et d'humiliation pendant leur développement. D'autres ont fait face à des événements stressants avant l'apparition des symptômes.

Il y a aussi des possibilités biologiques. Avec les nouvelles techniques de radiographie cérébrale, comme les tomographies à émission de positrons, les chercheurs peuvent étudier le fonctionnement du cerveau et non plus uniquement sa structure physique.

Certains scientifiques se servent de ces techniques et d'autres pour élucider ce problème en étudiant le petit locus cœruleus à la base du cerveau — son nom provient du terme latin *cœruleus* qui signifie bleu, parce que cette région a une teinte bleuâtre. Tel qu'on peut le voir à la figure 4.1, il est le point de départ des fibres nerveuses qui se rendent à presque toutes les régions du cortex, les enveloppes externes des deux hémisphères du cerveau.

Une surstimulation de ce noyau augmentera l'activité du cerveau et créera un sentiment de panique ou de peur total. Une anxiété moindre, comme lorsqu'on anticipe une menace possible, peut impliquer seulement un sous-ensemble de ces fibres et peut à l'occasion augmenter l'activité des lobes temporaux. Les médicaments qui suppriment l'activité de cette région réduisent l'anxiété; ceux qui la stimulent peuvent produire une anxiété qui frôle la panique.

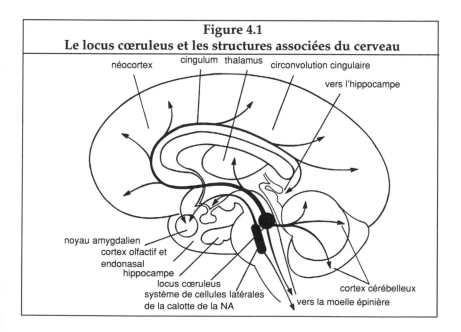

Figure 4.1
Le locus cœruleus et les structures associées du cerveau

Il fut un temps où il était de bon ton d'attribuer les symptômes de l'anxiété à l'hypoglycémie (faible taux de sucre dans le sang). Chez un diabétique insulinodépendant dont la glycémie chute quand il n'a pas mangé, les étourdissements, les tremblements, la désorientation et l'accélération du débit cardiaque, caractéristique d'une réaction à l'insuline, sont des symptômes similaires à ceux d'une attaque de panique. Ceci est une observation intéressante, mais quand le taux de glycémie est mesuré pendant une attaque de panique, il s'avère normal.

On a attribué aux changements hormonaux le début des troubles anxieux chez les femmes puisque plusieurs d'entre elles ont leur première attaque de panique après les changements entraînés par les fluctuations hormonales lors d'une grossesse, d'un avortement spontané, de la ménopause et des périodes prémenstruelles. Néanmoins, jusqu'ici, aucun résultat probant n'est ressorti de ces études.

L'hyperventilation ou hyperpnée, c'est-à-dire l'amplification des mouvements respiratoires, accompagne certaines attaques de panique. De récentes recherches ont indiqué que quelques sujets souffrant d'anxiété sont des hyperventilés chroniques, bien que cela ne soit pas évident pour un observateur non averti. Ces victimes peuvent produire les changements chimiques de l'hyperventilation en respirant un peu plus profondément ou rapidement. On a aussi découvert que plusieurs de ces personnes peuvent s'aider simplement en apprenant des techniques de respiration contrôlée.

Chez certains individus, les attaques de panique peuvent être déclenchées par l'utilisation de drogues illicites (comme la cocaïne, la marijuana ou les amphétamines), ou l'absorption de caféine (café, thé ou boissons à base de cola); les personnes souffrant de troubles anxieux devraient sûrement éviter toutes ces substances à haut risque.

Traitement

En matière de traitement des troubles anxieux, les thérapies existantes comptent parmi les plus prometteuses. Jusqu'aux deux tiers des gens qui sont atteints de tels troubles psychiatriques peuvent s'améliorer sans traitement d'aucune sorte, bien que cela puisse prendre quelques années, alors qu'une thérapie particulière peut souvent donner des résultats plus rapides. En général, on se sert d'une combinaison de médicaments et de psychothérapie.

En particulier, parmi les traitements utiles, on retrouve:

- les programmes qui exposent graduellement et délicatement la personne aux objets ou situations dont elle a peur;
- les exercices de mise en situation où la victime imaginera des réponses appropriées lorsqu'elle sera confrontée à ce qui lui fait peur;
- les techniques de relaxation;
- l'entraînement systématique pour éviter la pensée négative.

Ces techniques de désensibilisation et de relaxation furent introduites par les psychologues, et plusieurs d'entre eux s'en servent pour aider leurs malades. De plus en plus, les psychiatres reconnaissent la valeur de ces méthodes, et l'on compte plusieurs cliniques où des psychiatres, des psychologues, des infirmières et des travailleuses sociales enseignent de telles techniques à leurs malades souffrant d'anxiété et obtiennent d'assez bons résultats. L'engagement de la famille et la participation à un groupe de soutien peuvent aussi se révéler bien utiles.

L'usage de médicaments comme les tranquillisants et les antidépresseurs peut s'avérer une partie nécessaire de la thérapie antianxiété. Néanmoins, on n'a pas réussi à élucider le mystère de leur fonctionnement dans certains états. Les tranquillisants comme le diazépam sont aussi efficaces. Le diazépam a une période d'action particulièrement longue — une période de quarante-huit heures est nécessaire pour permettre l'élimination de 50 % de ce médicament — de sorte qu'il peut être préférable d'utiliser des médicaments à action plus rapide comme le lorazépam qui se vend sous le nom commercial d'Ativan.

Le bref extrait suivant est tiré du *Clinical Handbook of Psychotropic Drugs* dont nous avons déjà parlé. Dans ce cas, l'extrait comprend le premier de plusieurs tableaux illustrant les caractéristiques significatives et les interactions des principaux médicaments anxiolytiques. Alors que plusieurs de ces médicaments sont bien connus et semblent souvent similaires, leurs effets diffèrent grandement tel qu'on peut le constater au tableau 4.1.

Malheureusement, il existe un risque de dépendance physique et/ou psychologique avec ces médicaments. En particulier, un certain degré de dépendance est possible si on les prend quotidiennement pendant plus de trois semaines. Dans le passé, et à un degré moindre aujourd'hui, on en a trop prescrit.

Une étude de la Darthmouth Medical School, rapportée dans la relativement nouvelle revue *Longevity*, souligne un effet secondaire nocif de l'utilisation des tranquillisants pendant une longue période de temps. Les sujets étudiés pendant quarante ans, tous des hommes, avaient pris des tranquillisants, des pilules pour dormir et des antidépresseurs régulièrement pendant une période de vingt à cinquante ans; on a découvert qu'à l'approche de la soixantaine, ils avaient une mauvaise santé et des troubles psychologiques. On a aussi noté que l'utilisation de tranquillisants était une cause plus significative de leur piètre condition physique et mentale à soixante-cinq ans que la nicotine, le gain de poids, le stress et l'alcool. Les problèmes qui ont poussé un individu à prendre des tranquillisants en premier lieu pourraient être la principale cause de cette maladie. Le psychiatre George Vaillant a suivi un grand nombre de patients pendant des décennies en rapport avec ce sujet. Ceux qui avaient des problèmes psychologiques qu'ils n'avaient jamais réglés au cours de leur vie avaient tendance à avoir plus de maladies pendant la soixantaine que les gens moins malheureux.

Tableau 4.1
Comparaison des principaux médicaments contre l'anxiété

Médicament	Dose équivalente (mg)	Niveau plasmatique de pointe p.o.	Élimination de la demi-vie	Métabolites (p=métabolite principal)	Commentaires	Interaction clinique significative	Considérations cliniques
Alprazolam	0,5	1-2 heures	9-20 heures	29 métabolites dont les principaux sont: -hydroxyal- prazolam desméthylal- prazolam 4-hydroxyal- prazolam	Rapidement et complètement absorbé; lié aux protéines à 80 % activité de l'hydroxyalpra-zolam;	probablement similaire au diazépam	Usages: anxiolytique; sédatif; sevrage alcoolique; dépression caractérisée par de l'anxiété. Prophylaxie des attaques de panique Posologie recommandée t.i.d. Augmente le stade 2 et diminue les stades 1 et 4 ainsi que le sommeil MOR. Précautions à prendre lors du sevrage
Bromazépam	3,0	0,5-4 heures	en moyenne 12 heures	3-hydroxybromazép am (8-19 heures)	On rapporte que ce métabolite a une activité anxiolytique.	Dépresseurs du SNC: effets accrus sur le SNC.	Usage: anxiolytique N'est pas recommandé pour les malades souffrant de dépression ou de psychose.
Chlordiazé- poxide	25,0	1-4 heures	en moyenne 14 heures (4-29 heures pour le médicament) (28-100 heures	desméthylclor- diazépoxide (p) démoxépam désoxydémoxépam	Volume de distribution (Vd) significativement plus présent chez les jeunes filles que chez les jeunes gens;	Antiacides: diminuent l'absorption dans le tube digestif mais n'influencent	Usages: anxiolytique; sédatif; traitement de l'alcoolisme. Augmentation de la demi-vie de 2 à 3 fois chez les personnes atteintes de cirrhose

Tableau 4.1
Comparaison des principaux médicaments contre l'anxiété (suite)

Médicament	Dose équivalente (mg)	Niveau plasmatique de pointe p.o.	Élimination de la demi-vie	Métabolites (p=métabolite principal)	Commentaires	Interaction clinique significative	Considérations cliniques
Chlordiazé-poxide (suite)			pour les méta-bolites)		élimination de la demi-vie prolongée et diminution de la concentration plasmatique totale chez les hommes âgés (moins chez les femmes âgées).	pas l'absorp-tion complète; Cimétidine: aug-mente le taux sanguin de clordiazépoxide en diminuant l'élimination.	
Clonazépam	0,25	1-4 heures	en moyenne 34 heures (19-60 heures)	aucun métabolite actif	Absorbé rapidement et complètement		Usage: anticonvulsif, sur-tout pour les convulsions chez l'enfant telles que les myoclonies, les spas-mes et les absences. Prophylaxie des atta-ques de panique Épisode de manie
Chlorazépate dipotassique	10,0	variable	1,3-96 heures pour les méta-bolites	n-desméthyldiazép am (p)	Hydrolysé dans l'esto-mac pour activer le métabolite (le compo-sé mère est inactif). Le taux d'hydrolyse dé-pend de l'acidité gastri-que, donc l'absorption n'est pas fiable (une étude réfute ceci).	Antiacides et bi-carbonate de so-dium: réduisent le taux d'appari-tion du métaboli-te actif dans le sang.	Usage: anxiolytique

Source: Bezchlibnyk-Butler, K. et Jeffries, J., Clinical Handbook of Psychotropic Drugs. Hogrefe & Huber Publishers, Toronto, 1990.

Alors que la dépendance créée par ces médicaments n'est pas aussi sévère que celle créée par les narcotiques, on conseille aux malades de faire des pauses régulièrement: médication pendant trois semaines, arrêt pendant une semaine. Si la personne doit continuer à prendre des médicaments pour une plus longue période, il faut interrompre la médication très graduellement afin de prévenir les effets de sevrage. Ces effets sont habituellement légers, à moins que les doses prescrites aient été fortes, mais ils incluent de l'insomnie et ce que l'on appelle de l'*anxiété réactionnelle*.

Les médicaments antianxiété ne doivent évidemment pas être distribués comme si c'étaient des bonbons, bien qu'on les compte parmi les médicaments les moins nocifs; un médecin très occupé peut être porté à en donner facilement. D'un autre côté, certains médecins peuvent être devenus récalcitrants, ce qui laisse le malade dans un état de souffrance inutile.

Recherche

La science de la psychothérapie elle-même a sûrement besoin de raffinement puisque environ le tiers des malades qui s'y plient n'obtiennent pas de résultats très probants. De plus, on a encore besoin de médicaments qui ne créent pas de dépendance.

Ces dernières années, certaines techniques comme la respiration de gaz carbonique ou l'injection de lactate ont été mises au point pour induire des attaques de panique en laboratoire afin de les étudier à loisir. L'hyperventilation volontaire peut aussi produire des attaques de panique chez les personnes à risque.

De nouvelles inventions ont permis aux scientifiques de mieux superviser le cœur et les fonctions respiratoires alors que les gens continuent leurs activités normales. Ces inventions ont amélioré notre connaissance des symptômes d'anxiété en dehors du laboratoire.

La thérapie behaviorale pour le traitement des phobies s'est améliorée grâce à plusieurs recherches importantes au cours des dernières décennies. La plupart d'entre elles ont concentré leurs efforts sur le raffinement des techniques d'exposition:

- pendant combien de temps et à quelle fréquence la personne doit-elle être exposée à ce qui lui fait peur?
- un médicament doit-il être utilisé en même temps?
- est-il utile que la personne soit accompagnée d'une autre personne ou d'un thérapeute pendant l'exposition?

On a aussi effectué de nombreuses recherches sur les techniques de relaxation pour traiter l'anxiété générale. Tout récemment, la thérapie cognitive et la thérapie de respiration contrôlée appliquées à la panique ont aussi fait l'objet de recherches poussées et ont révélé des résultats prometteurs.

Le secret de meilleurs médicaments pourrait se trouver en étudiant le système biologique propre à supprimer l'anxiété: le *système des récepteurs de la benzodiazépine*. On sait que les médicaments font effet quand ils sont attirés vers les récepteurs situés à la surface de quelques neurones, mais on ne sait pas comment ou pourquoi. Quel est le but premier des récepteurs? De toute évidence, mère Nature ne les a pas créés pour qu'ils soient inutiles jusqu'à ce que l'homme invente le diazépam. La compréhension des mécanismes de base de ce système et de ses interactions avec les autres pourrait ouvrir de nombreuses autres portes thérapeutiques.

Les troubles obsessionnels-compulsifs impliquent apparemment un récepteur chimique différent dans le cerveau, le *5-HT*, même s'ils sont aussi accompagnés d'anxiété et de peur. Un autre médicament auxiliaire, la fluoxétine (Prozac), que l'on a décrit dans le chapitre sur la dépression, laquelle affecte cette sorte particulière de récepteur, semble mieux fonctionner pour ce trouble; on se doit de comprendre plus à fond la nature de ce mécanisme.

En dépit du nombre de gens qui souffrent de ces troubles et de la quantité d'argent dépensé pour les divers médicaments, l'efficacité relative des tranquillisants, des antidépresseurs et de la thérapie cognitive n'a pas encore été étudiée en profondeur. Bien entendu, ce dernier point est une facette importante de la recherche, surtout si l'on considère les pressions financières accrues effectuées par les deux gouvernements et le système de soins privés.

Sources d'information

Les Fondations Freedom From Fear, fondées à Toronto en 1974 comme groupe d'entraide, ont maintenant des divisions dans plusieurs villes.

GREIST, J.W., JEFFERSON, J.W. et MARKS, I.M., *Anxiety and its Treatment: Help is Available*. American Psychiatric Press, Washington, 1986.

MARKS, I.M., *Living with Fear, Understanding and Coping with Anxiety*. McGraw-Hill, New York, 1978.

WEEKS, Claire, *Hope and Help for your Nerves*. Bantam Books, New York, 1978.

CHAPITRE 5

Les troubles
de la personnalité

Les psychiatres envient quelquefois les outils de diagnostic de leurs collègues médecins: les rayons X qui permettent de voir que l'os est fracturé, un test d'urine qui révèle la grossesse, un test de sang qui décèle le diabète, une tomographie axiale à calculateur intégré qui montre une tumeur.

Les maladies mentales ne sont pas toujours bien définies et ceci n'est jamais aussi vrai que pour les *troubles de la personnalité.*

Nous avons tous des traits de caractère qui irritent ou frustrent nos amis, nos proches et nos collègues. Nous avons tous des manies que nous n'aimons pas. Toutefois, quand ces traits interfèrent sérieusement avec notre fonctionnement et notre développement, quand ils rendent nos proches misérables, on les qualifie de troubles de la personnalité.

Il s'agit d'un processus diagnostique difficile: comme si l'on devait mesurer sur une échelle de 1 à 10 où se trouve la «normalité» ou la «maladie». Une femme ne peut être un peu enceinte, mais pour ce qui est des troubles de la personnalité, il existe une série de degrés. Cependant, avec l'entraînement, divers psychiatres qui voient la même personne en viennent à avoir le même diagnostic de la maladie.

En général, les personnes atteintes de ce trouble ont des comportements inflexibles et non productifs et des façons de penser qui ne dérogent pas au fil du temps — elles ont tendance à se comporter d'une manière autopréjudiciable, en dépit des conséquences que leur comportement a entraînées dans le passé.

Leurs relations avec les autres ont tendance à être superficielles ou chaotiques et leurs succès au travail sont souvent moindres que ne le laisseraient prévoir leurs capacités intellectuelles. Elles présentent plus de risques de développer d'autres maladies psychiatriques à cause du stress qu'occasionnent leurs relations avec les autres et de leurs réactions inappropriées face aux événements indésirables qui surviennent dans leur vie.

Les efforts pour amener quelque ordre scientifique dans le diagnostic et le traitement de ces problèmes ont mené à établir une liste de troubles qui divisent les modèles de comportements et de symptômes en différentes catégories. Tous les psychiatres ne sont pas d'accord sur ce qui constitue un trouble spécifique, et la personnalité humaine avec ses multiples facettes ne peut pas se caser dans un cubicule bien défini de diagnostic. Pour ajouter à cette complexité, les gens qui souffrent de plusieurs autres troubles psychiatriques peuvent aussi avoir un trouble de la personnalité.

De toute manière, on a assemblé en groupes les diverses variations d'un trouble, chacun portant des étiquettes différentes, mais chacun partageant quelques caractéristiques.

Une première catégorie est l'«ancien groupe» qui inclut les troubles de la personnalité paranoïde et schizotypique. Les gens qui en sont atteints ont un éventail d'expression émotive réduit et une grande dose de méfiance et d'apathie lors de leurs interactions avec les autres. Presque tout le monde connaît quelqu'un qui a ces traits de personnalité. Mais avoir un trait de personnalité est différent d'avoir un trouble de la personnalité, bien qu'il n'y ait pas encore de critères scientifiques qui permettent de distinguer l'un de l'autre.

Une deuxième catégorie est le «groupe dramatique» qui rassemble ceux qui dramatisent tout, qui exagèrent et qui font des pieds et des mains pour attirer l'attention. On y regroupe les personnalités limites, antisociales, histrioniques et narcissiques.

Une troisième catégorie est le «groupe anxieux» qui comprend les personnalités évitantes, dépendantes, impulsives et passives-agressives. Ces personnes sont souvent anxieuses et se conduisent de manière à essayer de réduire leur anxiété:

- en fuyant les situations sociales, pour les personnalités évitantes;
- en fuyant les prises de décisions par peur de se tromper, pour les personnalités compulsives;
- en restant sous la coupe des autres, pour les personnalités dépendantes;
- en procrastinant plutôt qu'en exprimant leur ressentiment, pour les personnalités passives-agressives.

On remarque des différences selon les sexes en ce qui a trait à l'expression des divers troubles, mais ce sont des différences entre les sexes en soi et elles ne sont pas inhérentes au trouble. Par exemple, un comportement antisocial chez l'homme a plus de chances d'impliquer de l'agression et des abus d'alcool alors que chez la femme, ce comportement impliquera la sexualité. Les troubles de la personnalité antisociale peuvent être quatre fois plus fréquents chez les hommes que chez les femmes alors que les troubles de la personnalité histrionique se retrouvent beaucoup plus fréquemment chez les femmes.

À la suite d'importantes études, dans le passé, on a pu identifier des troubles de la personnalité chez 6 à 10 % de la population, mais on n'a pu distinguer clairement entre les traits et les troubles et on n'a pu spécifier quel types étaient les plus prévalents.

Voici un échantillon de symptômes de quelques-uns de ces troubles de la personnalité: il est important de garder à l'esprit que c'est la combinaison de traits, la gravité et la constance de ces symptômes qui dénotent la maladie.

Trouble de la personnalité évitante

Les personnes évitantes se font constamment du souci et sont si peu sûres d'elles qu'elles évitent toute situation ou relation qui, leur semble-t-il, pourrait souligner leurs faiblesses. Elles ont tendance à rester en marge de la société, à l'affût de signes de rejet. Elles veulent être aimées et acceptées, mais elles ont peur de s'engager avec les autres, à moins d'avoir presque une garantie écrite d'être acceptées sans condition. Leur estime d'elles-mêmes est si faible qu'elles font tout un plat de leurs défauts et ne peuvent prendre le crédit d'une tâche bien accomplie.

Un électricien de vingt-cinq ans a été référé à un psychologue à cause d'une crise d'anxiété survenue à la suite de la promotion, à son travail, d'un autre homme qui avait moins d'ancienneté que lui. Il croyait que ceci pouvait être dû en partie au fait qu'il avait évité de créer des liens avec ses collègues, bien qu'il eût aimé faire partie du groupe. Il hésitait à se joindre aux autres à moins d'avoir une invitation, ayant l'impression qu'il n'avait pas beaucoup à offrir et qu'on le rejetterait probablement. Il avait toujours été timide pendant son enfance et, bien qu'il ait deux bons amis, on le qualifiait de solitaire.

Quelques récentes études intéressantes ont montré que des enfants timides, face à des situations nouvelles, ont plus de réactions physiques (augmentation du débit cardiaque, transpiration) que les autres enfants. Ceci n'est pas une maladie mentale mais une variation de réponse personnelle. Néanmoins, sans encouragement spécial et apprivoisement graduel de nouvelles situations, de tels enfants peuvent possiblement développer une personnalité évitante.

Pour ce qui est de l'électricien, lors de chaque séance de psychothérapie, on lui faisait rejouer des scènes où il allait rejoindre les autres et, dans cette atmosphère détendue, il devint progressivement moins sensible et plus sociable.

Trouble de la personnalité antisociale

Les antisociaux sont en guerre avec le monde entier. On remarque, même dès leur tout jeune âge, des désastres à l'école — une kyrielle de mauvais coups, d'expulsions, de suspensions, de mensonges, de provocations à la bagarre, de non respect des règlements et des notes bien en deçà de leur potentiel. À l'extérieur de l'école, la vie est aussi compliquée: délinquance, abus de drogue ou d'alcool, vandalisme ou fugues.

Lorsque ces enfants deviennent adultes, le problème ne change pas, mais prend seulement une forme adulte: taux élevé d'absentéisme au travail, changement d'emploi fréquent ou longues périodes de chômage. Les règlements et les responsabilités leur sont étrangers. Ces adultes peuvent abuser des enfants ou les négliger, rouler les gens, dilapider leur argent et abandonner leur conjoint.

Le cas d'Armand est un exemple typique; il fut interviewé par un psychiatre alors qu'il était en prison et attendait son procès pour vol. À l'âge de vingt ans, il avait déjà un bon dossier derrière lui, comme un vol d'auto et d'autres sortes de vols. Il fut renvoyé de l'école pour ses bagarres et ses actes de vandalisme; lors d'un programme d'entraînement professionnel, il se sauva pendant deux semaines. Les cours juvéniles l'envoyèrent dans diverses institutions desquelles il se sauva aussi. Il n'était pas près de son frère, de sa sœur ou d'aucun ami.

Contrairement aux gens qui ont une personnalité évitante, des garçons comme Armand sont insensibles aux événements, surtout aux punitions. Leur expérience ne leur apprend rien. Les scientifiques travaillent sur une théorie voulant qu'il y ait, dans le cerveau, des systèmes de récompense et de punition reliés à un système chimique, lequel serait déficient chez ces individus; les détails d'une telle déficience ne sont pas encore connus.

Trouble de la personnalité limite

Les personnes souffrant de ce trouble réagissent trop fortement: elles piquent une sainte colère à la moindre humiliation ou critique. Lorsqu'elles sont perturbées émotivement, elles sentent qu'elles perdent tous leurs moyens et ne peuvent plus trouver de solutions logiques à leurs problèmes. Elles se sentent souvent vides, assommées, «pas dans leur assiette» et auront recours à des sensations extrêmes pour se sentir «complètes» — ou ressentir quoi que ce soit. Elles peuvent faire des excès dans tous les domaines — nourriture, sexe, dépenses, jeu et drogues — ou se tailler les poignets. Beaucoup d'entre elles se tournent vers la drogue pour se consoler, ce qui entraîne souvent plus de stress, de pressions financières et d'échecs.

Paradoxalement, bien qu'ils ne puissent souffrir la solitude, leur comportement rend toute relation impossible. Ils peuvent fluctuer d'une humeur normale à de la dépression, de l'irritabilité ou de l'anxiété, qui dure quelques heures, puis disparaît.

Danièle fut admise à l'hôpital à l'âge de vingt-six ans parce qu'elle avait de fréquentes pulsions suicidaires et s'était automutilée avec un rasoir. Jusqu'au milieu de son adolescence, elle se portait bien; puis, elle se mit à fuir ses amis et à avoir des doutes au sujet de son identité. Elle allait à l'université et réussissait bien ses études, mais elle se mit à prendre des drogues et à se tenir avec des membres d'une secte charismatique sur le campus. Elle remarqua que des bouffées d'anxiété intense disparaissaient si elle se coupait le bras avec un rasoir.

Au début, elle pensait que son thérapeute du service de counseling de l'université était l'être humain le plus intuitif sur la terre; puis, elle devint désappointée par son «manque de compréhension» et devint exigeante, insistant pour avoir deux séances de traitement ou plus par jour. Lorsqu'il n'était pas à son bureau, elle ressentait une solitude intense et insoutenable.

Margot avait aussi cette aversion de la solitude et, à l'âge de trente ans, elle avait une ribambelle d'amants en plus de son mari. Follement amoureuse au départ, elle en venait rapidement à haïr l'homme avec lequel elle s'était crue heureuse et devenait très critique à son endroit. S'il la laissait tomber, elle prenait des Valiums avec de l'alcool pour essayer de se tuer et elle en vint à prendre ensuite des Valiums quotidiennement à des doses de plus en plus fortes.

Trouble de la personnalité dépendante

Les gens dépendants s'accrochent aux autres avec acharnement. Ils ne peuvent fonctionner seuls et laissent quelqu'un d'autre assumer la responsabilité de tout, à partir du menu du souper jusqu'au type d'emploi qu'ils devraient chercher. Ces personnes se pensent impuissantes et stupides. Elles vont s'abaisser à n'importe quel niveau — même tolérer les abus physiques — pour répondre aux besoins des gens dont elles dépendent, afin de ne pas devoir se fier à elles-mêmes ou prendre la responsabilité de leurs propres décisions.

Antoine, un menuisier de trente-quatre ans, a laissé sa copine parce que sa mère ne voulait pas qu'il la marie. Il n'a jamais vécu loin de la maison maternelle et se plaint que sa mère l'accapare et ne le laissera jamais se marier. Il a peur qu'elle le critique, mais il l'admire et la respecte et la laisse prendre toutes les décisions. Il pense qu'elle a probablement raison — sa copine n'était pas la partenaire pour lui.

En tant que cadet de trois enfants, il a été chouchouté et gâté par sa mère et ses sœurs. Il avait de la difficulté à s'endormir si sa mère ne restait pas dans sa chambre; il avait des problèmes à rester seul à l'école; et il s'ennuyait de la maison quand il passait la nuit chez un copain.

Trouble de la personnalité paranoïde

Si l'on fait un compliment à un paranoïde, il s'interrogera sur son motif. Si on lui souligne une erreur, il trouvera dix-sept raisons pour se disculper.

On ne parle pas ici du trouble mental grave qu'est la schizophrénie paranoïde, laquelle s'accompagne d'hallucinations et de complots bizarres et menaçants. Au contraire, ce trouble est celui de gens qui s'attendent à ce que les autres les roulent, qui recherchent toujours des motifs cachés et des significations spéciales, mais se targuent d'être objectifs, rationnels et dénués d'émotion. Pourtant, ils s'offusquent rapidement et peuvent être «maladivement» jaloux.

Mais le trouble peut être plus subtil.

Un travailleur social dans une maison de retraite évaluait les besoins d'un homme de soixante-dix ans qui semblait modérément réservé et ne révélait rien sur lui-même. Sa fille disait qu'il s'était toujours cru immunisé contre les problèmes et qu'il croyait toujours agir raisonnablement. Sa femme était probablement la seule personne à laquelle il ait jamais fait confiance et il s'en était occupé avec soin. Il ne s'était jamais révélé aux autres, croyant qu'ils n'attendaient que cela pour profiter de lui; si un ami lui offrait de l'aide, il la refusait avec méfiance. Il cachait les reçus et les «évidences» dans son coffre-fort afin de se préparer à l'éventualité d'une poursuite judiciaire à propos de questions triviales.

Trouble de la personnalité schizoïde

Le schizoïde semble terne et même glacial. Distant et indifférent, il ne ressent aucune chaleur ou tendresse vis-à-vis des autres et ne témoigne aucune sensibilité face à leurs sentiments. Il se moque que les autres le louent ou le critiquent.

> Léonard, un avocat de trente ans, fut traîné chez un conseiller matrimonial par son épouse parce qu'il ne voulait pas se mêler aux activités familiales, ne montrait aucun intérêt envers les enfants et ne lui témoignait aucune affection. Une partie de son emploi consistait à chercher des renseignements dans une bibliothèque de droit, de sorte qu'il avait peu de contact avec ses collègues — ils le considéraient comme une personne timide et indifférente. Il confia au thérapeute qu'il ne s'était marié que pour faire plaisir à ses parents. En dépit de son détachement, il ne montrait aucun signe de dépression.

Le schizotype peut aussi être froid et indifférent et avoir peu d'amis — s'il en a. Mais il peut aussi être hypersensible à la critique, réelle ou imaginée, ainsi que méfiant envers les autres.

Il peut être superstitieux, penser qu'il est clairvoyant ou télépathe et sentir la présence de personnes qui ne sont pas là en réalité. Son discours peut être bizarre — pas incohérent, mais vague, hyperdétaillé et souvent erratique.

Trouble de la personnalité narcissique

Le narcissique tire son nom du jeune et beau Narcisse de la mythologie grecque qui tomba amoureux de son reflet dans un étang et se languit de désespoir parce qu'il ne pouvait le rejoindre. Les individus narcissiques amplifient leur unicité et peuvent perdre des heures à phantasmer sur leurs succès, leur beauté et leur pouvoir. Ils ont besoin d'une attention et d'une admiration constantes et s'attendent à ce que tout le monde leur fasse des faveurs sans même recevoir quoi que ce soit en retour. Ils profitent des autres pour avoir ce qu'ils veulent et sont incapables de comprendre les sentiments d'autrui. Si les autres les critiquent, les surpassent ou les ignorent, ils peuvent réagir avec une froide indifférence ou se sentir enragés et humiliés.

> Jacques est un étudiant en neurosciences de vingt-sept ans qui croit avoir développé une compréhension du fonctionnement du cerveau qui le rend unique; il a aussi développé une théorie de la croissance des nerfs qui conduira à la guérison de la maladie d'Alzheimer. Il est furieux contre son professeur qui ne lui semble pas suffisamment impressionné. À certains moments, il doute de lui-même et se sent insignifiant, mais à d'autres il se vante de sa créativité et se plaint que les autres soient jaloux de lui. En retour, il est jaloux d'étudiants qui lui semblent avancer plus vite.
>
> Il s'entiche vite d'une femme, s'embarque à fond, puis avec autant de rapidité, il la trouve décevante et cherche une nouvelle conquête. Les gens qui l'entourent trouvent fatigantes son autopromotion et ses relations superficielles.

Les coûts sociaux de ces diverses maladies mentales et émotionnelles sont inconnus, bien qu'il soit bien clair qu'ils sont très élevés. Les personnes qui souffrent de ces problèmes non seulement demandent de l'aide des services de santé mentale, mais vont voir leur médecin de famille et des spécialistes pour leurs malaises physiques. Comme le traitement a trop souvent des résultats seulement à court terme, ces personnes peuvent entrer dans un cycle de crises impliquant d'autres personnes, ce qui entraîne de l'anxiété, de la dépression et un comportement autodestructeur.

Les troubles semblent relativement communs — une étude estime que de 6 à 10 % de la population souffre de problèmes de ce type, les cas se divisant équitablement entre les sexes. Mais comme il n'y a aucun critère strict pour définir vraiment la maladie, ces estimations ne sont pas utiles.

Ce n'est que tout récemment qu'il y a eu des tentatives scientifiques systématiques de catégorisation de ces troubles. De 1975 à 1985, le nombre de publications dans ce domaine a triplé et le *Journal of Personality Disorders* a été publié pour la première fois en 1987.

Toutefois, il y a encore beaucoup de chemin à parcourir. Jusqu'à ce qu'il y ait un accord général au sujet des classifications, il est impossible d'étudier les causes, l'histoire naturelle de ces troubles et les thérapies les plus efficaces. Étant donné la nature d'amalgame et d'harmonisation des traits de la personnalité humaine, la résolution de ces problèmes n'est pas une tâche facile.

Traitement

Il n'y a pas de formule de traitement préétabli pour les troubles de la personnalité. L'ensemble de tous les outils psychiatriques — médicaments, psychanalyse, thérapie behaviorale, thérapie de groupe, thérapie communautaire — a déjà été essayé, mais il n'y a pas eu d'études contrôlées qui prouvent que tel outil ou telle combinaison d'outils est efficace dans une situation particulière. Heureusement, des études beaucoup plus formelles sont actuellement en cours.

L'un des problèmes fondamentaux dans ce domaine est l'absence de données fiables sur l'évolution de ces maladies chez les gens qui ne sont pas traités. De telles données sont nécessaires pour mettre au point une analyse scientifique des traitements auxiliaires et pour déterminer si le traitement produit une amélioration à long terme. Quelques-unes de ces personnes sont atteintes de maladies plus sérieuses par la suite, mais la plupart ne le sont pas.

Dans une étude américaine, on a rapporté que seulement 54 % des malades ayant des troubles de la personnalité limite qui ont commencé un traitement l'ont suivi pendant plus de six mois et qu'un tiers de ceux-ci ont complété le traitement. De ces derniers, les thérapeutes ont considéré que seulement 10 % ont eu un traitement réussi.

Il est probable que la thérapie de soutien à relativement court terme peut au moins diminuer l'utilisation des services de santé, le comportement autodestructeur et les problèmes au travail de ces malades; elle vise à améliorer les habiletés d'adaptation et à réduire le comportement qui interfère avec les objectifs quotidiens. De la même façon, on croit que cette sorte de thérapie peut donner de meilleurs résultats en groupe; les malades peuvent alors s'encourager les uns les autres et reconnaître les traits de caractère qui causent leurs problèmes, comme le blâme des autres, l'impulsivité et les modèles d'autodéfaite.

Recherche

Il existe un seul mot pour répondre à la question suivante: *Où a-t-on besoin de recherche pour étudier ces troubles? — Partout.*
D'autres questions se posent:

- que sont ces troubles?
- qui a tendance à en être atteint? et pourquoi?
- quels en sont les effets sur les enfants des personnes atteintes?
- puisque la plupart des traitements sont relativement inefficaces, devrait-on les poursuivre jusqu'à ce que l'on trouve quelque chose de mieux?
- qui bénéficie de quoi? et pourquoi?

Les psychiatres qui ont une grande expérience dans l'interaction avec ces personnes pensent que quelques aspects des troubles de la personnalité sont reliés à des caractéristiques comme le tempérament — le degré d'émotivité, les habitudes d'ordre et la sociabilité. Un enfant peut être prédisposé à ces difficultés si son environnement ne lui permet pas d'exprimer ces traits de caractère ou d'apprendre à les maîtriser de façon appropriée.

On croit aussi généralement que les expériences du début de l'enfance peuvent être importantes. Les gens qui souffrent de troubles de la personnalité limite ont souvent rapporté des abus sexuels répétés pendant leur enfance et, comme on pourrait s'en douter, plus ces abus étaient graves plus le trouble de la personnalité l'était.

Les personnes narcissiques ont souvent souffert d'un manque d'admiration lorsqu'elles étaient jeunes, et c'est pourquoi elles essaient de compenser plus tard en en recherchant en grande quantité. L'ennui et le vide que ressentent ces gens peuvent refléter une absence de réaction émotive appropriée, car ils ont été élevés dans un vide émotionnel.

On a grand besoin dans ce domaine d'une recherche scientifique coordonnée qui engendrera des faits plutôt que des observations, des impressions et des opinions, comme elle l'a fait de façon systématique pendant tellement d'années.

CHAPITRE 6

Les problèmes de dépendance

La dépendance est un terme que tout le monde utilise, mais que presque personne ne peut définir scientifiquement. On l'utilise surtout dans des contextes qui n'ont rien à voir avec la maladie; on dira, par exemple, qu'une personne est chocoolique si son idée d'une soirée agréable consiste à manger un gâteau Forêt Noire et à boire plusieurs verres de lait au chocolat pour le digérer.

Parmi les définitions de l'alcoolisme, on peut en trouver d'aussi simplettes que celle-ci: «l'alcoolisme est le fait de boire plus que votre médecin ne boit», ou d'aussi générales que celle de l'Organisation mondiale de la santé:

L'accoutumance chimique existe quand la substance chimique utilisée a commencé à interférer avec les fonctions physiques, psychologiques, sociales, professionnelles ou domestiques du malade.

L'usage impropre, l'abus, la dépendance et l'accoutumance sont des expressions qui signifient des choses différentes pour différentes personnes, mais elles ont un point en commun: elles sous-entendent que la façon dont une personne se sert d'une substance donnée lui crée des problèmes. On décrit générale-ment l'abus comme «un comportement qui provoque une per-turbation du fonctionnement social ou professionnel et a entraîné des troubles psychologiques ou physiques qui ont duré au moins un mois».

Strictement parlant, l'accoutumance a la caractéristique additionnelle de *tolérance*, une situation où plus d'une sub-stance est requise pour engendrer un effet donné. On parle aussi de *sevrage*, condition qui regroupe un ensemble de symptômes survenant quand la personne réduit son usage du médicament. Ces symptômes varient avec la substance en question.

Dans la dernière édition révisée du *Manuel diagnostique et statistique des troubles mentaux*, une bible de la psychiatrie pu-bliée par l'American Psychiatric Association, on n'a pas décrit l'accoutumance, mais on a spécifié les critères diagnostiques pour la dépendance et l'abus. On peut parler de dépendance lorsque trois des comportements suivants ont duré au moins un mois ou se sont produits de façon répétée pendant une longue période de temps:

- la substance est souvent prise en grande quantité ou pen-dant une période de temps plus longue que ne le souhai-tait le sujet;
- il existe un désir persistant de réduire ou de contrôler la consommation;
- le sujet passe une période de temps significative à obtenir ou absorber la substance ou à se remettre de ses effets;
- il existe des symptômes d'intoxication ou de sevrage fré-quents lorsque le travail ou des obligations scolaires ou familiales sont importants et obligatoires, ou lorsque l'usage est dangereux pour la santé;
- les activités sociales, professionnelles ou récréatives sont réduites ou abandonnées à cause de l'usage de la substance;

- l'usage continue en dépit de la connaissance des problèmes sociaux, psychologiques ou physiques causés par la substance;
- il existe une telle tolérance qu'une augmentation de la dose d'au moins 50 % est nécessaire pour obtenir l'effet désiré;
- l'arrêt d'absorption de la substance entraîne des symptômes de sevrage;
- la substance est souvent prise pour soulager ou éviter les symptômes de sevrage.

On définit l'*abus* comme l'usage continu d'une substance en dépit de la connaissance des troubles persistants ou récurrents causés par la substance et/ou de son usage récurrent, même si une telle activité est dangereuse pour la santé physique, par exemple la consommation d'alcool et la conduite d'une automobile. Grosso modo, 10 millions d'Américains ont de ces modèles de comportement gravement autodestructeurs.

L'ingéniosité de l'homme pour trouver des substances qui altéreront son humeur ou son état de conscience semble illimitée; il peut s'agir d'alcool de fruits fermentés, comme on en prenait autrefois, ou des «drogues de conception» *(designer drugs)* des laboratoires illicites, produites à la chaîne en une variété de produits qui seront vendus dans la rue.

L'usage de ces substances et leur abus est accompagné d'une foule de jugements sociétaux, religieux et culturels qui varient avec le temps et l'endroit. L'usage social de l'alcool est maintenant généralement accepté en Amérique du Nord, mais a été banni pendant la prohibition et est illégal dans les pays musulmans, où la punition inclut une sentence d'emprisonnement. Dans plusieurs de ces pays, la sanction pour la vente de drogues illégales est la mort.

Les problèmes issus de l'abus des drogues sont remarquablement variés: physiques, mentaux, professionnels, financiers, personnels, familiaux et juridiques. Leurs coûts pour la société sont énormes et ont une portée considérable. Il y a aussi le coût du traitement des maladies physiques en résultant, telles que la cirrhose du foie des alcooliques, le cancer de l'estomac et les maladies vasculaires des fumeurs. La négligence du fumeur est l'une des principales causes des incendies qui détruisent les vies et les biens. Environ la moitié des 50 000 décès imputables à des accidents d'automobile survenant chaque année en Amérique du Nord sont causés par «l'alcool au volant». L'alcool est aussi impliqué dans environ la moitié des meurtres et suicides nord-américains. L'abus des drogues est l'un des facteurs principaux de la réduction de productivité et des accidents en milieu de travail.

L'alcool, les barbituriques, les narcotiques, les sédatifs, les hypnotiques et le tabac sont les substances que l'on associe le plus à la dépendance physique. D'un point de vue biochimique, toutes ces substances, sauf le tabac, agissent comme des dépresseurs du système nerveux central — elles ont des effets similaires à ceux d'un anesthésique général.

Il existe encore une controverse scientifique concernant la véritable dépendance physique à quelques-uns des stimulants dont on abuse, mais certains professionnels du domaine de la toxicomanie considèrent que l'accoutumance à la cocaïne est plus difficile à traiter que l'accoutumance à l'héroïne, surtout quand elle est consommée sous forme de crack. Toutefois, de nombreuses études ont indiqué que c'est à la nicotine qu'on peut avoir la plus forte accoutumance.

Dans une étude, on a donné à des rats un accès illimité à de l'héroïne, pendant trente jours; pendant les deux premières semaines, ils ont augmenté considérablement leur usage du produit, puis, ils ont maintenu un niveau d'absorption stable et ils étaient relativement en bonne santé. Ceux auxquels on a donné accès à de la cocaïne en consommèrent jusqu'à ce que des convulsions ou l'épuisement les empêchent d'en prendre d'autre; lorsqu'ils s'en remirent, ils recommencèrent à s'en gaver. Au bout de trente jours, les deux tiers étaient morts.

Bien que la cocaïne soit un nouveau sujet dans les man-chettes des journaux et soit devenue l'un des problèmes ma-jeurs en Amérique du Nord, ce n'est pas une nouvelle sub-stance. Sigmund Freud en a parlé et s'en est servi il y a plus de cent ans; c'était aussi un ingrédient courant de maints produits, dont le Coca-Cola, avant que la législation ne le bannisse au tout début du XXᵉ siècle.

Le crack, par contre, est un produit nouveau; il s'agit de co-caïne cristallisée qui peut être fumée et qui est relativement peu coûteuse. Huit secondes après cette forme d'ingestion, il a un ef-fet de pointe sur le cerveau, alors qu'en prise intraveineuse, l'ef-fet se produit au bout de quelques minutes; la cocaïne prise par voie orale fera effet au bout d'une heure. L'effet rapide du crack et le temps relativement court pour son élimination de l'orga-nisme en font l'un des principaux facteurs d'abus: il faut en prendre vite de nouvelles doses pour maintenir l'effet désiré.

Lorsqu'on ingère la cocaïne par le nez *(snorting)* ou par voie intraveineuse, le temps nécessaire pour assurer l'accoutumance est en moyenne de deux ans. Avec le crack, l'accoutumance peut s'établir en quelques jours.

Des effets graves et même fatals peuvent survenir tout aussi vite, quelquefois avec la première dose; ces effets comprennent les convulsions et les crises cardiaques. L'usage du crack est maintenant la cause principale d'accidents cérébrovasculaires (ACV) chez les personnes de moins de trente ans dans quelques grandes villes nord-américaines.

On n'a pas encore étudié à fond la cause exacte de ces ACV et de ces crises cardiaques, mais on sait que la cocaïne augmente rapidement et significativement le débit cardiaque, la pression artérielle et la température du corps; c'est pourquoi on croit que quelques morts sont attribuables à des anomalies structurelles, dénuées de symptômes et préexistantes, des vaisseaux sanguins, qui n'ont pu soutenir le stress de cette substance.

Au contraire des autres stimulants, la cocaïne déprime le système respiratoire; si on la combine avec des dépresseurs comme l'alcool, pour combattre l'insomnie et l'hyperactivité provoquées par l'usage de la cocaïne, il peut s'ensuivre des effets graves sur l'habileté à respirer.

Les effets de la cocaïne sur le système nerveux affectent certains des neurotransmetteurs chimiques qui permettent aux messages de se transmettre rapidement d'un neurone à l'autre. Ces substances chimiques sont excrétées à la terminaison d'un neurone, font synapse avec le neurone avoisinant et en activent les récepteurs. La fente synaptique se libère normalement entre les messages; le transmetteur restant est réabsorbé et ramené au premier neurone. Mais la cocaïne prévient cette réabsorption, de sorte que les neurones pensent que d'autres messages s'en viennent et restent en état d'excitation. Au même moment, le supplément de transmetteur chimique se réduit parce qu'il n'est pas réabsorbé et, éventuellement, les neurones ne pourront plus communiquer entre eux. La drogue est aussi un anesthésique local et quelques scientifiques croient que cet effet sur le système nerveux central est une cause de convulsion.

Malheureusement, les effets psychologiques qui sont agréables à faible dose ont un côté explosif lorsque les doses sont élevées ou prolongées: l'euphorie peut devenir de l'irritabilité, de l'hostilité et de la peur; une énergie accrue peut se transformer en des bouffées d'énergies répétées qui entraînent l'épuisement; le faible besoin de sommeil peut devenir de la véritable insomnie; l'appétit réduit peut devenir une perte d'appétit totale: il n'est pas inhabituel de voir des pertes de poids de 14 kilos (30 livres) chez les usagers abusifs; une meilleure estime de soi peut entraîner des illusions de grandeur; et un appétit sexuel accru peut s'inverser en une perte complète d'intérêt pour le sexe.

L'abus de plusieurs drogues survient chez 30 à 70 % des personnes qui ont un problème de drogue; la variété des combinaisons est infinie et comprend l'alcool, les drogues prescrites et les drogues illicites.

Les effets de l'abus d'alcool et de drogue s'étendent beaucoup plus loin qu'aux personnes qui s'adonnent à ce comportement autodestructeur. Ils peuvent être dévastateurs pour le partenaire et les enfants, c'est-à-dire les personnes qui sont dans l'entourage immédiat de l'abuseur; mais ils peuvent aussi se transmettre aux générations futures par l'entremise des souvenirs horribles des troubles familiaux que conservent les enfants.

Marguerite avait un père alcoolique dont l'abus d'alcool avait mis la famille dans une situation financière si pénible qu'elle avait dû laisser ses études secondaires pour trouver un emploi. Pourtant, elle aussi, à l'âge de dix-sept ans, a marié un alcoolique avec lequel elle a eu cinq enfants en l'espace de six ans. Elle se sentait souvent déprimée et croyait que c'était à cause d'un déséquilibre hormonal causé par ses nombreuses grossesses. Pendant sa dernière grossesse, elle buvait beaucoup; à la naissance, on lui dit que les fonctions neurologiques de l'enfant étaient au ralenti.

Des gens de la Société d'aide à l'enfance la visitèrent fréquemment après son retour à la maison; à ce moment-là, elle ne buvait pas, fonctionnait plutôt bien, mais prenait des antidépresseurs. Tout s'effondra un soir que son mari rentra ivre à la maison et abusa d'elle: elle se mit à boire de façon démesurée et ne revint pas à la maison pendant des jours. Elle a par la suite continué à prendre des cuites solides et elle s'en excusait en prétextant des maladies qui n'avaient jamais été diagnostiquées.

Les victimes les plus à plaindre sont les bébés nés toxicomanes ou anormaux à cause des drogues prises par la mère pendant la grossesse. Le syndrome fœtal alcoolique regroupe une série d'anomalies causées par l'alcoolisme de la mère; c'est une cause de retard mental chez l'enfant qui peut être évitée; nous en parlerons plus en détail dans le chapitre sur le retard mental.

Un sondage américain rapporte que 10 % des bébés naissent de mères abusant de quelque substance chimique; dans certaines régions, ce chiffre est deux fois plus élévé si bien que, approximativement, 365 000 des bébés qui naissent chaque année aux États-Unis sont à risque. Il existe une longue liste de drogues illicites et prescrites dont l'abus peut provoquer des symptômes de sevrage à la naissance dont:

- la morphine;
- l'héroïne;
- la méthadone;
- la codéine;
- les amphétamines;
- les barbituriques;
- les tranquillisants;
- l'alcool;
- la phencyclidine (PCP).

Ces symptômes de sevrage incluent l'insomnie, l'irritabilité, le manque de stabilité, la diarrhée, la sudation excessive, l'aspiration désordonnée, la détresse respiratoire et l'incapacité de gain pondéral. Il y a aussi un risque accru de prématurité, de retard de croissance avant la naissance et de syndrome de mort soudaine du nourrisson: un bébé qui semblait normal est trouvé mort dans son berceau, habituellement pendant la première année de sa vie.

L'effet du sevrage dure souvent tout au long du développement de l'enfant et entraîne des risques d'hyperactivité, une réduction de la performance scolaire, des retards de langage, une piètre coordination motrice, des problèmes sensoriels, une diminution de la durée de l'attention et des troubles behavioraux. Les enfants atteints sont plus susceptibles d'abuser de drogues eux-mêmes, et ceci à un très jeune âge.

Causes

Dans un livre standard portant sur les toxicomanies, on énumère 43 théories sur les causes possibles, et le jury scientifique en est encore à se demander lesquelles sont valides. Des facteurs physiques, psychologiques, culturels et sociaux peuvent jouer un rôle complexe dans le développement de la dépendance.

Certaines formes d'alcoolisme peuvent avoir une composante héréditaire, mais on ne sait pas au juste ce qui est transmis. D'après une théorie, il y aurait une différence innée dans les réactions physiques à l'alcool; ceci revient à dire que chez quelques individus, il faut plus d'alcool pour obtenir un certain effet, ils ont donc tendance à boire plus que ceux chez qui l'effet physique apparaît plus vite.

On a démontré que pour les enfants de parents biologiques alcooliques, même adoptés par des non-buveurs, le risque d'alcoolisme est accru. Des fils d'alcooliques présentent quatre fois plus de risques de succomber à l'alcoolisme que la population en général. Le risque est moins marqué chez les filles, mais il est plus haut que la normale. Jusqu'à 50 % des pères d'alcooliques, 30 % des frères, 6 % des mères et 3 % des sœurs auront aussi la maladie.

Nombre de facteurs psychologiques ont été avancés, mais il est difficile de séparer la cause de l'effet chez les gens qui sont déjà dépendants. On n'a pas encore identifié de *personnalité alcoolique ou toxicomanogène*.

Parmi les adolescents qui abusent de drogues, les facteurs de prédiction de l'abus sont un sentiment de distance à l'égard de leur famille, un usage impropre de substances chimiques par leur famille et leurs amis, l'usage précoce de l'alcool et du tabac, une insubordination aux règlements et l'absence d'engagement religieux.

Des facteurs sociaux et culturels tels que la disponibilité et la tolérance jouent un rôle. On a associé un niveau élevé d'alcoolisme avec des cultures où l'ivresse des adultes est acceptée.

Dans les cultures où l'on est d'accord avec les habitudes et règlements concernant l'alcool, où la consommation modérée
d'alcool est acceptée et l'abus d'alcool est condamné, le taux
d'alcoolisme est faible. Les gens élevés dans des milieux où l'on
ne boit pas sont moins portés à boire, une fois adultes, mais
ceux qui sont élevés dans des milieux permissifs à cet égard ont
un risque plus grand d'avoir des difficultés avec l'alcool.

Un court test appelé *CAGE* sert fréquemment à déceler la
prédisposition à l'alcoolisme. Si une personne répond «oui» à
l'une des quatre questions suivantes, il peut y avoir un problème:

- Sentez-vous que vous devriez Couper votre consomma-
tion d'alcool?
- Êtes-vous Agacé par les gens qui critiquent votre consom-
mation d'alcool?
- Vous sentez-vous Gêné par votre excès d'alcool?
- Prenez-vous un Excitant dès votre lever le matin?

Certains groupes présentent plus de risques d'avoir des problèmes de dépendance. Les adolescents qui expérimentent certaines drogues à cause de la pression de leurs pairs, par
curiosité, par soif de sensations fortes ou par rébellion peuvent
continuer jusqu'au moment où ils «se sentent bien seulement
avec la drogue». Les personnes déprimées ou anxieuses, les personnes isolées à la maison, les cadres soumis au stress et les personnes âgées devant s'adapter à la retraite, au deuil et à une
autonomie réduite peuvent commencer à compter sur l'alcool
et/ou les drogues d'ordonnance pour soulager leur détresse.

Les médecins et les autres professionnels de la santé ainsi
que leurs familles sont un autre groupe à risque, parce qu'ils
ont facilement accès aux drogues. De plus, les médecins peuvent aussi contribuer à la dépendance en rédigeant des pres-
criptions inappropriées de narcotiques pour soulager la
douleur, d'hypnotiques pour enrayer l'insomnie ou de tranquillisants pour vaincre le stress.

Traitement

Pour citer le psychiatre dans le récent film de John Ritter, *Skin Deep*: «Le premier pas vers la guérison de tous vos problèmes d'alcoolisme est d'arrêter de boire.»

Le deuxième pas est de purger son corps des substances dont il a abusé; ceci est une étape relativement aisée, mais en ce qui concerne l'alcoolisme, il peut être préférable de le faire sous supervision médicale afin de prévenir de graves effets de sevrage comme le *delirium tremens*. L'usage judicieux, et à court terme, de médicaments comme les tranquillisants et les antidépresseurs peut être utile si on prend soin de ne pas substituer une dépendance à une autre.

Certains héroïnomanes bénéficient d'un programme d'entretien à la méthadone. Il s'agit aussi d'un narcotique provoquant l'accoutumance, mais il peut stopper le besoin d'héroïne; il permet aussi d'arrêter le cercle vicieux frénétique de recherche d'argent pour s'en procurer, souvent au moyen du crime ou de la prostitution, et de recherche d'un vendeur.

Convaincre quelqu'un de se faire traiter peut être difficile — l'idée d'arrêter de prendre de la drogue peut être terrifiante. Par exemple, l'un des facteurs principaux de consommation d'alcool est le déni complet de la dépendance. L'alcoolique peut insister sur le fait «qu'il peut arrêter n'importe quand», ou blâmer les autres — «Tu pousserais n'importe qui à boire» — pour éviter de se faire traiter.

La *confrontation constructive* est une méthode de traitement relativement récente pour briser le déni; ceux qui veulent le bien de l'alcoolique font front ensemble. Ils réaffirment leur amour pour l'alcoolique, font état de la perturbation qu'a engendrée l'alcoolisme chez eux et insistent pour qu'il se fasse traiter. Des programmes d'aide aux employés fonctionnent selon le même principe: on explique comment la toxicomanie a affecté la performance au travail et on offre l'alternative du traitement ou de la perte d'emploi.

Comme dans bien d'autres maladies, plus vite on commence le traitement, meilleur est le pronostic. Seulement 5 % des alcooliques sont clochards; ceux qui ont encore leur emploi ou des familles intactes sont souvent plus motivés à se faire traiter — ils ont encore quelque chose à conserver.

Les programmes de prise en charge pour les gens prenant des substances créant l'accoutumance sont aussi variés que les substances elles-mêmes; c'est souvent une combinaison de programmes qui donne les meilleurs résultats, puisque les gens doivent changer tout leur style de vie pour réussir à arrêter de prendre des drogues.

Des programmes dans des institutions spécialisées ou des programmes de quelques semaines dans des hôpitaux généraux ou psychiatriques peuvent s'avérer nécessaires pour certaines personnes. Des programmes de jour à l'hôpital ou à l'extérieur peuvent inclure des séances éducatives, le traitement des complications médicales, une psychothérapie de groupe, du counseling en nutrition, un réentraînement aux habiletés sociales, du counseling professionnel et des techniques de relaxation.

Les maisons de transition et les communautés thérapeutiques sont souvent utiles à quelques stades du rétablissement, afin de réintégrer en douceur les gens dans la société. Ce sont souvent les mêmes centres qui traitent la schizophrénie. Toutefois, depuis une douzaine d'années environ, nombre de firmes spécialisées ont mis sur pied des centres résidentiels où l'accent est mis sur la personne, souvent sur le jeune qui a des problèmes significatifs avec les drogues en particulier et des troubles de comportement en général. Pour donner une idée de l'évolution de ce marché, il est valable de regarder les approches intéressantes utilisées par ces centres; ces derniers sont souvent viables économiquement à cause de la demande pour ces services et du succès considérable qu'ils obtiennent dans la prise en charge de leurs malades.

La participation de la famille est importante, puisque toutes les personnes proches d'un toxicomane sont affectées: on dit d'elles qu'elles sont codépendantes. En plus de se renseigner sur la toxicomanie, elles doivent développer des habiletés pour briser les vieilles habitudes, comme encourager la toxicomanie en protégeant ou trouvant des excuses au toxicomane, et elles doivent restructurer des relations qui ont été chaotiques.

Presque un tiers des toxicomanes souffrent d'une maladie psychiatrique majeure qui est une cause ou une complication de leur maladie mentale et qu'ils doivent faire traiter.

Les Alcooliques Anonymes est le premier groupe d'entraide consacré à une maladie — il a été fondé il y a plus de cinquante ans aux États-Unis et, grâce à son succès, s'est répandu à travers le monde; il met l'accent sur la reconnaissance du problème, l'abstinence totale et un engagement religieux significatif. Depuis sa fondation en 1937, son livre de bord intitulé *Alcooliques Anonymes* s'est vendu à neuf millions d'exemplaires à travers le monde. Un congrès international des AA à Seattle, durant l'été 1990, a regoupé 45 000 personnes de tous les coins du monde.

Deux autres groupes, Al-Anon et Alateen, sont des groupes d'entraide respectivement pour les adultes et les adolescents qui sont en contact étroit avec des alcooliques. Ces groupes les aident à comprendre leur stress et à y faire face. Étant donné son succès, le groupe AA a servi de modèle au groupe Narcomanes anonymes et à bien d'autres organismes.

Les Enfants adultes des alcooliques est un organisme fondé plus récemment pour les individus dont la vie est encore marquée par leur expérience de jeunesse au sein d'une famille affligée par la toxicomanie. Ce groupe aide surtout les gens à se rendre compte d'une réalité fréquente, à savoir que les enfants d'alcooliques agissent souvent «comme des gens de quarante ans alors qu'ils en ont quatorze et comme des gens de quatorze ans alors qu'ils en ont quarante». La pression exercée sur eux pour qu'ils s'occupent du comportement infantile de leurs parents alcooliques était souvent très forte pendant leur enfance et ceci a entraîné un modèle de maturité précoce, qui craque de temps en temps lorsqu'ils deviennent adultes. Il est devenu clair que plusieurs de ces personnes ont été privées de la période d'insouciance relative de l'enfance.

Les programmes formels et les institutions qui traitent la toxicomanie varient selon les communautés, mais les médecins de famille, les psychiatres, les membres du clergé, les cliniques de santé mentale, les agences de service social et les groupes d'entraide peuvent être des sources d'aide.

De nos jours, il existe une infinité de programmes pour arrêter de fumer: les groupes qui se rencontrent à chaque semaine, les ensembles de prise en charge «jour après jour», l'acuponcture, l'hypnose ainsi que la gomme à mâcher contre la nicotine, qu'on peut obtenir sur ordonnance, n'en sont que quelques exemples.

Tous ces programmes fonctionnent auprès de quelques individus, mais aucun d'entre eux ne donne des résultats chez tous les fumeurs; un fumeur pénitent doit en essayer plusieurs avant de finalement pouvoir mettre fin à son accoutumance à la nicotine. Bien que les échecs rencontrés puissent entraîner de la culpabilité et du découragement, des études indiquent que plus un fumeur essaie d'arrêter de fumer, plus il a de chances de réussir éventuellement.

Recherche

Le début de la recherche concernant la toxicomanie a marqué la dernière décennie. Des études génétiques ont relancé la controverse nature contre environnement, dans le but de déterminer les rôles respectifs de l'hérédité et du milieu environnant dans les problèmes de dépendance.

On recherche des marqueurs biologiques afin de pouvoir déceler quels enfants d'alcooliques ont un risque particulier de développer la maladie, afin d'élaborer des stratégies de prévention. On expérimente de nouveaux médicaments qui pourraient enrayer l'effet de l'alcool au niveau cellulaire et arrêter le besoin d'alcool. De même, on finit de mettre au point des médicaments non accoutumants pour réduire la sévérité des symptômes de sevrage aux narcotiques.

On ne sait pas encore pourquoi l'alcoolisme, la dépression et les troubles de la personnalité antisociale se retrouvent ensemble dans les familles. Des études plus poussées sont nécessaires pour déterminer laquelle des nombreuses thérapies utilisées est la plus efficace pour tel groupe d'abuseurs.

Des programmes d'éducation préventive sont prometteurs, mais ils nécessitent d'autres évaluations et d'autres raffinements; ils sont destinés aux enfants, afin de les aider à tenir tête aux pressions de leurs pairs, à développer une saine estime d'eux-mêmes et à adopter un style de vie dont les *états d'euphorie* ne sont pas causés par des substances chimiques.

Sources d'information

Aux États-Unis

Les Alcooliques Anonymes sont répertoriés dans la plupart des annuaires téléphoniques; vous pouvez aussi écrire à: P.O. Box 459, Grand Central Station, New York, NY 10163

Les groupes familiaux Al-Anon et Alateen: P.O. Box 862, Midtown Station, New York, NY 10018-0862

Alcool and Drug Problems Association of North America (ADPA): 1130 15th Street, N.W., Suite 204, Washington, DC 20005

National Council on Alcoholism (NCA): 12 West 21st Street, New York, NY 10010

National Institute on Alcohol Abuse and Alcoholism (NIAAA): 5600 Fishers Lane, Rockville, MD 20852

Association of Labor-Management Administrators and Consultants on Alcoholism (ALMACA): 1800 North Kent Street, Suite 907, Arlington, VA 22209

Au Canada

Les Alcooliques Anonymes (AA) et les groupes Al-Anon et Alateen sont répertoriés dans les pages blanches de l'annuaire téléphonique.

Les organismes et institutions de traitement, d'éducation et d'entraide varient grandement selon les provinces et les communautés, mais de plus amples renseignements sur chacun d'entre eux peuvent être obtenus auprès des agences provinciales.

Alcohol and Drug Dependency Commission of Newfoundland and Labrador, 120 Torbay Road, St. John's, Newfoundland, A1A 2G8, tél.: (709) 737-3600

Addiction Services of Prince Edward Island, Department of Health and Social Service, Eric Found Bldg., 65 McGill Ave., Charlottetown, P.E.I., C1A 7K2, tél.: (902) 892-4265.

Nova Scotia Commission on Drug Dependency, Suite 314, Lord Nelson Bldg., 5674 Spring Garden Road, Halifax, N.S., B3J 1H1, tél.: (902) 424-4270

Alcoholism and Drug Dependency Commission of New Brunswick, 3rd Floor, Victoria Health Center, Woodstock Road, Fredericton, N.B., E3B 5H1, tél.: (506) 453-2136.

Chef du service des toxicomanies, Ministère de la santé et des services sociaux, 1075, chemin Sainte-Foy, 8e étage, Québec, Qué., G1S 2M1, tél.: (418) 643-9887

Addiction Research Foundation of Ontario, 33 Russell St., Toronto, Ont., M5S 2S1, tél.: (416) 595-6048. La fondation publie aussi le *1988 Directory of Alcohol and Drug Treatment Resources in Ontario;* ce répertoire comprend 350 entrées: Marketing Services, Dept. OR; tél.: (416) 595-6059

Alcoholism Foundation of Manitoba, 1031 Portage Ave., Winnipeg, Man., R3G OR8, tél.: (204) 786-3831

Saskatchewan Alcohol and Drug Abuse Commission, 3475 Albert St., Regina, Sask., S4S 6X6, tél.: (306) 787-4093

Alberta Alcoholism and Drug Abuse Commission, 7th Floor, Pacific Plaza, 10909 Jasper Ave., Edmonton, Alta., T5J 3M9, tél.: (403) 427-2837

Alcohol and Drug Program, Ministry of Health, 1515 Blanshard St., Victoria, B.C., V8W 3C8, tél.: (604) 387-4778

Alcohol and Drug Services, Yukon Department of Health and Human Resources, 6118 6th Avenue, Box 2703, Whitehorse, Yukon, Y1A 2C6, tél.: (403) 667-5777

Alcohol, Drug and Community Mental Health Services, Department of Social Services, Government of the Northwest Territories, 4th Floor, Precambrian Bldg., Yellowknife, N.W.T., X1A 2L9, tél.: (403) 873-7904

CHAPITRE 7

Les effets du sida

Inclure un chapitre sur le sida dans un livre sur la maladie mentale peut sembler étrange, mais cette maladie dévastatrice a un impact incroyable sur la santé mentale de millions de personnes. Depuis qu'on en a reconnu l'existence en 1980, le *syndrome d'immunodéficience acquise (SIDA) (acquired immune deficiency syndrome [AIDS])* a eu un effet profond sur la société. Il a soulevé des comparaisons avec quelques-unes des épidémies les plus apeurantes de l'histoire de la médecine, comme la peste et la lèpre, et les réactions qu'il a suscitées n'ont pas beaucoup différé de celles de nos ancêtres lorsqu'ils ont dû faire face à ces fléaux dont on ne connaissait ni la prévention ni le remède.

Cette peur généralisée finit par bouleverser non seulement les sidatiques mais aussi les gens en bonne santé. En peu de temps, selon les standards de la recherche, on a identifié le *virus de l'immunodéficience humaine (VIH) (human immunodeficiency virus [HIV])* comme étant la cause du sida, peut-être, croit-on, de concert avec d'autres facteurs que l'on appelle les cofacteurs. On a aussi déterminé que ce virus ne s'attrapait pas, comme ceux du rhume ou de la grippe, par une poignée de main ou par un éternuement. Néanmoins, le virus subit une mutation et évolue, de sorte que quelques chercheurs craignent que son évolution atteigne un point où il pourra se propager beaucoup plus facilement; peut-être même un jour aussi facilement qu'un rhume. Bien que ceci soit peu probable, un tel développement, étant donné notre connaissance actuelle de la façon de traiter la maladie, pourrait signifier la fin de la civilisation humaine. Au minimum, la maladie pourrait probablement entraîner une quarantaine forcée de tous les sidatiques.

Heureusement, en ce moment, le virus n'est transmis que par le sang ou le sperme infecté, lors d'une relation sexuelle; par l'utilisation du sang ou des produits du sang qui sont porteurs du virus; par le partage d'aiguilles et de seringues contaminées; quant au nouveau-né, il peut être atteint à cause de sa mère contaminée.

L'effet du sida sur le corps humain est dévastateur et jusqu'ici a toujours été fatal. Un type de globules blancs ou *lymphocytes*, appelés *cellules T* à cause de l'activité du thymus dans leur production, est une composante essentielle du système immunitaire de l'organisme. Le VIH détruit un sous-type particulier de cellules T, soit les cellules auxiliaires parce qu'elles aident un autre type de lymphocytes à tuer les envahisseurs nocifs. Le centre de commande du système de défense se trouve handicapé, laissant le corps ouvert à ce que l'on appelle des *infections opportunistes* causées par des bactéries, des virus, des parasites et des champignons ainsi qu'à la propagation des cellules cancéreuses. Tous ces agents contaminateurs peuvent s'établir dans le corps humain comme des pissenlits sur un gazon laissé à l'abandon.

Bien qu'il existe des traitements pour la plupart de ces infections, chaque récurrence a tendance à affaiblir d'autant l'organisme jusqu'à ce qu'il soit finalement épuisé.

Le sida peut aussi avoir des répercussions mentales graves. Non seulement les sidatiques font face à la mort, mais ils peuvent perdre leurs revenus, leurs amis et leur famille — tout ce qu'ils ont de plus cher dans leur vie.

En même temps, le virus peut directement attaquer les cellules du système nerveux de la même façon qu'il attaque les cellules T. Ce dommage physique, combiné aux effets du système nerveux sur les diverses infections et cancers qui se développent ainsi qu'à la variété de médicaments ingérés pour les traiter, entraîne des symptômes neurologiques graves chez la moitié des sidatiques, à un moment donné de leur maladie. À l'autopsie, des anomalies neurologiques sont trouvées chez 80 % des sidatiques.

Lorsque le virus s'attaque au cerveau, les sidatiques peuvent présenter des signes qui imitent la maladie mentale, et ceci, bien avant que les symptômes de la déficience immunitaire se manifestent: dépression, délire, démence, changements de personnalité et épisodes schizophréniformes. Il peut y avoir des symptômes plus subtils comme des troubles du langage et de la motricité. Dans les villes ayant le taux le plus élevé de sidatiques, le sida est la cause la plus courante de démence présénile.

Une personne peut voir la maladie comme une menace, une perte, une punition, un gain, un soulagement ou un défi. La réponse psychologique à toute maladie importante dépend de plusieurs facteurs: le degré de maladie de la personne, le traitement impliqué, les traits de personnalité, les habiletés d'adaptation, le soutien d'autres personnes ainsi que la vision de la société à l'égard de cette maladie-là.

Un autre groupe de personnes a une forme plus bénigne de sida que l'on appelle *syndrome associé au sida (SAS) (aids related complex [ARC])*; cette maladie se manifeste par un gonflement des ganglions et peut inclure des symptômes comme la fièvre, la fatigue et la perte de poids. La maladie peut évoluer ou non vers le sida — on ne peut prédire qui sont les personnes à risque — et cette incertitude est un lourd fardeau émotionnel pour le malade.

Un groupe encore plus nombreux de personnes, connu sous le nom de *porteurs sains de la maladie*, vit aussi avec un lourd fardeau de stress et d'incertitude. Il s'agit des gens qui ont la forme asymptomatique du sida: ils ont été exposés au virus, ont des anticorps antiHIV, donc sont porteurs du virus, et peuvent le transmettre à d'autres. On peut détecter les anticorps au moyen d'un test sanguin; mais il peut se passer des mois après l'exposition d'un sujet au virus avant que n'apparaisse la maladie et personne ne peut lui dire si le sida ou le SAS se développera chez lui.

Jusqu'ici, la majorité des porteurs sains n'ont pas développé l'une de ces maladies, mais les scientifiques ne peuvent dire avec certitude s'il y a un point de non-retour, après lequel la personne est immunisée contre la maladie. Notre expérience du sida et du SAS est encore trop nouvelle.

La détresse éprouvée par les gens qui appartiennent à l'un de ces trois groupes a tendance à prendre quatre formes, bien qu'on trouve des variations individuelles. La tristesse, la culpabilité, l'impuissance et des sentiments suicidaires prédominent lorsqu'un individu subit une perte, que ce soit celle de la santé, de son statut social, d'un travail, d'une relation ou de son autonomie. Les menaces de perte ou de blessures ou les menaces à l'identité produisent de l'anxiété. On remarque aussi couramment de la colère envers soi-même, ses amis, sa famille ou les professionnels de la santé. L'individu peut se replier sur lui-même ou s'isoler socialement, ou on peut le forcer à le faire. On s'attend chez ces trois groupes de personnes à de la colère, de la peur et de l'incertitude, mais ces réactions peuvent aussi affecter des gens qui ne font pas partie des groupes à risque élevé.

«Le sida a remplacé le cancer comme maladie de choix pour les personnes qui souffrent d'insécurité mais qui sont en bonne santé», mentionnait le porte-parole d'un groupe d'entraide aux sidatiques.

Il existe des gens qui ont une peur panique d'attraper le VIH dans une piscine ou un sauna public, dans la vaisselle ou les aliments d'un restaurant, en serrant la main d'un sidatique. Ils ont développé une peur irraisonnée tout comme nos ancêtres en nourrissaient une à l'égard des dieux vengeurs ou des esprits malfaisants.

Dans les pays d'Afrique, la maladie touche autant les hommes que les femmes et la relation hétérosexuelle est la principale méthode de transmission. Malheureusement, en partie à cause de l'approche relativement informelle de l'activité sexuelle dans plusieurs de ces pays, à cause de la carence des soins de santé et d'un refus presque généralisé de se servir de condoms, on estime en ce moment qu'un pourcentage substantiel de toute la population africaine sera contaminé par le sida en 1995. Dans un pays donné, environ 60 % des recrues de l'armée ont eu un test VIH positif. De toute évidence, le sida en Afrique est à l'état d'épidémie.

Dans le monde occidental, toutefois, la majorité des cas identifiés se sont retrouvés parmi deux groupes déjà traités avec mépris par la majorité dominante de la population — les hommes homosexuels et bisexuels ainsi que les utilisateurs de drogues intraveineuses. Ceci a suscité une attitude de «nous» et «eux», qui a non seulement retardé la contribution de fonds gouvernementaux pour la recherche, le traitement et l'éducation, mais a mis de l'avant des propositions pour l'isolement et la quarantaine de tous les individus présentant un test VIH positif et des déclarations comme: «Le sida est la punition de Dieu pour l'homosexualité.»

Comme la communauté gaie s'est pliée aux recommandations suggérant de faire bien attention de n'avoir que des relations sexuelles sûres, c'est-à-dire d'enfiler des condoms et de limiter le nombre de partenaires sexuels, on a remarqué qu'elle n'était plus le groupe à risque le plus important; il est maintenant constitué des utilisateurs de drogues intraveineuses, de leurs partenaires sexuels des deux sexes et de leurs enfants. Pour le meilleur ou pour le pire, ces personnes ont tendance à vivre dans les quartiers pauvres des grandes villes. Aux États-Unis, les bébés sidatiques abandonnés sont devenus un problème colossal pour quelques hôpitaux de grandes métropoles.

L'Europe fait face au même problème. Par exemple, dans un parc de Zurich, les autorités ont distribué chaque jour 8 000 seringues aux usagers de drogues intraveineuses, faisant un effort pour prévenir la propagation du sida et d'autres maladies comme l'hépatite.

Un nombre relativement restreint de gens ont contracté le sida à la suite de procédures médicales. Ils ont reçu des transfusions sanguines ou, pour ce qui est des hémophiles à qui il manque le facteur VIII qui permet la coagulation, des produits du sang contenant le facteur VIII, lesquels proviennent d'une banque de centaines de donneurs. La mise au point de tests de dépistage du virus VIH dans le sang a presque éliminé ce risque dans le monde occidental. Cependant, à cause de la terrible déficience des institutions médicales, la plupart des sidatiques de l'URSS et des pays de l'Est ont été contaminés lors d'un traitement à l'hôpital. L'une des causes est la réutilisation des équipement médicaux, peu nombreux, et surtout des aiguilles de seringues.

Traitement

Comme il n'y a pas de cure pour le sida, on oriente les soins médicaux vers le traitement des infections individuelles au fur et à mesure de leur apparition et on conseille des mesures générales comme un bon régime alimentaire, des exercices et du sommeil pour aider le corps à combattre les agents contaminateurs.

Plusieurs études ont indiqué que l'espérance de vie pouvait être prolongée si le sidatique prenait de la *zidovudine,* que l'on appelait auparavant *azidothymidine* ou *AZT.* On ne la considère plus comme un médicament expérimental pour les sidatiques, mais elle l'est pour les porteurs sains. On est à mettre au point des tests pour voir si l'AZT peut retarder le développement du sida, mais l'utilisation dans le cas des porteurs sains est controversée. Quelques-uns prétendent qu'en administrant l'AZT au début, elle pourrait devenir moins efficace comme médicament si le sida finit par se développer, et que ses effets secondaires graves ne peuvent se justifier chez ceux qui ne sont pas sidatiques.

Il existe aussi une considération économique réelle puisqu'il en coûte des milliers de dollars par année pour le traitement d'un seul sidatique et qu'il y a beaucoup plus de gens qui sont porteurs sains qu'il y a de sidatiques.

Quelques sidatiques prennent des drogues expérimentales qui attaquent le VIH, qui préviennent sa reproduction ou qui survoltent le système immunitaire.

On peut orienter le traitement psychiatrique vers les quatre stades que l'on a notés à la suite du diagnostic du sida. Mais encore ici, il y a des différences individuelles, et une personne peut expérimenter un stade plus d'une fois.

- Le déni est souvent une façon de s'adapter lorsque la détresse est écrasante. Tant que le patient ne refuse pas de se faire traiter médicalement, le déni peut être un mécanisme de défense pour la période du début.
- Au stade suivant, le déni est remplacé par des bouffées de tristesse, de colère, d'anxiété et de culpabilité. Ces sentiments peuvent être dirigés vers la personne elle-même et comporter de l'autoaccusation et des pensées suicidaires ou vers les autres qui subissent alors sa violence.
- Au troisième stade, le patient accepte graduellement ses limites et prend conscience d'une nouvelle identité en tant que personne atteinte d'une maladie mortelle. L'énergie peut être canalisée vers l'achèvement de l'œuvre d'une vie, vers des services communautaires ou vers la résolution de ses problèmes dans ses relations interpersonnelles.
- Le stade final est la préparation à la mort. Pour quelques-uns, la peur de la dépendance à l'endroit de ceux qui les entourent et de la perte de leur autonomie est plus grande que la peur de la mort elle-même. Les sidatiques pensent souvent au suicide mais la plupart n'essaient pas de s'enlever la vie.

La thérapie et le counseling de soutien, individuels ou en groupe, peuvent aider à concevoir des stratégies pour faire face aux incertitudes, à la gamme étendue d'émotions, aux problèmes pratiques et aux difficultés dans les relations interpersonnelles avec le partenaire, la famille, les amis et les collègues de travail.

La plupart des grandes villes ont des groupes d'entraide pour les sidatiques, des réseaux de soutien par leurs pairs de même que des groupes thérapeutiques dirigés par des personnes ressource professionnelles. Le sidatique peut non seulement y trouver de l'aide pour alléger l'isolement qu'il ressent mais peut aussi apprendre des autres sidatiques.

Les médicaments comme les anxiolytiques (médicaments pour combattre l'anxiété), les antidépresseurs, les stimulants et les antipsychotiques peuvent jouer un rôle pratique pour soulager les symptômes émotionnels et les épisodes psychotiques; on doit cependant les prescrire avec un soin particulier en ce qui a trait à la posologie et au mode d'action. Les troubles neurologiques que cette maladie ou son traitement peuvent avoir causés peuvent créer une hypersensibilité aux effets secondaires.

Les gens qui ont une peur bleue d'attraper le sida se comptent parmi les individus sains d'un groupe à risque, parmi les individus qui sont à faible risque ou même parmi ceux qui ne présentent aucun risque. Cette peur peut persister malgré la confirmation de leur médecin qu'ils ne sont pas contaminés par le virus. Quelques-unes de ces personnes peuvent avoir un trouble mental comme la dépression, des attaques de panique ou de l'hypocondrie (une certitude irréaliste d'avoir une maladie ou une affection). D'autres peuvent être rongés par la culpabilité, comme l'hétérosexuel qui a eu une relation sexuelle avec une prostituée ou l'homme marié qui a eu une relation homosexuelle et a peur d'être puni par le sida.

Aucune étude n'a pu démontrer qu'une thérapie est supérieure aux autres pour ce qui est des troubles émotionnels entraînés par le sida, mais changer de façon de penser et de modèles de comportement peut alléger les symptômes. La prise d'anxiolytiques et d'antidépresseurs à court terme peut être indiquée pour certains malades.

Les professionnels de l'aide aux sidatiques peuvent aussi avoir peur d'attraper le sida même si les risques de contamination sont faibles lorsqu'ils prennent les précautions requises. Dans les quelques rares cas rapportés, la personne s'était habituellement piquée par accident avec une seringue ayant servi à prélever du sang chez un sidatique. Les renseigner sur les véritables risques et les inciter à se conformer strictement aux pratiques de prévention de l'infection sont les manières principales d'alléger leurs craintes.

Les professionnels de l'aide aux sidatiques peuvent aussi faire un «burn out». Ces soignants sont souvent trop peu nombreux pour la tâche et comme ils ne peuvent offrir de remède à un sidatique en phase terminale qui, souvent, est très jeune, cela constitue un fardeau émotionnel supplémentaire.

Une prise de conscience personnelle de la possibilité du «burn out» et le fait de suivre l'une des thérapies de soutien pour les personnes à risque sont deux façons de prévenir le «burn out».

Recherche

On a mis sur pied en un temps relativement court un programme de recherches massif sur le sida. Il en est résulté un éventail de connaissances, d'une meilleure compréhension des mécanismes de base du système immunitaire à la conception de méthodes efficaces d'éducation du public.

Comme il n'y a pas encore de remède efficace, on met l'accent sur la prévention. Il faut encore trouver de meilleures façons de transmettre les faits sur le sida aux enfants d'âge scolaire et au public en général afin d'enrayer les rumeurs qui donnent naissance à des peurs injustifiées ou à un optimisme non garanti qui se traduit par: «Ça ne peut pas m'arriver à moi.» On cherche encore des façons plus efficaces de faire adopter des pratiques sexuelles plus sûres, telles que la limitation du nombre de partenaires sexuels et l'utilisation des condoms.

À quelques endroits, on a rendu obligatoires des programmes d'éducation sur le sida dans les écoles primaires et secondaires. Quelques cégeps comptent maintenant des distributeurs de condoms, ce qu'on n'aurait jamais pu imaginer, il n'y a même pas quinze ans, dans la plupart des communautés nord-américaines.

Dans plusieurs villes du Canada et des États-Unis, on échange des seringues neuves contre des seringues usagées afin de diminuer la réutilisation des seringues. On distribue aussi des petites bouteilles d'eau de Javel pour stériliser les aiguilles et les seringues; les rapports concernant l'efficacité de ces mesures pour réduire l'infection du VIH chez les utilisateurs de drogues intraveineuses se contredisent.

On est en train de mettre au point, à travers le monde, environ deux douzaines de vaccins potentiels pour protéger les gens contre le sida; cependant, les problèmes rencontrés sont énormes, et l'on ne croit pas qu'un vaccin éprouvé, testé et accessible à la communauté médicale soit disponible avant la fin du siècle.

Malheureusement, ce qui ralentit considérablement la recherche est l'absence d'un bon modèle animal pour tester le vaccin potentiel. Bien que quelques singes soient infectés par le VIH, ils n'attrapent pas le sida; il est alors difficile de dire si un vaccin expérimental est efficace. Des chercheurs de plusieurs pays essaient de reproduire le virus chez des animaux de laboratoire plus petits comme les lapins.

Les vaccins efficaces contiennent habituellement une forme tuée ou affaiblie du virus dont on espère prévenir la reproduction; ceci pose des problèmes avec le VIH puisque ce rétrovirus contamine une sorte de cellule du système immunitaire qui doit être activée pour assurer la protection de l'organisme; certains individus croient qu'un vaccin pourrait actuellement faire plus de mal que de bien.

Il ne faut pas oublier non plus le facteur temps. Comme le VIH peut être inactif dans l'organisme (comme il l'est chez les porteurs sains), comment saura-t-on si un vaccin protège vraiment?

Il existe aussi une foule de problèmes éthiques reliés à l'étude du vaccin. Par exemple, la meilleure façon d'en évaluer l'efficacité serait de l'expérimenter sur une population où l'on trouve beaucoup de sidatiques, mais ces populations se trouvent pour la plupart dans les pays en voie de développement; les habitants de ces pays pourraient avoir l'impression de servir de cobayes aux sociétés plus riches.

Autour du monde, les scientifiques travaillent sur des médicaments qui, espère-t-on, tueront ou désactiveront le VIH, une fois dans l'organisme, ou survolteront et protégeront le système immunitaire.

En psychiatrie, des études indiquant quelles sont les techniques les plus efficaces pour soulager l'impact émotionnel du sida pourraient diminuer le lourd fardeau psychologique que suscite cette maladie.

Sources d'information

Le liste suivante contient surtout des renseignements généraux. Bien des villes, provinces ou États ont des lignes ouvertes sur le sida; on peut aussi obtenir des renseignements concernant les services d'une région des départements de santé publique et, au Québec, dans les CLSC.

Le centre fédéral sur le sida, division de la protection de la santé, Santé et Bien-être Canada/The Federal Center for AIDS, Health Protection Branch, Health and Welfare Canada, 301, rue Elgin, Ottawa, Ontario, K1A 0L2, tél.: (613) 957-1772, téléc.: (613) 954-5414. Centre de coordination pour tout le programme fédéral sur le sida.

Programme d'éducation et de sensibilisation sur le sida de l'Association canadienne de santé publique/The Canadian Public Health Association AIDS Education and Awareness Program, 1565, av. Carling, Ottawa, Ontario, K1Z 8R1, tél.: (613) 725-3769, téléc.: (613) 725-9826. Cet organisme publie une lettre circulaire sur le sida: *The New Facts of Life*. Le National AIDS Clearing House, qui recueille et fait circuler une importante collection de matériel éducatif sur le sida de partout à travers le monde, fait partie de cet organisme.

La Société canadienne du sida/The Canadian AIDS Society, B.P. 3390, Succursale D, Ottawa, Ontario, K1P 6H8. Cet organisme national, à but non lucratif, chapeaute les organismes d'aide aux sidatiques situés dans les communautés.

Organismes d'aide aux États-Unis

American Foundation for AIDS Research (AmFAR), 5900 Wilshire Blvd., 2nd Floor -East Satellite, Los Angeles, CA 90036, tél.: (213) 857-5900; et 40 West 57th Street, Suite 406, New York, NY 10019, tél.: (212) 333-3118

National AIDS Network, 1012 14th Street NW, Suite 601, Washington, DC 20005, tél.: (202) 347-0390

Les deux organismes publient des répertoires des organismes d'aide, des services de santé et des listes de matériel éducatif.

Organismes d'aide au Canada

AIDS Vancouver Island, 1175 Cook Street, #108, Victoria, B.C.,V8V 4A1, tél.: (604) 384-2366 ou 384-4554

AIDS Vancouver, 1033 Davie Street, #509, Vancouver, B.C., V6E 1M7, tél.: (604) 687-5220 ou 687-2437

Vancouver PWA Coalition, P.O. Box 136, 1215 Davie Street, Vancouver, B.C., V6E 1N4, tél.: (604) 683-3381

AIDS Network of Edmonton Society, 10704 108 Street, Edmonton, Alberta, T5H 3A3, tél.: (403) 424-4767 ou 429-2437

AIDS Calgary Awareness Association, 1021-10 Avenue S.W., #300, Calgary, Alberta, T2R 0B7, tél.: (403) 228-0198 ou 228-0155

AIDS Saskatoon, P.O. Box 4062, Saskatchewan, S7K 4E3, tél.: (306) 242-5005

AIDS Regina, P.O. Box 432, Regina, Saskatchewan, S4P 3A2, tél.: (306) 525-0902

Village Clinic/Winnipeg AIDS Advocacy Council, P.O. Box 3175, Winnipeg, Manitoba, R3C 4E6, tél.: (204) 453-0045 ou 453-2114

AIDS Committee of Thunder Bay, P.O. Box 3586, Thunder Bay, Ontario, P7B 6E2; tél.: (807) 345-1516

Le Comité du SIDA d'Ottawa/AIDS Committee of Ottawa, B.P. 3390, Succursale D, Ottawa, Ontario, K1P 6H8

Kingston AIDS Project, P.O. Box 2154, Kingston, Ontario, K7L 5J9, tél.: (613) 545-1414 ou 549-1232

AIDS Committee of Toronto, P.O. Box 55, Station F, Toronto, Ontario, M4Y 2L4, tél.: (416) 926-0063 ou 926-1626

Toronto PWA Foundation, P.O. Box 1065, Station Q, Toronto, Ontario, M4T 2P2, tél.: (416) 925-7112

Safe Sex Project, P.O. Box 1143, Station F, Toronto, Ontario, M4Y 2J8

Hamilton AIDS Network for Dialogue and Support, P.O. Box 146, Station A, Hamilton, Ontario, L8N 3A2, tél.: (416) 528-0854

AIDS Committee of Cambridge, Kitchener, Waterloo and Area, P.O. Box 1925, Kitchener, Ontario, N2G 3R4, tél.: (519) 576-2127

AIDS Committee of Regional Niagara, P.O. BOX 61, St. Catharines, Ontario, L2R 6R4

AIDS Committee of London, 649 Colborne Street, London, Ontario, N6A 3Z2, tél.: (519) 434-8160

AIDS Committee of Windsor, P.O. Box 7002, Windsor, Ontario, N9C 3Y6, tél.: (519) 973-0222 ou 258-2437

Comité sida Aide Montréal, B.P. 98, Succursale N, Montréal, Québec, H2X 3M2, tél.: (514) 282-9888

Association des Ressources montréalaises sur le sida (ARMS)/ Montréal AIDS Resource Centre (MARC), B.P. 1164, Succursale H, Montréal, Québec, H3G 2N1, tél.: (514) 937-7596

Mouvement d'information et d'entraide pour la lutte contre le sida à Québec (MIELS Québec), 910, av. Brown, Québec, Québec, G1F 2Z8, tél.: (418) 687-3032

Metro Area Committee on AIDS (MACAIDS), P.O. Box 1013, Station M, Halifax, Nova Scotia, B3J 2X1, tél.: (902) 425-4882

SIDAIDS Nouveau Brunswick, Victoria Health Centre, 65 Brunswick Street, Fredericton, New Brunswick, E3B 1G5, tél.: (506) 459-7518

Newfoundland and Labrador AIDS Association, P.O. Box 1364, Station C, St. John's, Newfoundland, A1C 5N5, tél.: (709) 739-7975

Livres et rapports

AIDS: A Perspective for Canadians, Summary Report and Recommendations, 1988. The Royal Society of Canada, 344 Wellington St., Ottawa, Ontario, K1A ON4.

GRIEG, D., *AIDS: What Every Responsible Canadian Should Know*. 2e éd., publié conjointement par The Canadian Public Health Association et Summerhill Press, 1988. Disponible en anglais et en français.

KÜBLER-ROSS, E., *Sida: Un ultime défi à la société*. Éditions Stanké, Montréal, 1988.

LANGONE, John, *AIDS: The Facts*. Little Brown & Co., New York.

MARTELLI, Leonard J. et al., *When Someone You Know Has AIDS: A Practical Guide*. Crown Publishers, New York.

MOFFATI, Betty Clare et al., *AIDS: A Self Care Manual*. IBS Press.

MONTAGNIER, Luc, ROZENBAUM, Willy et GLUCKMAN, Jean-Claude, *Sida et infection par VIH*. Flammarion, Paris, 1989.

MORISSET, Richard et DELAGE, Jocelyne, *Le sida: mythe ou réalité?* Éditions La Presse, Montréal, 1986.

OLIVIER, Clément, THOMAS, Réjean et al., *Le sida: un nouveau défi médical*. Association des médecins de langue française du Canada, Montréal, 1990.

SHILTS, Randy, *And The Band Played On: Politics, People and the AIDS Epidemic*. Penguin Books, New York, 1987.

SPURGEON, David, *Understanding AIDS: A Canadian Strategy*. Key Porter Books, Toronto.

CHAPITRE 8

La maladie d'Alzheimer

Il y a quinze ans, si vous aviez arrêté dix personnes dans la rue pour leur demander de vous décrire la maladie d'Alzheimer, vous auriez probablement provoqué dix airs hébétés — ou bien obtenu des réponses farfelues.

Aujourd'hui, on estime que jusqu'à 300 000 Canadiens et au moins 2,5 millions d'Américains de plus de soixante-cinq ans souffrent de cette maladie. Dans une étude récente, effectuée dans un grand hôpital de Boston, on a avancé que 10 % des personnes de plus de soixante-cinq ans avaient cette maladie et ce pourcentage s'élève à 50 % chez les personnes de plus de quatre-vingt-cinq ans. À la lumière de ces nouveaux chiffres, on compterait donc aux États-Unis plus de quatre millions de victimes. Si l'on considère le chiffre le moins élevé, on remarque qu'environ la moitié des lits des institutions de soins à long terme de l'Amérique du Nord sont occupés par des gens atteints de la maladie d'Alzheimer et que cette maladie est la quatrième cause de décès parmi les gens de plus de soixante-cinq ans.

Cette maladie dévastatrice détruit graduellement et inexorablement les neurones et les terminaisons nerveuses, privant ainsi le malade de sa mémoire, de ses habiletés, de sa personnalité et de ses facultés intellectuelles. La mort survient habituellement en moins de dix ans.

Ceci peut être tragique pour ceux qui voient la maladie progresser, comme la femme de soixante-dix ans qui avait au début accepté de croire que les oublis de son mari étaient attribuables au processus normal du vieillissement. Souvent, il ne pouvait retrouver sa voiture dans un stationnement ou ne pouvait se rappeler le nom de son meilleur ami.

Mais la maladie s'est aggravée, et les oublis sont devenus dangereux. Il pouvait laisser la cuisinière allumée toute la nuit. Il ne pouvait plus faire la comptabilité mensuelle du ménage comme il le faisait depuis leur mariage. Lorsqu'il jeta à la poubelle des objets de valeur parce qu'il ne pouvait plus se rappeler à qui ils appartenaient, son épouse l'amena à l'hôpital.

C'est après avoir écarté les autres causes de démence, comme les tumeurs au cerveau et les accidents cérébrovasculaires bénins, que l'on a posé le diagnostic de maladie d'Alzheimer. On mit son nom sur la liste d'attente d'une maison de santé et, en attendant, il retourna à la maison, où sa condition continua à se détériorer de façon constante pendant les six mois suivants; il en vint à ne plus pouvoir contrôler sa vessie pendant son sommeil. Six mois après son entrée à la maison de santé, il ne pouvait plus reconnaître sa femme lorsqu'elle venait le visiter et, un an plus tard, il mourut.

Cette maladie, contrairement au sida, n'est pas apparue tout d'un coup d'on ne sait où. Le neurologue allemand Aloïs Alzheimer l'a décrite en 1907, après avoir découvert des fibres de neurones distinctement enchevêtrées dans le cerveau de personnes qui étaient mortes de démence. Si l'on a pris du temps à reconnaître de façon générale le diagnostic de maladie d'Alzheimer, c'est parce qu'on a longtemps cru, à tort, que perdre l'esprit était une étape normale du processus de vieillissement. En effet, la sénilité qui signifie simplement *âge avancé* est encore un terme utilisé fréquemment dans la conversation pour décrire la perte de la capacité mentale; on dit: «Mamie devient sénile», lorsqu'elle ne peut plus se rappeler les noms de ses enfants, leur adresse ou l'endroit où elle a pris son dîner.

La maladie d'Alzheimer n'est pas la seule démence (mot provenant du grec et signifiant *sans esprit*) de l'âge avancé; elle est cependant la plus courante et celle que l'on rencontre dans 60 % des cas de démence reconnus.

La moitié des autres démences sont causées par une multitude de petits accidents cérébrovasculaires qui causent des cicatrices et des kystes dans le cerveau. Cette démence due à de multiples infarctus peut survenir même si la personne ne souffre pas d'artériosclérose ou de durcissement des artères. L'autre 20 % des démences est attribuable à un mélange de maladies dégénératives et vasculaires ou à des affections comme la maladie de Parkinson.

Il est aussi possible que le sida devienne l'une des principales causes de démence chez les jeunes, parce qu'il détruit les cellules cérébrales.

On estime que 1,25 million de Canadiens et 12 millions d'Américains de plus de soixante-cinq ans souffrent de démences assez graves pour perturber leur autonomie.

Au début de toute perte de mémoire, il est très important d'envisager la dépression comme une cause possible, autrement les personnes âgées pourraient être hospitalisées sans nécessité. Elles pourraient souffrir de pseudodémence, maladie où les pertes de mémoire disparaissent après traitement.

Dans la plupart de ces cas, les conversations et les événements ne sont pas enregistrés dans la mémoire de la victime. Une telle personne peut ne pas savoir à quel jour on est rendu, où elle est ou ce qu'un membre de sa famille lui a dit la veille. À première vue, cette perte de mémoire peut sembler être causée par la maladie d'Alzheimer. La personne peut aussi négliger son hygiène et son apparence et avoir perdu du poids. Si elle est assez âgée et déprimée, on peut remarquer que sa démarche est hésitante.

Tous ces symptômes, cependant, peuvent indiquer une dépression, car celle-ci entraîne une pensée lente et laborieuse, une inefficacité pour la résolution de problèmes et des troubles de comportement. On soupçonne fortement que la dépression ralentit la vitesse avec laquelle les parties frontales du cerveau absorbent et brûlent le glucose, ce sucre du sang qui est leur carburant principal. La maladie d'Alzheimer détruit les neurones. La pseudodémence, quant à elle, ralentit simplement l'efficacité de fonctionnement de ces neurones. Quand on traite la dépression avec des antidépresseurs, les troubles de mémoire arrêtent, probablement en même temps que l'habileté des cellules cérébrales à brûler le glucose revient à la normale.

On peut constater quelquefois une forme atténuée du même problème chez une personne en deuil. Une personne plus âgée qui a perdu son partenaire peut sembler perdre le contrôle de sa mémoire. Ce processus peut être causé par l'affliction, qui partage plusieurs caractéristiques avec la dépression, mais ce comportement est passager et revient à la normale de lui-même.

Causes

On ne connaît pas encore la cause de la maladie d'Alzheimer, bien que 10 % des personnes qui en sont atteintes aient des antécédents familiaux de cette maladie.

On a trouvé plus d'aluminium dans le cerveau des gens victimes de la maladie d'Alzheimer; diverses études effectuées à ce sujet n'ont pu mettre en évidence, dans l'environnement de l'individu, de corrélation entre la maladie et une exposition à ce métal, telle que cuisiner dans des casseroles d'aluminium, par exemple. Un régime alimentaire normal contient de faibles quantités d'aluminium; l'utilisation d'antiacides, d'analgésiques tampon, d'aérosols et de certains articles de toilette peut aussi augmenter le taux d'aluminium dans l'organisme.

La théorie de l'aluminium découle d'expérimentations avec les animaux. Après leur avoir injecté ce métal, on pouvait remarquer de microscopiques mélanges de fibres nerveuses. Ils semblaient similaires aux changements dégénératifs trouvés chez les malades souffrant de la maladie d'Alzheimer, mais, plus récemment, des différences infimes entre ces deux situations ont été observées, de sorte que la théorie de l'aluminium a été mise de côté.

La recherche sur ce sujet controversé continue. Dans un récent article de la revue *Longevity Magazine,* on cite une étude qui vient d'être complétée à l'University of Vermont College of Medicine, dans laquelle on a constaté que les lapins auxquels on injectait de l'aluminium développaient des troubles d'apprentissage et souffraient de pertes de mémoire. Les altérations de la chimie du cerveau et la dégénérescence des neurones observées à l'autopsie étaient en pratique les mêmes que celles que l'on voit chez les victimes de la maladie d'Alzheimer.

D'un autre côté, les malades qui ont une grave maladie des reins et doivent faire épurer leur sang au moyen de la dialyse peuvent accumuler de grandes quantités d'aluminium; cela provoque une détérioration des neurones, mais, au microscope, ce dommage ne ressemble pas à celui que cause la maladie d'Alzheimer.

En règle générale, il existe en ce moment un consensus voulant que l'accumulation de l'aluminium soit un effet secondaire du vieillissement ou de l'endommagement des neurones, plutôt qu'une cause de la démence.

La maladie d'Alzheimer ne frappe pas uniquement les personnes âgées, bien qu'on la retrouve rarement chez les gens dans la quarantaine et encore plus rarement chez les gens de moins de quarante ans. La forme précoce s'appelle *maladie d'Alzheimer présénile;* pour une raison qui nous échappe, elle frappe deux à trois fois plus de femmes que d'hommes.

La découverte récente d'anomalies dans une aire du cerveau des patients souffrant de la maladie d'Alzheimer peut avoir permis de mettre le doigt sur le siège spécifique de ce trouble. Comme nous l'avons vu au chapitre 2, l'information se transmet le long des nerfs à l'aide de substances chimiques appelées *neurotransmetteurs.* L'un deux, l'*acétylcholine*, est fabriqué dans le corps des neurones et se dirige vers la terminaison des axones ou projections en forme de bras. Lorsqu'un influx électrique descend vers l'axone, une petite goutte d'acétylcholine est libérée dans la fente ou synapse, entre ce neurone et le neurone avoisinant; ceci permet le passage du message.

À la base du cerveau, on trouve un noyau très important appelé le *noyau olivaire de Meynert;* on a découvert qu'il était comme un puits de neurones fabriquant de l'acétylcholine et que ses axones allaient jusqu'au cortex de la surface extérieure du cerveau; c'est dans cette partie que l'on trouve les sièges de la pensée et de la mémoire à long terme. Dans le cerveau des gens souffrant de la maladie d'Alzheimer, on a découvert qu'il y avait 25 % de ces neurones en moins dans le noyau.

Traitement

Comme il n'y a aucun traitement qui peut prévenir, inverser ou même retarder la progression de la démence, les médecins peuvent simplement parler de prise en charge de la maladie et prévenir ses pires complications.

Les patients souffrant de la maladie d'Alzheimer perdent leur jugement; ils peuvent facilement se mettre dans le pétrin en allumant la cuisinière ou en manipulant des produits dangereux dans la maison. Alors que plusieurs d'entre eux resteront tranquillement assis à la maison pendant des heures et des heures, quelques-uns auront tendance à sortir et à se perdre, ils peuvent sortir dehors par un froid glacial presque sans vêtement ou tenter de traverser une autoroute achalandée sans s'occuper du trafic. On doit donc les surveiller constamment. Ce besoin de soins est bien illustré par le titre d'un livre anglais portant sur le soin des malades souffrant de la maladie d'Alzheimer: *The 36-Hour Day* (La journée de trente-six heures).

Le soignant, habituellement le partenaire, peut devenir incroyablement tendu. Le sujet atteint de la maladie d'Alzheimer peut souffrir d'incontinence, se lever souvent pendant la nuit, être incapable de tenir une conversation normale et développer une dépendance de forme infantile parce qu'il demande une attention constante. Il peut aussi avoir des accès de colère fréquents qui ne sont pas caractéristiques de son tempérament.

Une épouse décrivait ce qui arrivait lorsqu'elle laissait son mari tout seul pendant la courte période de temps où elle allait faire ses courses: il mangeait tout ce qu'il y avait dans les contenants de la cuisine: la farine, le sucre, le thé et les épices. Il ôtait la porte de ses gonds au milieu de l'hiver et ensuite faisait du feu dans le foyer sans ouvrir le registre.

Savoir que la situation ne peut aller qu'en empirant est loin d'aider le soignant. Pour prévenir l'épuisement et la dépression, il est essentiel que les personnes ressource de la communauté et les membres de la famille soient disponibles. Parmi les ressources de la communauté, on compte les centres de jour où le malade souffrant de la maladie d'Alzheimer peut aller pour que la personne qui s'en occupe ait un peu de temps libre; d'autres services peuvent comprendre la visite d'un bénévole à la maison, des groupes de soutien, la visite d'une infirmière, d'un ergothérapeute ou d'une infirmière psychiatrique. Tous peuvent fournir des conseils, guider le soignant et lui donner un peu de répit.

Lorsque l'on garde à la maison une personne souffrant de la maladie d'Alzheimer, on préserve sa dignité et limite sa confusion. Au fur et à mesure que la population vieillit, la mise sur pied de services qui retarderont l'institutionnalisation le plus longtemps possible devient essentielle au point de vue économique.

La Société Alzheimer du Canada estime que la maladie coûte déjà 2,7 milliards de dollars par année et qu'elle pourrait affecter jusqu'à un million de Canadiens vers la fin du siècle. Dans un contexte plus large, The National Institute on Aging des

États-Unis estime que le coût de la maladie d'Alzheimer et des démences telles que celles causées par les accidents cérébrovasculaires est d'environ 90 milliards de dollars US par année. Comme la population vieillit rapidement, en l'an 2050, on s'attend à avoir 14 millions de victimes de la maladie, si la tendance actuelle se poursuit.

Recherche

Comme on l'a déjà dit, les scientifiques ont été retardés dans leurs travaux parce qu'ils n'avaient pas de modèle animal pour faire des expériences concernant la maladie d'Alzheimer et parce qu'ils étaient incapables d'étudier directement les tissus cérébraux de malades vivants. En effet, le diagnostic de la maladie d'Alzheimer ne peut se confirmer actuellement que par l'examen du cerveau à l'autopsie du malade.

Toutefois, il existe plusieurs avenues de recherches actives et prometteuses.

Dans la maladie d'Alzheimer, on a noté un manque évident d'une enzyme essentielle à la fabrication de l'acétylcholine, une substance importante pour la transmission des messages entre les neurones. On a essayé toute une série de substances pour compenser ce manque, et les résultats de recherche faisant état d'une amélioration ont souvent été accompagnés de toute une fanfare de publicité, mais les résultats positifs ont été de courte durée. La recherche continue.

Le rôle de l'enchevêtrement des fibres nerveuses, que l'on retrouve aussi dans la maladie de Parkinson et l'encéphalite traumatique des pugilistes, est aussi examiné. La recherche s'oriente aussi en ce moment vers les facteurs génétiques, environnementaux, immunitaires et viraux.

Le noyau de chaque cellule humaine contient un schéma directeur complet de l'adulte, dans les 46 chromosomes ou longues chaînes de quatre substances chimiques disposées en séquences variées. Les séquences déterminent l'ordre dans lequel les acides aminés, éléments de construction de base, s'attachent les uns aux autres pour former les protéines. Les chaînes s'appellent ADN ou *acide désoxyribonucléique* et chaque segment de chaîne, qui contient les directives d'une protéine complète, s'appelle *gène* — chaque chromosome a d'innombrables gènes. Selon la longueur de la chaîne, le nombre de gènes pourrait grandement varier.

Lorsque l'on associe une anomalie d'un chromosome à une maladie donnée, cela revient à dire que la ville où se trouve la déficience a été localisée. Identifier le gène spécifique impliqué dans une maladie est comme trouver une maison dans la ville, puis, on doit identifier l'erreur chimique qui cause la déficience.

Des études génétiques ont indiqué une association entre la maladie d'Alzheimer et le syndrome de Down, une maladie génétique dont l'une des caractéristiques est le retard mental. On trouve dans le cerveau des gens qui ont le syndrome de Down, lorsqu'ils ont environ quarante ans, des changements qui ressemblent aux filaments enchevêtrés et aux plaques séniles caractéristiques de la maladie d'Alzheimer. Le syndrome de Down est causé par une anomalie du chromosome 21 et l'on a trouvé une anomalie du même chromosome pour la maladie d'Alzheimer en 1986. Mais ceci ne veut pas dire pour autant que le même gène est en cause: l'origine des deux maladies pourrait se trouver dans deux maisons différentes, pour continuer notre comparaison.

Le risque de mettre au monde un enfant souffrant du syndrome de Down s'accroît avec l'âge de la mère. Au cours d'une étude bien intéressante et récente, on a pu faire une association similaire entre l'âge de la mère et le risque que son enfant souffre de la maladie d'Alzheimer plus tard dans la vie; ce résultat expérimental doit être confirmé par d'autres recherches avant qu'on ne l'accepte définitivement.

On a besoin de méthodes normalisées de dépistage des démences. Heureusement, l'individu qui oublie temporairement où il a mis ses clés d'auto ou qui doit chercher dans l'annuaire téléphonique son propre numéro de téléphone n'est pas nécessairement un candidat. Il serait aussi utile d'avoir de meilleures méthodes pour mesurer le degré et la progression de la perturbation afin d'évaluer les nouveaux traitements qui pourraient être mis au point.

On peut administrer plusieurs tests de mémoire, mais il faut tenir compte de l'attention et de la concentration du sujet ainsi que des distractions qui peuvent survenir pendant le test. Les nouveaux tests que l'on conçoit actuellement ne seraient pas influencés par ces facteurs. Une méthode aussi précise non seulement permettrait à l'examinateur de poser un diagnostic plus juste, mais encore serait valable pour apprécier tout nouveau traitement créé pour améliorer la mémoire.

On a trouvé un nouveau médicament expérimental pour augmenter l'activité métabolique de l'aire du cerveau qui est détruite par la maladie d'Alzheimer. Il reste à savoir si ce médicament entraînera une amélioration véritable de la mémoire, mais il semble donner un indice sur la substance chimique qui est nécessaire.

Sources d'information

Alzheimer Society of Canada, 491 Lawrence Ave. West, Suite 501, Toronto, Ontario, M5M 1C7, tél.: (416) 789-0530. Cette société a des divisions provinciales et locales.

GUTHRIE, Donna, *Grandpa Doesn't Know It's Me*. Human Sciences Press, New York, 1986. (Livre pour enfants.)

POWELL, Lenore et COURTICE, Katie, *Alzheimer's Disease: A Guide for Families*. Addison-Wesley Publishing Co., New York.

MACE, Nancy et RABINS, Peter, *The 36-Hour Day*. The Johns Hopkins University Press, Baltimore, 1981.

CHAPITRE 9

Les troubles de l'alimentation: l'anorexie et la boulimie

Dans notre société occidentale moderne, il est de bon ton de compter les calories, et bien des gens le font; ils font aussi de l'exercice pour contrôler leur poids. Cependant, les victimes des troubles alimentaires vont beaucoup plus loin.

La femme, et c'est habituellement la femme, qui souffre d'anorexie nerveuse peut dire qu'elle veut avoir une taille de guêpe, mais même si elle a l'air de souffrir de famine, elle insistera pour dire qu'elle est trop grasse. Beaucoup de femmes anorexiques jeûnent littéralement à mort. Ce n'est pas qu'elles n'ont pas d'appétit ou ne sont pas intéressées par les aliments: au contraire, elles sont souvent obsédées par eux. Mais elles ne peuvent pas se décider à manger.

Suzanne est une adolescente émaciée de seize ans qui va au cégep; son poids est passé de 54 kg (120 lb), un poids normal pour une jeune fille de 1,70 m (5 pi 7 po), à 43 kg (95 lb) en l'espace de 11 mois. Elle se sentait rondelette, dit-elle, et a pensé qu'elle serait plus attirante si elle était plus mince. Elle a commencé par couper tous les aliments riches en hydrates de carbone, puis a diminué la quantité d'aliments qu'elle absorbait et a fini par prendre des laxatifs après avoir mangé. Elle s'intéresse maintenant à la gastronomie et prépare des petits plats pour sa famille, mais elle n'en mange pas.

Elle a peu d'énergie, dort difficilement et pleure tous les jours. Ses menstruations ont arrêté. Mais elle continue d'être une étudiante consciencieuse et perfectionniste et gagne des prix pour ses notes élevées. Ses parents l'ont conduite chez le médecin parce qu'ils sont très inquiets de sa perte de poids, mais, personnellement, elle ne pense pas avoir de problème.

Les gens qui souffrent de boulimie ont aussi une peur morbide d'engraisser; on ne les identifie pas aussi facilement par leur poids: ils peuvent être maigres, normaux ou gras parce qu'il s'empiffrent et se purgent, c'est-à-dire qu'ils se font vomir fréquemment.

Ces personnes ont des fringales périodiques, engouffrant jusqu'à 6 000 calories par heure, souvent en secret, afin que leur famille et leurs amis ne prennent pas conscience de leur maladie. Une étudiante universitaire, afin de déjouer ses colocataires, allait satisfaire ses fringales, le soir dans un parc, le siège avant de sa voiture rempli d'aliments sans valeur nutritive.

Souvent ces personnes font suivre leurs excès alimentaires de purgations afin de se débarrasser des calories en trop; elles se font vomir en mettant deux doigts dans le fond de leur gorge, prennent de grosses doses de laxatifs ou font beaucoup d'exercice.

L'anorexie nerveuse affecte environ 1 % des femmes nord-américaines et commence habituellement à l'adolescence. La boulimie nerveuse affecte moins de 1 % des femmes, et de nombreuses femmes présentent quelques aspects des deux maladies. Les hommes représentent peut-être seulement 5 % de tous les cas d'anorexie nerveuse et 10 % des cas de boulimie nerveuse.

On connaît ces deux maladies depuis des siècles bien que l'on ne décrive que depuis peu la boulimie comme une maladie distincte de l'anorexie; ce n'est que depuis la dernière décennie, ou à peu près, que le public est conscient de ces problèmes.

La mort de la chanteuse Karen Carpenter, causée par l'anorexie nerveuse, a non seulement fait connaître la maladie, mais encore a renforcé l'idée de sa gravité. Quelques observateurs attribuent en partie l'augmentation dramatique de ces troubles, depuis les vingt dernières années au moins, à l'influence des animateurs et mannequins ultraminces — Twiggy en était un exemple extrême.

Nous ne possédons pas de statistiques sur l'incidence de ces deux maladies au XVIIᵉ siècle alors que Rubens, l'artiste flamand, peignait ses modèles bien en chair, mais ce que l'on considérait voluptueux alors serait certainement qualifié de gras par la plupart des jeunes femmes occidentales d'aujourd'hui.

On se demande aussi si une plus grande incidence de cas ou une plus grande reconnaissance de ces maladies par les médecins a joué un rôle dans l'augmentation des cas identifiés.

Pour les personnes en cause, malheureusement, aucune de ces deux maladies n'a tendance à être un engouement passager: elles ne disparaissent généralement pas sans traitement. Elles peuvent durer des décennies, si elles n'entraînent pas le décès; elles perturbent significativement tous les aspects de la vie, le travail, la santé et les relations avec les autres.

Les estimations du taux de décès varient, mais dans 10 à 15 % des cas, ces malades meurent des complications entraînées par la maladie. Les anorexiques sont plus susceptibles de mourir des nombreux effets secondaires d'un jeûne prolongé.

Les purges que font les boulimiques peuvent débalancer leur système métabolique, vider leur organisme de potassium et causer des arythmies cardiaques et des arrêts cardiaques. De plus, les vomissements fréquents exposent les dents au puissant acide chlorhydrique de l'estomac et endommagent leur émail, leur apparence et leur structure. Les victimes de ces maladies ont aussi un taux de risque de suicide plus élevé.

Causes

On croit généralement que ces problèmes commencent à cause d'une perturbation psychologique impliquant des sentiments de piètre estime de soi, d'impuissance et d'inefficacité. Le fait de limiter leur consommation d'aliments donne souvent, au début, aux anorexiques un sentiment de maîtrise de soi; ceci pousse au jeûne ou aux fringales suivies de purges. C'est un cercle vicieux. Les effets émotionnels de leurs modèles d'alimentation — ou de non-alimentation — déclenchent de l'irritabilité, une humeur dépressive et une piètre concentration. Ceci aggrave leurs troubles psychologiques et physiques et ils essaient, ou du moins certains d'entre eux, de les résoudre en se privant encore plus.

Malheureusement, ils ne sont pas les seuls à souffrir de la maladie; il semble qu'il y ait un taux de troubles de l'alimentation plus élevé chez les enfants dont les parents en souffrent déjà. On croit que cette tendance serait attribuable en partie à l'imitation des parents. Les frères et sœurs des anorexiques et boulimiques présentent aussi un taux plus élevé de troubles et, selon des recherches récentes, il semble qu'il y aurait une composante génétique à ces maladies.

Traitement

L'aide pour ces individus doit se faire au moins sur un double front: corriger ou limiter le trouble physique tout en établissant de nouveaux modèles d'alimentation et aider la personne à faire face aux problèmes psychologiques et/ou physiques qui ont déclenché le cycle.

Les soins en clinique externe sont la première façon de traiter ces personnes; on leur donne souvent un contrat selon lequel ils doivent garder un certain poids afin d'éviter l'hospitalisation. Lorsqu'il faut superviser la consommation d'aliments et l'état nutritionnel, et établir des modèles d'alimentation normaux, il est préférable d'admettre la personne à l'hôpital pour une période de temps pouvant durer plusieurs mois. Dans de rares cas, il faut alimenter la personne à l'aide de sondes intraveineuses ou nasogastriques.

Dans les cas les moins graves, un programme dans une clinique externe peut être bénéfique. L'individu se rend à l'hôpital chaque jour pendant quelques mois, prend plusieurs repas et participe à une variété de thérapies destinées à améliorer sa compréhension de la maladie et des perturbations psychologiques qui l'ont déclenchée. Un suivi à long terme est souvent nécessaire pour résoudre les problèmes familiaux, interpersonnels et sociaux auxquels cet individu doit faire face.

Recherche

Le rôle des médicaments pour traiter ces troubles n'est pas clair; il n'existe pas de pilule «antianorexique», bien que quelques médicaments puissent aider la personne qui a des troubles de l'alimentation et de gain de poids. Quelques chercheurs estiment que les antidépresseurs peuvent entraîner des résultats extraordinaires pour la boulimie, alors que d'autres n'obtiennent pas le même succès.

À cause de nouvelles découvertes en ce qui a trait à la chimie du cerveau et aux systèmes qui réglementent l'alimentation, on a identifié de nouveaux agents qui pourraient être utiles; mais il faut pousser la recherche avant de pouvoir établir leur sécurité et leur utilité. De récentes recherches semblent indiquer que le faible niveau de sérotonine, une substance chimique du cerveau qui envoie des signaux comme: «C'est assez, tu es rassassié», serait un facteur déclenchant la boulimie. Par exemple, les animaux de laboratoire qui sont affamés ne mangeront pas si leur niveau de sérotonine est augmenté artificiellement.

Plusieurs anomalies physiques accompagnent ces troubles. Sont-elles toutes des effets de la maladie ou pourrait-il y avoir des facteurs biochimiques ou hormonaux qui en seraient la cause?

Alors que le besoin de traitement psychologique est généralement accepté, on ne sait pas encore quels éléments de ce traitement produisent des changements de comportement et s'il devrait se faire de façon individuelle ou en groupe.

Il faut étudier plus à fond le rôle de la famille. La maladie est-elle génétique, environnementale ou les deux? La famille est-elle impliquée au début ou au cours de l'évolution de la maladie, ou les deux? Si la famille est impliquée au début de la maladie, il pourrait être possible d'identifier les familles à haut risque et de planifier des stratégies de prévention.

On doit aussi arriver à comprendre les facteurs qui peuvent permettre de prédire le résultat à long terme des troubles de l'alimentation, afin de pouvoir appliquer des traitements ciblés à ceux qui risquent de subir des conséquences graves. Il faut aussi trouver des façons efficaces d'éduquer le public sur les risques de suivre un régime inapproprié de même que sur la futilité d'essayer d'atteindre une taille et une forme corporelle *idéale*, en faisant fi de la réalité d'importants facteurs génétiques.

Source d'information

National Eating Disorder Information Center, Toronto General Hospital, 200 Elisabeth St., 2-332, Toronto, Ontario, M5G 2C4, tél.: (416) 595-4156

CHAPITRE 10

Les dysfonctions sexuelles

Le fait de parler de dysfonction sexuelle dans un livre de psychiatrie ne signifie pas pour autant que l'on considère que les troubles de ce genre sont nécessairement psychologiques, comme on l'entend souvent dire. D'autant plus que la séparation entre le corps et l'esprit est encore plus difficile à faire dans le domaine de la sexualité.

Bien sûr, nos attitudes et comportements dans l'expression de nos besoins et désirs sexuels sont influencés par notre éducation, y compris les attitudes de nos parents, les préceptes de notre religion, l'état de notre santé physique, nos émotions et nos humeurs. Cependant, notre façon de réagir peut aussi varier selon les circonstances.

Une femme qui a eu une journée de travail bien remplie, au magasin, au bureau ou à l'usine, qui a préparé le souper, surveillé les devoirs des enfants et lavé le linge, peut être seulement trop exténuée pour avoir le goût de faire autre chose que de se faire enlacer et caresser avant de tomber dans un sommeil profond.

De la même manière, un homme qui a subi un stress inhabituel au travail, a pris un gros repas et quelques verres pour se détendre, peut plus tard être incapable d'avoir une relation sexuelle.

Ces situations sont le lot de tous et chacun à un moment donné, et on ne les considère pas comme des dysfonctionnements sexuels, au sens médical du terme. Le vieux terme *frigide* dont on qualifiait les femmes ne s'utilise plus et le terme *impuissant* ne s'applique qu'aux hommes qui ne peuvent avoir d'érections, même pendant le sommeil. On les a remplacés par des descriptions plus justes et moins péjoratives.

Chez la femme, les formes les plus communes de dysfonction sont:

- l'anorgasmie primaire: elle n'a jamais eu d'orgasme avec un partenaire;
- l'anorgasmie secondaire: elle a eu des orgasmes pendant la relation sexuelle à un moment donné, mais n'en a plus;
- le vaginisme: les muscles pelviens ont un spasme involontaire, ce qui rend impossible la pénétration du pénis dans le vagin.

Chez l'homme, les dysfonctions courantes sont:

- le trouble érectile primaire: il n'a jamais eu d'érection avec une partenaire;
- le trouble érectile secondaire ou situationnel: il a eu des érections pendant la relation sexuelle à un moment donné, mais n'en a plus ou n'en a plus avec certaines partenaires;
- «l'éjaculation précoce»: il a une éjaculation bien avant de le vouloir, que ce soit seulement en regardant sa partenaire, en la touchant à peine ou dès la pénétration;
- l'éjaculation retardée: il ne peut éjaculer de sperme, même en ayant une érection ferme et une relation sexuelle prolongée.

On a récemment ajouté à la liste des dysfonctions sexuelles le manque de désir sexuel.

La masturbation ne fait pas partie de cette énumération de troubles parce qu'elle n'est pas une dysfonction sexuelle bien que plusieurs personnes s'en fassent à ce sujet. On sait maintenant qu'elle n'est pas un comportement dommageable, anormal ou pervers, mais les vieilles croyances ont la vie dure. Il y a un siècle, on considérait la masturbation comme une cause d'insanité et, il y a environ cinquante ans, le dictionnaire Oxford la qualifiait d'«abus de soi-même». Cette pratique ne vous rendra pas aveugle, ne fera pas pousser de poils sur vos mains: si elle le faisait, le monde serait rempli de chiens d'aveugle, dirigeant des maîtres et maîtresses aux mains poilues.

Causes

Malheureusement, il n'est pas aussi facile d'expliquer les causes de ces troubles que de les énumérer. Les dysfonctions sexuelles sont causées par de nombreux facteurs qui se chevauchent les uns les autres. Un thérapeute essayant d'évaluer les problèmes d'un couple voudra examiner l'ensemble de leur relation, leurs attitudes à l'égard de la sexualité, leurs connaissances de leur propre corps et de la sexualité dans son sens le plus large ainsi que les troubles physiques qui peuvent exister. Dans la dernière catégorie, par exemple, on peut classer les médicaments pour l'hypertension artérielle ou les maladies cardiaques, lesquels peuvent interférer avec l'activité habituelle du couple.

La réponse sexuelle implique toutes sortes de systèmes corporels, dont les systèmes vasculaires, nerveux et glandulaires; ainsi, toute maladie reliée à l'un de ces systèmes peut directement affecter le fonctionnement sexuel; pour n'en nommer que quelques-uns: le diabète, les maladies hypophysaires, la sclérose en plaques, l'insuffisance rénale chronique, la cirrhose ou la dépression. La plupart des sexothérapeutes travaillent en collaboration avec les médecins afin de déceler les causes médicales possibles.

Plus indirectement, le stress ou les effets débilitants d'une maladie peuvent avoir leurs répercussions. «Pas ce soir chéri, j'ai mal à la tête» n'est pas une blague pour l'homme ou la femme qui a une migraine.

Bien des gens ne savent pas que l'alcool n'est pas un stimulant mais un dépresseur, et qu'une grande quantité de cette substance peut avoir le même effet sur la fonction sexuelle qu'un anesthésique. Bien des couples d'âge mûr ne se rendent pas compte qu'une érection ne se produit pas aussi rapidement à quarante ans qu'à vingt ans.

La peur de l'échec peut aussi jouer un rôle. L'homme dont nous parlions au début du chapitre qui n'avait pu avoir d'érection après une journée stressante et un repas plantureux peut ne pas se rendre compte que son trouble érectile est temporaire, et que tout le monde peut l'expérimenter et l'expérimente à un moment donné. Il peut commencer à avoir peur que ça se reproduise la prochaine fois qu'il essaiera de faire l'amour. Il peut devenir si anxieux à ce sujet que ses craintes se réaliseront.

Quand un couple essaie d'avoir un enfant et ne réussit pas après des tentatives répétées et systématiques, il peut en résulter une dysfonction sexuelle. Les deux partenaires ont une *peur de l'échec*. Une femme qui se tourne alors vers l'insémination artificielle pour concevoir un enfant peut expérimenter une perte du désir sexuel avant ou après la procédure.

La tension dans un couple peut aussi jouer un rôle important dans l'expression sexuelle. La colère, la rancune, la frustration et les luttes de pouvoir ne sont pas des aphrodisiaques.

Traitement

Un sexothérapeute est un professionnel ayant un entraînement spécial pour traiter les troubles décrits plus haut. Cette personne peut être un médecin, un psychologue, un infirmier ou un travailleur social, par exemple, mais quelle que soit sa profession d'origine, un entraînement spécial en sexothérapie est essentiel.

Pendant plusieurs années, les approches psychanalytiques freudiennes étaient les plus en vogue pour traiter les dysfonctions sexuelles; on ne les attribuait pas facilement à des troubles physiques. Cette attitude a changé depuis vingt ans grâce à une meilleure connaissance des faits concernant la nature, les capacités et le rôle des hommes et des femmes.

Masters et Johnson ont ouvert la porte à une nouvelle sorte de thérapie. Des recherches en laboratoire sur les humains les ont conduit à la publication d'un livre: *Human Sexual Response*, paru en 1966[1]. Ils ont mis au point des techniques, à l'intention des couples, qui mettent l'accent non pas sur la performance en ce qui a trait à la relation sexuelle vaginale mais plutôt sur l'exploration de la sensualité de chaque partenaire et la communication de leurs désirs et besoins respectifs. Les thérapeutes ont maintenant à leur portée une infinité de traitements. Ceux-ci peuvent détruire des mythes comme «le seul orgasme véritable chez la femme est l'orgasme vaginal» ou le diagnostic d'échec du couple lorsque les deux partenaires n'atteignent pas l'orgasme en même temps.

Le mythe de l'orgasme vaginal laissait entendre que la femme devait pouvoir connaître une phase orgasmique seulement lors de la pénétration du pénis dans le vagin. On sait maintenant que plusieurs femmes ne peuvent avoir un orgasme uniquement par cette méthode; une stimulation du clitoris est une partie essentielle de la relation sexuelle amoureuse.

Le traitement peut inclure des cours concernant le fonctionnement du corps. Pendant le traitement, on peut examiner les troubles autres que les troubles sexuels qui peuvent empêcher

---

1. La traduction française de cet ouvrage, *Les réactions sexuelles*, est parue en 1968, chez Robert Laffont *(N.D.T.)*.

l'harmonie sexuelle. On peut changer la posologie de la médication, si c'est ce qui est en cause. Les implants péniens sont quelquefois suggérés si l'homme est incapable d'avoir une érection. On implante dans le pénis des baguettes souples et rigides pouvant avoir toutes sortes de formes; les plus récents implants peuvent être courbes pour obtenir une apparence plus naturelle quand l'homme ne désire pas une érection. On peut aussi implanter dans le pénis des cylindres creux qui se remplissent du liquide contenu dans une petite pompe implantée dans le scrotum, que l'homme actionne afin d'avoir une érection sur demande.

Bien que ces implants soient utiles lorsque la cause du trouble érectile est physique, il existe aussi d'autres facteurs impliqués dans la relation; on doit procéder à une évaluation minutieuse de toute la situation avant d'entreprendre la chirurgie. Cette solution ne devrait pas être considérée comme un rafistolage rapide.

Beaucoup de couples peuvent trouver aussi satisfaisantes des techniques autres que la pénétration du pénis dans le vagin. Le seul critère est le plaisir et l'accord des deux partenaires.

Même si l'éventail de traitements reconnus est étendu, il peut y avoir des abus en sexothérapie. En particulier, la permissivité ne devrait pas inclure de relation sexuelle entre un thérapeute et son client ni même d'attouchement intime, quelle que soit la technique préconisée. Le client qui est victime de ce genre d'abus devrait se diriger vers la sortie la plus proche, et ceci non en marchant mais en courant. Il devrait ensuite faire un rapport sur ce thérapeute à son association professionnelle afin de protéger les autres de cette conduite, contraire à l'éthique et souvent nuisible.

Le succès du traitement dépend aussi souvent de l'individu qui l'évalue. Quelquefois, les couples sont assez contents de ce que le thérapeute peut considérer comme une solution insuffisante. On évalue aussi souvent la «guérison» tout juste après le traitement et non lors d'un suivi à long terme.

La volonté des deux partenaires de consacrer beaucoup de temps et d'efforts à la thérapie et à une relation saine, où chacun des partenaires est soucieux de l'autre, est aussi un facteur important.

Recherche

L'un des défis de la recherche dans ce domaine est d'obtenir des évaluations qui valideraient l'efficacité des divers traitements en choisissant les méthodes de cueillette, de mesure et d'analyse des données. Les considérations éthiques jouent un grand rôle dans la recherche sur la sexualité et les réponses aux questionnaires de sondage présentent un grand intérêt social. Une mise en garde: les chercheurs sérieux ne téléphonent jamais aux gens pour effectuer un sondage; c'est cependant la méthode employée par les personnes qui tirent des gratifications sexuelles à poser des questions sur la sexualité des étrangers.

Il faut aussi vérifier le rôle que pourraient jouer les programmes d'éducation sexuelle pour prévenir des dysfonctions sexuelles ultérieures. On doit aussi chercher plus à fond les causes physiques d'impuissance et la raison de la disparition persistante du désir sexuel chez les gens qui ne sont pas déprimés; ceci est très peu compris.

Malheureusement, nous n'avons encore que peu de connaissances sur la cause biologique, s'il y en a une, de l'orientation et du choix sexuels. Par exemple, nous ne comprenons pas pourquoi le désir sexuel devient lié à des objets inhabituels comme les vêtements ou pourquoi un sujet est stimulé sexuellement en regardant une personne mais en ne la touchant pas.

Sources d'information

BOSTON WOMEN'S COLLECTIVE, *The New Our Bodies, Ourselves.* Simon and Schuster, New York, 1984.

CALDERONE, Mary et RAMEY, James, *Talking with Your Child About Sex*. Random House, New York, 1982.

COMFORT, Alex, *Les plaisirs du sexe*. Éditions Franson, Montréal, 1972.

DIAGRAM GROUP, *Man's Body: An Owner's Manual*. Paddington Press et Two Continents Publishing Group, New York, 1976.

CHAPITRE 11

Les pratiques sexuelles dangereuses et les anomalies sexuelles

L'acceptation par une société de pratiques et de préférences sexuelles peut certainement varier selon le temps et l'endroit. Il y a vingt ans, ce que l'on croyait hautement immoral dans *Playboy* se retrouve maintenant couramment sur les couvertures de magazines populaires. Mais même dans les communautés où il n'y a pas de sanctions juridiques contre un type particulier de comportement sexuel, certains groupes peuvent encore le condamner pour des raisons religieuses profondément ancrées; il peut aussi exister une peur de diminuer les valeurs morales de la communauté, d'attirer des individus louches, et ainsi de suite.

En règle générale, en ce qui a trait à la loi concernant les pratiques sexuelles en Amérique du Nord, à première vue, tout ce que deux adultes consentants font en privé les regarde. Mais les trois conditions sont essentielles: consentement, adultes et caractère privé.

Toutefois, il existe des pratiques sexuelles qui sont universellement condamnées par la loi dans le monde occidental: l'inceste, l'abus sexuel d'enfants et l'agression sexuelle, expression qui remplace maintenant le terme *viol* dans le Code criminel du Canada et qui englobe des offenses de moindre importance que le viol lui-même.

Ce n'est que depuis quelques années que nous avons commencé à avoir une idée de l'étendue de ces problèmes, surtout ceux qui se produisent à la maison. Même les victimes adultes hésitent souvent à rapporter ces crimes parce qu'elles ont peur, se sentent humiliées ou éprouvent un sentiment de culpabilité ou de honte.

Au Canada, par exemple, dans le Rapport Badgley de 1984, on estimait que plus d'un demi-million de femmes à travers le pays souffraient de maux ou malaises physiques résultant des effets psychologiques à long terme des abus sexuels qu'elles avaient subis dans leur enfance. Parmi ces problèmes, on note le comportement suicidaire, une piètre image de soi, l'incapacité de faire confiance à quelqu'un ou de développer des relations intimes avec une autre personne, la culpabilité, l'anxiété et la dépression.

Dans une étude californienne portant sur environ 1 000 femmes choisies au hasard, 38 % déclaraient avoir été victimes d'abus sexuel, y compris l'inceste, avant l'âge de dix-huit ans. Dans un sondage bostonien portant sur les deux sexes, 12 % des gens rapportaient avoir été abusés sexuellement pendant l'enfance.

Bien entendu, les abuseurs sexuels ne confessent généralement pas l'ampleur de leurs crimes; une équipe de recherche new-yorkaise, ayant promis aux gens la confidentialité et la protection contre les poursuites judiciaires, a interviewé 232 auteurs d'abus sexuels d'enfants de moins de quatorze ans et a découvert des chiffres renversants: 55 250 abus sexuels partiels et 38 722 abus sexuels complets sur 17 585 enfants. En moyenne, chacun avait commis 170 abus complets et 240 abus partiels sur plus de 70 enfants. Dans la même étude, on révèle que 89 violeurs ont agressé sexuellement ou tenté d'agresser sexuellement une moyenne de 7 victimes chacun.

Mais bien que l'image habituelle d'un violeur ou d'un abuseur d'enfants est celle d'un étranger caché dans une ruelle ou d'un «vieux monsieur cochon» qui traîne près des cours d'école et des parcs, le risque est plus grand que les femmes et les enfants soient agressés sexuellement par quelqu'un qu'ils connaissent. Ce pourrait être un parent, un frère, une sœur, un membre de la famille éloignée, une gardienne ou un ami des parents. En particulier, le «viol de sortie» *(date rape)* est le terme dont on se sert maintenant quand un homme force une femme à avoir une relation sexuelle parce qu'elle est sortie socialement avec lui, mais qu'elle a refusé ses avances sexuelles.

En cour, on avait l'habitude de dire qu'un mari ne pouvait être condamné pour avoir violé sa femme, même si les conjoints étaient séparés ou que le mari était violent, mais cela n'est plus vrai. De plus, des sanctions contre le harcèlement sexuel et l'abus sexuel, particulièrement sur les lieux du travail, ont été prévues dans plusieurs législations concernant les droits de l'homme et le travail.

Ce qui semble une nouvelle épidémie d'abus sexuels au sein de la famille est probablement dû plus à la reconnaissance des délits qu'à une recrudescence. Pendant une bonne partie du XXe siècle, les épouses et les enfants avaient peu de droits et étaient généralement considérés comme la propriété de l'homme. La maison familiale était son château et ce qui s'y passait ne regardait personne d'autre que lui.

En particulier, bien que cela puisse nous sembler incroyable aujourd'hui, les psychothérapeutes prenaient la même attitude incrédule que la société vis-à-vis de la possibilité de l'inceste. Ainsi, quand des malades disaient à Sigmund Freud qu'elles avaient été abusées par leur père pendant leur enfance, il refusait généralement de discuter de ces sujets qu'il considérait tout au plus comme des phantasmes sexuels. Non seulement les thérapeutes étaient réticents à croire que des choses semblables aient pu se produire, mais encore les malades avaient une extrême difficulté à l'admettre car elles étaient rongées par une grande honte, une immense culpabilité et se sentaient en quelque sorte responsables de cet état de chose.

Traitement

L'un des plus grands problèmes survenant dans le traitement de ces abuseurs — ce sont le plus souvent des hommes — est leur tentative de déni, de rationalisation ou de justification de leur comportement. Quelques-uns d'entre eux ne peuvent absolument pas comprendre pourquoi on en fait tant de cas. On offre des thérapies de groupe et des thérapies individuelles dans la plupart des cliniques et des institutions où l'on traite les abuseurs sexuels; les méthodes psychanalytiques traditionnelles ont été abandonnées parce qu'on n'a malheureusement pas pu prouver leur inutilité. Cette situation est particulièrement intéressante. En effet, dans plusieurs domaines de la médecine, on subit une grande pression pour prouver l'efficacité et la rentabilité des traitements, c'est-à-dire s'ils valent la peine d'être appliqués quand on considère les coûts impliqués; ces derniers sont de plus en plus payés par les compagnies d'assurance regroupant de nombreux comptables. Par contraste, pour ce qui est de la psychothérapie analytique, une technique médicale, on était généralement d'accord pour admettre qu'elle ne donnait aucun résultat.

Dans certaines parties du monde, on procède à la castration ou ablation des testicules des abuseurs sexuels reconnus coupables. On ne s'est jamais vraiment servi de cette méthode en Amérique du Nord, bien que plusieurs maires aient souvent entendu parler des mérites de ce traitement par les victimes bouleversées ou les membres furieux de leur famille. Si l'on tient compte que des sondages indiquent que 80 % des Américains sont de fervents partisans de la peine de mort pour les meurtriers et aussi les traîtres, il ne s'écoulera probablement pas beaucoup de temps avant que l'approche médicale ne soit éclipsée dans certains domaines par des méthodes plus directes.

D'un autre côté, les médicaments qui bloquent les effets des hormones sexuelles et réduisent la pulsion sexuelle ont eu un certain succès auprès des abuseurs sexuels, mais, bien sûr, ceux qui en tireraient le meilleur bénéfice refusent souvent de les prendre.

Dans une étude récente, portant sur 103 abuseurs d'enfants, seulement 45 étaient prêts à admettre que c'était un problème pour eux d'être attirés sexuellement par les enfants, à passer un test de laboratoire concernant leurs préférences sexuelles ou à montrer un quelconque intérêt pour le traitement. De ces 45, seulement 15 étaient prêts à participer à une expérimentation de trois mois avec du Depo-Provera, une hormone qui réduit la pulsion sexuelle; 8 de ces 15 personnes ont abandonné l'expérimentation.

Certains psychiatres préconisent aussi des techniques de modification du comportement, avec ou sans hormones. Lors d'une étude récente portant sur des abuseurs d'enfants qui reconnaissaient avoir un problème, on a pu constater un taux de succès de 70 % à la fin du traitement. On leur avait montré à avoir des phantasmes sexuels désagréables quand leur venaient à l'esprit des pulsions et pensées sexuelles à l'égard d'enfants. De plus, on les a encouragés à se masturber fréquemment afin d'être satisfaits sexuellement une bonne partie du temps.

Comme on pourrait le soupçonner, beaucoup d'hommes ayant un comportement sexuel déviant ont du mal à s'affirmer de façon acceptable et ont souvent des lacunes importantes dans leur connaissance de la sexualité. Heureusement, on a pu démontrer que ces deux problèmes pouvaient être corrigés avec un entraînement à l'affirmation de soi et de l'éducation. En dépit de l'échec général de la psychothérapie pour la déviance sexuelle grave, quelques hommes peuvent être aidés à développer de meilleures habiletés sociales, à entrer en communication avec des partenaires sexuels adultes appropriés, à exprimer leurs besoins et leurs sentiments d'une manière plus acceptable et à réduire leur niveau d'anxiété général. Une partie de cet entraînement consiste à les aider à apprendre à remplir les parties de leur journée qui ne sont pas encadrées, alors que leurs pensées pourraient autrement s'orienter vers des phantasmes concernant leurs préférences sexuelles.

Dans le traitement de la dysfonction sexuelle, il est aussi important de traiter toute maladie psychiatrique ou physique concomitante qui pourrait exagérer le problème. Malheureusement, l'alcool et les autres drogues sont souvent d'autres facteurs qui compliquent la vie de ces malheureux; pour obtenir des résultats durables, il faut aussi traiter ces aspects de la maladie et empêcher les abuseurs de développer des phantasmes illicites ou de passer à l'acte.

Autres anomalies sexuelles

Les psychiatres se servent du terme général *paraphilies* pour qualifier un groupe de troubles où les pulsions sexuelles intenses impliquent des objets inanimés, des enfants, des adultes non consentants ou l'induction de la souffrance chez l'un ou l'autre des partenaires. Le sadisme sexuel, le masochisme sexuel et la pédophilie (préférence sexuelle pour les enfants) sont les plus graves des actes illégaux et les plus détestés par la société.

Mais d'autres anomalies sont des offenses criminelles. Les exhibitionnistes exposent leurs parties génitales en public; les frotteurs ont une gratification sexuelle en se frottant contre les vêtements ou le corps d'une étrangère dans la foule; les voyeurs regardent par les fenêtres pour voir les femmes se déshabiller ou les couples faire l'amour. Les statistiques indiquent que presque tous ces comportements sont le propre des hommes — on n'entend pas souvent parler d'une voyeure.

Plus de 30 types de paraphilies ont été énumérés par les chercheurs, mais la plupart sont rares et quelques-uns ne sont pas illégaux. Le fétichiste, par exemple, qui tire sa gratification d'objets comme des vêtements ou des souliers de femme, ne contrevient à la loi que lorsqu'il commence à voler ces vêtements dans les magasins, sur les cordes à linge ou sur les femmes elles-mêmes.

D'un autre côté, faire des appels obscènes peut, dans certaines circonstances, être illégal et est un acte que désapprouve la société en général. Un cas ayant fait les manchettes récemment est celui du recteur de l'American University de Washington, DC. Très populaire auprès des étudiants, des membres de la faculté et des diplômés, cet homme de cinquante et un ans a, semble-t-il, fait des appels obscènes, surtout à des enfants. Lorsque la police lui fit savoir qu'il était sous surveillance à ce propos, il démissionna, bien qu'il ait été l'un des hommes les plus connus à Washington. Car ce genre d'infraction est passible d'une poursuite au criminel, ce qui pourrait entraîner une sentence d'emprisonnement de douze mois et une amende de 1 000 dollars. Il s'inscrivit immédiatement à la Sexual Disorders Clinic of Johns Hopkins Hospital, à Baltimore, où il suivit un programme de thérapie et de counseling.

Les scientifiques ont récemment déterminé que les paraphiliques avaient souvent plusieurs déviations sexuelles et pouvaient malheureusement passer de l'une à l'autre.

Recherche

Il n'existe pas de données scientifiques sérieuses concernant l'origine des anomalies sexuelles et les facteurs personnels et environnementaux responsables de leur développement. Pour répondre à ces questions, les scientifiques explorent les relations complexes entre les niveaux d'hormones sexuelles, l'hypothalamus et le comportement sexuel des individus.

Les hormones que sécrètent les glandes sexuelles, les testicules et les ovaires sont régies par le cerveau, en particulier par l'hypothalamus, une petite glande à la base du cerveau. Elle équilibre plusieurs substances chimiques différentes et les fonctions hormonales du corps, incluant le comportement sexuel. Mais on ne comprend pas bien encore le rôle des hautes fonctions du cerveau concernant l'activité sexuelle. Les scientifiques explorent, par exemple, la façon dont la testostérone, hormone sexuelle masculine, rétroagit dans le cerveau à partir de la circulation sanguine pour susciter l'excitation sexuelle. Ils examinent le cerveau au moyen des nouvelles techniques d'imagerie, comme la tomographie à émission de positrons dont nous avons parlé au chapitre 2, pour voir si les hormones activent les mêmes parties du cerveau chez les gens normaux que chez les déviants sexuels. Ils se demandent:

- qu'est-ce qui manque aux gens qui ne peuvent maîtriser leur comportement sexuel?
- quels mécanismes cérébraux sont impliqués dans le comportement sexuel des adultes?
- qu'est-ce qui pousse à la pédophilie: est-ce simplement un trouble du cerveau ou existe-t-il une composante sociale prépondérante impliquant un manque grave d'apprentissage approprié et de développement?

Bien sûr, si l'on trouvait la façon de rejoindre les déviants qui sont passés inaperçus ou ne sont pas encore passés à l'acte, on pourrait changer leur manière désastreuse d'agir, ce qui serait évidemment dans l'intérêt de leurs victimes potentielles. Les psychiatres participent activement à cette recherche, en partie à cause des implications criminelles reliées à ce comportement. À cause de la condamnation sociale de ce genre de conduite et de l'échec constaté des divers programmes orientés vers le changement de comportement ou la maîtrise des personnes atteintes de ces troubles psychiatriques, il se pourrait que le système judiciaire prenne de plus en plus d'importance dans ce domaine où la science n'a pu donner de résultats valables. Ses solutions auraient tendance à être punitives et dispendieuses, et ne chercheraient aucunement à régler les problèmes sous-jacents. Même s'ils sont emprisonnés, il serait légitime de s'attendre à un changement de comportement et d'attitude chez ces déviants, parce que, dans la plupart des cas, après des dépenses publiques énormes, ils vont être réintégrés dans la société.

Plus généralement, tout comme pour ce qui a trait à plusieurs maladies mentales, on doit découvrir de meilleures façons d'aider à déterminer quel genre d'abuseur bénéficierait de quel traitement.

Sources d'information

BOSTON WOMEN'S COLLECTIVE, *The New Our Bodies, Ourselves.* Simon and Schuster, New York, 1984.

CALDERONE, Mary et RAMEY, James, *Talking with Your Child About Sex.* Random House, New York, 1982.

COMFORT, Alex, *Les plaisirs du sexe.* Éditions Franson, Montréal, 1972.

DIAGRAM GROUP, *Man's Body: An Owner's Manual.* Paddington Press et Two Continents Publishing Group, New York, 1976.

LACERTE-LAMONTAGNE, C. et LAMONTAGNE, Y., *Le viol: acte de pouvoir et de colère.* Éditions La Presse, Montréal, Maloine Éditeur, Paris, 1980.

LACERTE-LAMONTAGNE, C. et LAMONTAGNE, Y., *L'attentat sexuel contre les enfants.* Éditions La Presse, Montréal, 1977.

CHAPITRE 12

Les troubles émotionnels accompagnant le retard mental

Face à la maladie mentale, on se demande toujours ce qui est la cause et ce qui est l'effet. Ceci est particulièrement évident en ce qui a trait au retard mental. On prenait d'habitude pour acquis que le comportement anormal des gens qui en souffraient faisait partie de leur retard mental: s'ils se cognaient la tête contre les murs de façon répétée (krouomanie), avaient des accès de colère ou restaient muets, c'est parce que leur cerveau était endommagé, croyait-on.

On se rend compte aujourd'hui que les choses ne sont pas aussi simples que ça. Plusieurs de ces comportements peuvent être attribuables au trouble cérébral. Mais les gens souffrant de retard mental peuvent aussi avoir n'importe quel autre trouble psychiatrique. Et certaines perturbations peuvent résulter des problèmes qu'ils ont eus dans leurs relations avec les autres parce qu'ils étaient retardés mentalement.

Une mère peut avoir de la difficulté à former le lien habituel avec un nourrisson qui a une allure bizarre et répond lentement à ses demandes. Si le bébé fait face à des soins inconstants, de l'hostilité, de la peur ou même de la colère, il peut prendre encore plus de temps à développer son langage et ses facultés intellectuelles. Parmi les premières réactions de détresse possibles de l'enfant, surtout lorsque le retard mental est plus grave, on peut noter des vomissements, de fréquentes infections ou diarrhées, de la krouomanie, des sucements de couverture et du pouce, des rythmies céphalocorporelles (balancements de la tête et du corps) et des troubles du sommeil.

Ce comportement contraste beaucoup avec celui de certains bébés qui souffrent d'un léger retard et qui sont décrits comme des enfants très calmes et tranquilles. Quand un enfant tarde à marcher, à parler et à devenir propre, il n'acquiert pas la même maîtrise de soi et la même indépendance que les autres petits; il peut alors développer un sentiment d'échec et de piètre estime de lui-même. Des séances de counseling adéquat peuvent permettre aux parents d'éviter plusieurs de ces écueils en les aidant à offrir un soutien réaliste sans surprotéger leur enfant ou le stimuler à outrance.

Cela ne signifie pas qu'il faille blâmer les parents lorsqu'un enfant ou un adulte souffrant de retard mental se trouve en plus aux prises avec une maladie mentale. Les gens souffrant de retard mental ne sont pas plus immunisés contre les troubles psychiatriques que n'importe qui d'autre. En fait, des recherches ont indiqué qu'ils présentaient beaucoup plus de risques d'avoir des troubles d'adaptation, d'expérimenter de l'anxiété et d'avoir des comportements perturbateurs que les personnes d'intelligence normale.

À cause des déficiences de leur système nerveux central, de leurs troubles de développement et de leur habileté réduite à communiquer, il ne serait pas déraisonnable de s'attendre à ce qu'ils aient plus de difficultés à faire face aux situations stressantes que nous expérimentons tous et qu'ils soient plus sujets à souffrir de troubles émotionnels et de problèmes de comportement.

Une étude fascinante, réalisée à l'Ile de Wight en Angleterre, a permis de déceler que, pour le retard mental, la prévalence de troubles anxieux, de troubles du comportement et de difficultés d'adaptation était cinq fois plus grande que pour les autres troubles psychiatriques. Si l'on diagnostiquait aussi une encéphalopathie congénitale, la prévalence était six fois plus grande. D'un autre côté, les enfants qui ont des caractéristiques physiques associées à leur retard mental, comme les enfants atteints du syndrome de Down, semblent avoir moins de difficultés que ceux qui ont une apparence normale; c'est probablement parce que l'on s'attend à moins de leur part.

Le terme *retard mental* couvre un large éventail d'incapacités fonctionnelles: de ceux qui ne peuvent même pas maîtriser des fonctions corporelles de base à ceux qui peuvent vivre indépendants avec une certaine surveillance. En règle générale, ces deux dernières décennies, on s'est éloigné de l'institutionnalisation dans de grands établissements, même pour les gens les plus atteints: il y en a plus qui vivent à la maison, surtout les gens atteints de retard mental léger. Depuis peu, dans certaines régions, on les intègre dans des classes scolaires régulières.

Le développement physique et mental d'un enfant souffrant de retard mental est assez long; quand il est prêt à jouer, il est souvent plus grand et plus gros que les enfants du même niveau mental que lui. Il arrive aussi qu'il soit incapable de suivre les enfants de son âge dans leurs jeux. Cela peut accentuer son sentiment d'infériorité et l'empêcher d'essayer des expériences nouvelles ou compétitives.

On peut ne pas diagnostiquer les enfants atteints de retard mental léger jusqu'à ce qu'ils commencent à aller à l'école et qu'on se rende compte qu'ils ne peuvent pas suivre les autres. Surtout à la période de l'adolescence, alors qu'il a un grand besoin d'identification au groupe, d'indépendance vis-à-vis de ses parents et qu'il doit choisir une carrière, l'enfant peut devenir encore plus dépendant de ses parents ou montrer de l'agressivité et des comportements délinquants.

Mais, d'un autre côté, on sait bien que les gens plus âgés qui ont un retard mental aiment le conformisme et ont plus tendance à être coopératifs que compétitifs. Néanmoins, ils ne sont pas immunisés contre les facteurs qui engendrent le crime ou les comportements antisociaux dans la population. Statistiquement, ils sont surreprésentés au sein des populations criminelles, mais pour de petites infractions et non des crimes graves. Cela pourrait être dû au fait qu'ils ne sont pas assez malins pour éviter d'être arrêtés; ils plaideront coupable ou se confesseront d'un crime, qu'ils l'aient commis ou non.

Leurs pulsions sexuelles peuvent aussi les mettre en conflit avec leurs parents ou leur communauté. Dans le passé, on les plaçait en institution à cause de comportements homosexuels chez les garçons et de promiscuité chez les filles; cette punition n'aurait jamais été tolérée pour des jeunes gens d'intelligence normale qui auraient eu le même comportement.

La stérilisation sans le consentement de la personne concernée était aussi une pratique courante, mais la législation des droits civils a clairement restreint cette pratique, même si les parents la réclamaient quelquefois, surtout pour les filles. L'idée qu'elles mettraient au monde des bébés plus retardés qu'elles-mêmes et qu'elles ne pourraient pas prendre soin de leurs enfants en était la principale motivation.

Des études sur les mariages réussis parmi les adultes souffrant de retard mental ont indiqué que si les parents avaient de l'aide de l'extérieur pour s'occuper des enfants, en moyenne, l'intelligence de leurs enfants était presque normale et plus élevée que la leur. De plus, on ne notait pas une incidence plus élevée d'abus ou de négligence des enfants dans cette population. Toutefois, cette question est encore controversée à cause des pressions sociales, provenant souvent des contribuables qui, dans bien des cas, se battent pour élever leur propre famille, même dans des circonstances complètement «normales».

Traitement

Les gens souffrant de retard mental peuvent bénéficier des mêmes techniques de psychothérapie et de thérapie behaviorale et des mêmes médicaments que ceux dont on se sert pour traiter la dépression, l'anxiété ou la schizophrénie, mais il faut souvent y apporter des modifications spécifiques.

Lorsqu'un individu est agressif, quand sa sécurité et celle des gens qui l'entourent sont en jeu, il peut être nécessaire d'avoir recours à l'isolement temporaire, à un sédatif agissant à court terme ou à la contrainte physique. La contrainte mécanique ne devrait être utilisée qu'en dernier ressort. Le conditionnement d'interdiction provoquée — qui consiste en un petit choc électrique donné lorsque la personne se fait mal ou fait mal aux autres — est une technique controversée qui offense bien des gens qui lisent des articles à ce sujet, surtout pour les personnes souffrant de retard mental. Il est clair que c'est un dernier recours et on s'y est résolu dans quelques cas pour prévenir des blessures graves. D'un autre côté, on se sert exactement du même genre de conditionnement dans des cliniques privées dispendieuses pour aider les gens à arrêter de fumer, de boire ou de prendre certaines drogues.

Un jeune garçon retardé mentalement souffrait de krouomanie et se faisait très mal à la tête. Même s'il lui avait donné un casque protecteur, le personnel était inquiet de l'effet que ces coups répétés pourraient avoir sur son cerveau. C'est pourquoi on lui donna de légers électrochocs chaque fois qu'il agissait ainsi; il a rapidement appris à associer son comportement autodestructeur avec la douleur du choc électrique. En peu de temps, il a arrêté ces actes compulsifs et n'a presque pas eu besoin de renforcement thérapeutique du genre par la suite.

Tenir un dossier bien détaillé des troubles du comportement et des divers symptômes — leur sévérité, les circonstances et la fréquence d'apparition — peut s'avérer utile pour la famille et tout thérapeute qui doit évaluer la situation et établir des priorités. Ce dossier fournit les renseignements nécessaires à ceux qui doivent intervenir lors de crises de rage, de roulements de tête, de krouomanie, de rythmies et de cris.

La maîtrise du comportement perturbateur à l'aide de médicaments psychoactifs est courante dans le traitement de personnes souffrant de retard mental. La plus petite dose possible pendant la période de temps la plus courte devrait être de mise pour elles; de plus, les médicaments devraient être administrés pour le bénéfice du malade et non pour celui du soignant. Par exemple, on s'est servi avec succès de Depo-Provera, un contraceptif féminin, pour quelques hommes qui avaient des troubles du comportement sexuel, comme la masturbation en public plusieurs fois par jour. L'action de ce médicament est directe puisqu'il réduit la production de la testostérone, hormone sexuelle mâle.

L'abus de médicaments comme le valium pour traiter l'anxiété ou de médicaments antipsychotiques comme la chlorpromazine a déclenché une controverse; on avait le sentiment que cette médication était utilisée uniquement pour contrôler le comportement. Bien des médecins et des chercheurs croient qu'user judicieusement de patience, de fermeté et de gentillesse aurait le même effet. Bien que l'on n'ait pas eu recours dans le passé à la psychothérapie parce que certains thérapeutes croyaient que ces individus n'avaient pas une habileté de communication verbale suffisante, il en existe aujourd'hui pour témoigner du succès de cette approche.

La prévention est toujours préférable au traitement, et bien que ceci puisse sembler incroyable, la consommation d'alcool pendant la grossesse est considérée comme la troisième cause de retard mental en Amérique du Nord, après le syndrome de Down et les déficiences du tube neural au tout début de la grossesse. Le tiers des bébés nés de mères alcooliques chroniques souffrent de ce qu'on appelle le *syndrome fœtal alcoolique*. On l'a identifié au début des années soixante-dix et on le décrit comme une combinaison d'anomalies physiques, mentales et développementales irréversibles. Il est intéressant de noter que les Grecs et les Romains avaient déjà fait le lien entre l'infirmité des rejetons et l'alcoolisme maternel.

Tel qu'on peut le voir sur la photo, ceux qui souffrent le plus gravement du syndrome ont une apparence caractéristique — une petite tête, une figure plate, de petits yeux très écartés l'un de l'autre, un petit nez en trompette, une lèvre et une mâchoire supérieures peu développées et une asymétrie faciale. Ils sont petits à la naissance et n'atteignent jamais la taille des enfants de leur âge. On note couramment des déficiences du cœur, de la colonne et des articulations, un retard mental, une mauvaise coordination et de l'hyperactivité.

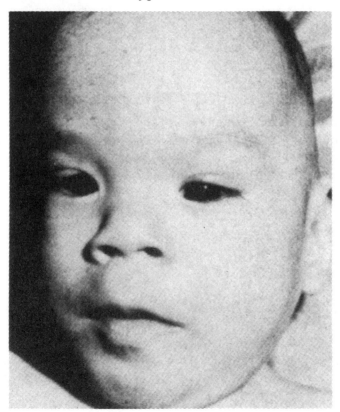

Un enfant souffrant du syndrome fœtal alcoolique

La gravité du syndrome fœtal alcoolique semble dépendre de la quantité d'alcool consommée, mais il existe des différences individuelles. Les scientifiques n'ont pas encore établi le degré de consommation d'alcool acceptable pendant la grossesse bien que plusieurs experts pensent qu'il puisse y en avoir un; les médecins disent habituellement: «Il est préférable pour le bébé que sa mère ne boive pas d'alcool.»

Recherche

La compréhension des causes et l'amélioration du traitement du retard mental se sont grandement développées au cours des trente dernières années; ce trouble affecte encore directement 1 % des Nord-Américains. Il est maintenant possible de trouver des centaines de gènes qui entraînent la perturbation de la chimie du cerveau, ce qui à son tour peut engendrer une déficience intellectuelle.

Si l'action de ces gènes commence pendant l'enfance, elle déclenche le retard mental, comme c'est le cas avec la phénylcétonurie où l'enfant manque d'une enzyme et souffrira de retard mental à moins qu'on ne fasse un diagnostic précoce et que l'on mette cet enfant au régime au début de sa vie. L'absence de cette enzyme prévient la dégradation de la phénylalanine qui s'accumule dans le sang et peut détruire le tissu cérébral. On peut contrôler cette situation en donnant un régime faible en phénylalanine aux enfants et aux femmes enceintes qui souffrent de phénylcétonurie.

L'impact tardif d'un gène déficient peut produire de la démence ou une détérioration du système nerveux, telle que la maladie de Huntington.

Afin de déterminer l'impact exact de ces gènes déficients, il faudrait se servir de techniques biochimiques modernes en recherche. Heureusement, il est maintenant possible de trouver des déficiences dans l'ADN, le schéma directeur génétique fondamental, avant même que les effets chimiques ou enzymatiques associés à ces déficiences ne commencent.

Les diagnostics de maladies inconnues jusqu'ici augmentent et requièrent une communication accrue entre les scientifiques du domaine. Par exemple, la détection du syndrome de Rett n'a été possible qu'après une étude minutieuse de l'arbre généalogique des familles et les développements importants dans l'analyse des tissus que l'on a fait croître en laboratoire. Cette maladie semblable à l'autisme, qui frappe seulement les filles, est aussi appelée le syndrome du X fragile; il s'agit d'une fragmentation du chromosome X, le chromosome féminin. On vient d'écrire un premier livre sur le sujet, où l'on traite des problèmes du syndrome de Rett et de la façon d'y faire face.

La grande percée dans le domaine du retard mental est le développement de plus de mille techniques behaviorales pour améliorer l'habileté de la personne souffrant de retard mental à s'intégrer dans la société. Mais ces diverses approches de traitement requièrent encore une soigneuse analyse scientifique.

La révolution biologique qui a permis la création de médicaments pouvant réduire l'impact de la schizophrénie et de la dépression ne fait que commencer à toucher les gens souffrant de retard mental à cause des difficultés qu'ils ont à s'exprimer verbalement pour décrire leurs symptômes; cela retarde le processus de diagnostic de cette maladie. Des études plus minutieuses et systématiques des gens chez qui on a diagnostiqué les deux maladies s'imposent.

L'exposition de la mère au virus de la rubéole pendant les trois premiers mois de sa grossesse était un facteur significatif de retard mental chez le nourrisson avant que l'on trouve un vaccin pour la rubéole. Maintenant que l'on a découvert que la première cause du retard mental des nouveau-nés était le virus des inclusions cytomégaliques, qui frappe 1 bébé sur 1 000, on a grand besoin d'un vaccin ou d'un traitement. On peut maintenant identifier les agents chimiques qui causent la reproduction d'un virus de sorte que les chercheurs de demain réussiront probablement à trouver une manière de bloquer le cycle vital du virus et d'arrêter le processus de la maladie.

De plus, on a besoin de nouveaux systèmes de communication efficaces, de façon urgente, pour surmonter les troubles du langage chez les gens souffrant de retard mental, ces troubles étant leur plus grand handicap après les troubles du comportement.

CHAPITRE 13

Les troubles
de l'apprentissage

Que les enfants aiment ça ou non, l'école est leur lieu de travail.

La scolarisation est un des fondements de leur vie. Les performances scolaires et sociales d'un enfant durant ses premières années d'école peuvent affecter profondément son estime de lui-même et la manière dont les autres enfants et les adultes le perçoivent et réagissent à son égard.

Bien sûr, l'apprentissage ne commence pas à l'école. Dès les tout premiers jours de sa vie, un enfant commence à apprendre directement de son environnement, en examinant ses orteils, en secouant un hochet, en identifiant des figures, en explorant, en touchant et évidemment en mangeant tout. Mais c'est à l'école que se structure formellement l'apprentissage. Non seulement l'enfant doit apprendre son abc, mais encore il doit le faire dans un environnement où il ne peut plus parler ou chanter quand il en a envie, se lever pour aller chercher une collation ou agir au gré de sa fantaisie. C'est aussi à l'école que les troubles de l'apprentissage sont le plus susceptibles d'être diagnostiqués.

Sous la définition générale d'«une incapacité à suivre ses camarades de classe ou à atteindre une norme scolaire que l'on considère appropriée pour son intelligence» se retrouvent plusieurs sortes de troubles de l'apprentissage.

Le retard mental, un manque de capacités intellectuelles, limite la quantité d'acquisitions d'un enfant, mais l'apprentissage peut aussi être entravé par les altérations de la façon de penser d'un enfant, laquelle influence son attention, sa concentration, sa mémoire et sa perception.

Sa motivation à apprendre peut être diminuée si les gens qui sont importants pour lui ne semblent pas accorder trop d'importance à l'instruction ou s'il a peu de soutien ou de valorisation de la part de sa famille. Quelques enfants trouvent que les efforts qu'ils fournissent pour arriver à une «performance» acceptable sont trop grands comparés aux résultats qu'ils en retirent; des échecs répétés peuvent les amener à arrêter d'essayer. Les troubles émotionnels de certains et l'énergie qu'ils doivent déployer pour maîtriser leur anxiété ou leur dépression font qu'ils ne sont plus assez alertes pour apprendre. D'autres encore peuvent développer des troubles névrotiques, tels que refuser d'apprendre pour s'opposer inconsciemment à leurs parents ou enseignants.

Tableau 13.1

Principales facultés affectées
par les troubles de l'apprentissage

Perception	Processus	Expression
auditive	mémoire	écrite
visuelle	organisation	verbale
kinesthésique	raison	non verbale
spatiale	évaluation	
temporelle	extrapolation	

Des conflits de personnalité avec les enseignants, du stress et des problèmes causés par les déménagements ou changements d'école et d'enseignants, des absences dues à la maladie et d'autres facteurs peuvent affecter l'apprentissage.

On a identifié des troubles spécifiques de l'apprentissage où les déficiences ou dysfonctionnements rendent extrêmement difficile la maîtrise de la lecture, de l'épellation, de l'écriture et des mathématiques. Ce n'est pas un manque d'intelligence, bien que les enfants ayant un quotient intellectuel (QI) faible ne sont pas immunisés. Plusieurs de ces enfants sont très brillants et réussissent dans d'autres domaines. Par exemple, Albert Einstein et Léonard de Vinci souffraient tous les deux de dyslexie, un des nombreux troubles congénitaux du langage.

Joseph, un enfant de quatorze ans, ne réussissait pas bien en 7e année, même si sa mère était enseignante et passait une bonne partie de ses soirées à lui donner des cours privés; il avait pourtant eu une note supérieure à la moyenne lors d'un test d'intelligence. Il réussissait bien dans les sports, sa santé était bonne, son audition et sa vision étaient normales. Lors d'un test de classement, il eut un 10 en mathématiques, mais il n'obtint qu'un 5 pour la lecture et l'épellation, ce qui était inférieur à la normale. Lorsqu'on lui demanda de lire à voix haute, il substitua bien des mots, en en choisissant généralement d'autres ayant la même signification, comme «point» pour «tache» ou «police» pour «agent».

La *dyslexie* est un terme grec qui signifie difficulté avec les mots; pour un enfant dyslexique, une page en français pourrait tout aussi bien être écrite en grec. Il s'agit d'une incapacité de lire, d'écrire et d'épeler parce que le langage écrit ne signifie rien pour l'enfant. Il est incapable de faire le lien entre les symboles écrits et les mots dont il se sert tous les jours pour parler.

Il peut être incapable de distinguer les lettres dont les formes sont similaires mais qui sont inversées, comme les «u» et «n», «b» et «d» ainsi que «p» et «g». Il peut aussi renverser les mots, de sorte qu'il lit «les» pour «sel» et «son» pour «nos». Il peut être incapable de distinguer les lettres qui ont des sons presque similaires comme «f» et «v».

Plusieurs des erreurs d'épellation des dyslexiques peuvent s'expliquer par le fait qu'ils font appel à des homonymes ou des équivalents phonétiques — une épellation qui sonne de la même façon. Ainsi, «coût» devient «cou» ou «coup». D'autres erreurs sont inattendues: «fourfir» pour «fournir» et «diciffile» pour «difficile».

Le dyslexique ne voit pas les mots de la façon qu'un lecteur normal les voit; cela pourrait être dû aux mouvements anormaux de ses yeux: ils arrêtent au milieu des mots, plutôt qu'entre les mots. Regardez la phrase ci-dessous, on a indiqué une césure à l'endroit où l'on a enregistré un arrêt des yeux du dyslexique:

«Tous le•s anim•aux du zo•o étaient en•fermés d•ans leur ca•ge»

Le dyslexique peut essayer de deviner ce qui est écrit dans un texte: s'il reconnaît qu'un mot commence avec un «s», il peut essayer de dire un mot qu'il connaît qui commence par ce son, même s'il est complètement inapproprié.

Susan Hampshire, vedette de la série télévisée *La saga des Forsyte,* décrit comment on se sent quand on est un enfant dyslexique:

On se sent seul quand on est un enfant ayant un trouble que personne ne peut voir ou entendre. On exaspère ses maîtresses, on déçoit ses parents et, ce qui est pire, on n'a aucune façon de prouver qu'on n'est pas stupide. À l'école, j'avais une peur terrible que la maîtresse me pointe du doigt et dise: «Susan, tu vas te lever et me lire les deux paragraphes suivants.» Alors que je m'efforçais de déchiffrer les mots, la transpiration coulait le long de mes bras et faisait des petites flaques sur le plancher.

Essayer d'écrire est tout aussi désastreux; des mots sautés, des syllabes oubliées et des épellations mélangées. Aux figures 13.1 et 13.2, on peut voir des modèles d'écriture classiques des gens qui souffrent de dyslexie:

Figure 13.1
Fusion de deux lettres consécutives dans le mot «leur»

Figure 13.2
Fusion et omission de lettres dans le mot «panier»

Un autre problème spécifique est celui des mathématiques — l'enfant ne peut maîtriser les concepts d'addition, de soustraction, de multiplication et de division. La plupart des choses que nous pouvons dire concernant les troubles arithmétiques nous viennent de l'étude d'adultes souffrant d'encéphalopathie congénitale; il semble que le même genre de problème puisse survenir chez des enfants ne souffrant pas d'encéphalopathie congénitale. Alors qu'ils parlent couramment et ont un bon QI verbal, leur performance au test de QI est relativement faible. Par exemple, lorsqu'on lui donne un problème mathématique à effectuer, l'enfant peut le résoudre s'il sollicite uniquement la mémoire. Si, par exemple, il a mémorisé des tables de multiplication, il peut être capable de trouver une réponse qui nécessite seulement un rappel, mais s'il doit calculer une nouvelle somme, il ne peut le faire. Quelques enfants souffrent à la fois de dyslexie et de trouble de l'apprentissage non verbal.

La dyslexie survient environ quatre fois plus souvent chez les garçons que chez les filles et peut affecter, à un degré quelconque, jusqu'à 10 % des enfants d'âge scolaire de toutes les couches de la société. L'hyperactivité peut aussi accompagner les troubles de l'apprentissage; on y consacre un chapitre.

Mais, quelle que soit la cause du trouble de l'apprentissage, l'enfant peut devenir mésadapté à cause d'une piètre estime de lui-même, associée à des échecs répétés et à la façon dont les gens de son entourage le perçoivent.

Quelques parents peuvent être incapables d'accepter quelque imperfection chez leurs enfants et les rejettent ouvertement ou subtilement. Cela provoque, chez le jeune, un sentiment d'échec qui peut conduire à une dépression grave et même au suicide.

Interventions possibles

Avant de diagnostiquer un trouble de l'apprentissage spécifique, il faut faire des évaluations physique et psychologique complètes, incluant une vérification de l'audition, de la vision et de toute lésion cérébrale ayant pu survenir si la mère buvait beaucoup pendant la grossesse ou si on a appliqué les forceps lors de l'accouchement. Dans de rares cas, les jeunes enfants peuvent avoir une infection qui entraîne une inflammation du cerveau et peut perturber leur habileté d'apprentissage.

Il est important de savoir si l'enfant souffre de détresse émotionnelle. La dépression chez l'enfant peut s'accompagner d'absence de motivation, de tristesse envahissante, de piètre estime de soi, d'un manque de confiance face à l'apprentissage et d'un manque de curiosité.

On doit évaluer l'intelligence. Les enfants ayant des troubles de l'apprentissage spécifiques ont souvent un QI équivalent à celui d'enfants normaux, mais, comme Joseph, ils peuvent avoir des résultats faibles dans des tests plus spécifiques, comme ceux qui évaluent les habiletés verbales.

Les enfants ayant des troubles de l'apprentissage ont aussi de la difficulté à copier des formes comme un triangle relié à un carré. Ils semblent incapables de copier des dessins linéaires d'une manière séquentielle ordonnée et on dit qu'ils ont un trouble du fonctionnement moteur perceptuel.

Les membres de la famille trouvent que cet enfant a de la difficulté à persévérer dans une tâche à l'école et à l'extérieur de celle-ci. Il est perçu comme un anxieux, qui lit et épelle mal, et a tendance à être maladroit. Ses parents ne le considèrent pas comme quelqu'un de stable ou de bien organisé.

L'identification d'un trouble de l'apprentissage n'élimine pas pour autant la possibilité de l'influence d'autres troubles, comme les troubles émotionnels, qui peuvent aussi entraver l'apprentissage de l'enfant. Une approche globale pour évaluer tous les facteurs environnementaux est la meilleure façon d'agir.

Dans une théorie courante concernant le développement des troubles de l'apprentissage, on met en cause la manière dont le cortex cérébral, ou certaines de ses régions spécifiques, est organisé. L'agencement des cellules est déterminé au deuxième trimestre de la gestation, quand les cellules du tube neural embryonnaire migrent vers les parties appropriées du cortex cérébral. Des erreurs peuvent survenir dans l'agencement et la séquence des colonnes de cellules qui migrent à l'extérieur. Elles peuvent être causées par des directives erronées provenant des gènes, par la consommation d'une substance chimique toxique par la mère ou même possiblement par la production d'une substance chimique toxique au sein du corps humain.

Ces situations peuvent entraîner la production d'un groupe de cellules qui ne sont pas reliées de la bonne façon, ou dans le bon ordre, ce qui suscite une incapacité de faire des liens, tels que ceux qui existent entre un son et un ensemble de lettres.

Il est recommandé de faire reconnaître aux élèves les sons ou phonèmes typiques contenus dans les mots; cela les aide à mémoriser des mots, ce qu'ils peuvent faire facilement, et à reconnaître les sons que les mots ont en commun, tels que le «elle» et le «il». Quelques élèves ne peuvent décoder le mot écrit et le traduire en sons; ils peuvent avoir besoin de plusieurs répétitions au cours desquelles ils se serviront de leurs cinq sens, comme écouter un enregistrement d'un texte alors qu'ils le lisent, ou apprendre la forme ou la sensation d'un mot en l'«écrivant dans l'espace», ou en traçant la lettre qui apparie le nom de l'objet avec sa forme. Après plusieurs répétitions, la forme, la sensation et le son des lettres peuvent souvent s'implanter fermement dans la mémoire de l'élève.

En faisant des répétitions d'épellation, l'enfant peut apprendre à trouver les mots dans le dictionnaire, éventuellement en soixante secondes ou moins. Une vérification quotidienne permet de réviser tous les sons que l'enfant a déjà étudiés; il répète chaque son, il l'identifie et il le nomme, et il écrit la lettre qui le représente. De cette manière, il peut apprendre à épeler la plupart des mots dont il a besoin sans avoir à mémoriser les mots complets.

Troubles de l'apprentissage non verbal

Certains enfants doués d'une bonne intelligence ont de la difficulté à apprendre l'arithmétique, mais n'en ont pas pour apprendre la lecture et l'épellation. Les habiletés verbales ont leur siège dans l'hémisphère gauche (on dit aussi cerveau gauche) des droitiers alors que les habiletés pour apprendre les symboles arithmétiques et les autres formes ont leur siège dans l'hémisphère droit (on dit aussi cerveau droit) des droitiers; l'absence de lésion dans ces hémisphères cérébraux est préférable pour assurer leur bon fonctionnement. On croit qu'il y aurait probablement une lésion du siège des fonctions spatiales dans le cerveau droit des enfants qui ont des troubles de l'apprentissage. On a découvert que ceux qui avaient de la difficulté à apprendre l'arithmétique avaient aussi de la difficulté à apprendre toute forme spatiale, ainsi que des troubles de coordination, surtout du côté gauche du corps, puisque ce dernier est contrôlé par le cerveau droit. Ils peuvent avoir de la difficulté à écrire parce qu'il est difficile pour eux d'apprendre les formes des lettres écrites.

Ces enfants ont peu d'intérêt à explorer des stimuli visuels ou tactiles et ils ont tendance à être sédentaires plutôt qu'actifs. Souvent, ils ont une voix plutôt ennuyeuse et monotone parce qu'ils n'ont pas accès à la mélodie, expression émotionnelle du langage, qui est une fonction de l'hémisphère droit.

Les personnes qui souffrent de troubles de l'apprentissage non verbal ont de la difficulté à saisir, organiser et synthétiser des situations nouvelles et complexes. Elles ont tendance à se réfugier dans des jeux de rôle prosaïques qui sont inadéquats; au fur et à mesure qu'elles avancent en âge, elles ont tendance à s'isoler. Pendant l'enfance, ces gens ont des comportements négatifs et sont souvent qualifiés d'hyperactifs. En grandissant, ils deviennent souvent hypoactifs, font montre d'une anxiété excessive et de dépression, qui augmentent avec l'âge.

Le traitement et la réadaptation des enfants souffrant de troubles de l'apprentissage non verbal sont cruciaux mais difficiles. Ces enfants donnent l'impression qu'ils n'ont aucun problème parce qu'ils lisent et épellent bien, mais si on ne s'en occupe pas, leur avenir pourrait être plutôt sombre. Il faut leur enseigner les notions spatiales par répétition, incluant les formes des lettres écrites et faire des répétitions fréquentes et régulières. Toute tâche demandant de copier une forme devra s'accompagner de consignes verbales claires.

Il faut aussi montrer aux jeunes souffrant de troubles de l'apprentissage non verbal à comprendre des situations sociales simples, à la maison et à l'école, afin qu'ils puissent comprendre l'importance et la futilité des choses; les stratégies à développer pour s'adapter à des problèmes spécifiques; la gestuelle; la transmission des sentiments d'une façon non verbale.

Pour les troubles de l'apprentissage en général, il devrait y avoir des cours de rattrapage, surtout à l'école, ce qui ne veut pas dire que les parents ne devraient pas être impliqués. Ils pourraient aussi bénéficier de groupes d'entraide.

Les enseignants sont maintenant plus conscients de l'existence des troubles de l'apprentissage, mais, à moins qu'ils aient une expérience considérable et un intérêt particulier pour le sujet, ils ne peuvent être les seuls responsables des cours de rattrapage. Ils ont besoin de l'aide de professionnels en enseignement spécialisé, en psychologie et en santé mentale pour obtenir une évaluation multidimensionnelle.

Idéalement, chaque école devrait avoir accès aux services d'un spécialiste des troubles de l'apprentissage, sur place ou dans la communauté. De tels investissements peuvent aider maintenant à sauver une fortune en traitements futurs de même qu'en coûts sociaux pour les années à venir.

Recherche

La compréhension des processus sous-jacents des troubles de l'apprentissage s'est améliorée, mais on n'a que peu de réponses définitives à offrir devant des situations concrètes. Les méthodes utilisées pour alléger le problème peuvent ne s'adresser qu'à un ou deux de ses aspects; on doit développer et évaluer plus à fond nos habiletés dans ce domaine.

Encore une fois, les techniques de visualisation cérébrale, comme la tomographie à émission de positrons, offrent la possibilité d'étudier le fonctionnement du cerveau pendant l'apprentissage. L'apprentissage de la lecture, par exemple, peut se disséquer en ses composantes, afin que l'on puisse voir à chaque étape quelles parties du cerveau sont impliquées et si on peut y dénoter une anomalie subtile. La démarche suivante consisterait à découvrir la façon d'utiliser les autres parties du cerveau: on pourrait faire lire et écouter les mêmes mots à un enfant pendant qu'il serait examiné au moyen d'un scanographe ou d'une autre technologie avoisinante.

Sources d'information

Canadian Association for Children with Learning Disabilities, 323 Chapel St., Ottawa, Ontario, K1N 7Z2. Il existe des divisions dans chaque province.

DUDLEY, John et DELAGE, Jocelyne, *Le langage en suspens*. Éditions Héritage, Montréal, 1990.

HORSNBY, B., *Overcoming Dyslexia*. Prentice-Hall Canada Ltd., Toronto, 1984.

CHAPITRE 14

L'hyperactivité

L'hyperactivité a eu plus de noms qu'Elizabeth Taylor en a eu ces trente dernières années. Avant 1960, on l'appelait trouble causé par des lésions cérébrales minimes, mais on a délaissé cette terminologie parce qu'on n'a jamais pu prouver qu'il y avait vraiment des lésions du cerveau et que le trouble était minime: les enfants qui en étaient atteints avaient énormément de problèmes.

Dans les années soixante, cette affection est devenue dysfonctionnement cérébral minime, pour dénoter un malfonctionnement du cerveau, plutôt que des lésions véritables au niveau physique ou chimique. Mais on avait encore un problème avec «minime».

Le nom suivant sur la liste fut hyperactivité développementale, ce qui laissait entendre une immaturité que vaincrait l'enfant. Cette dénomination n'a pas tenu le coup après des études à long terme qui ont indiqué que la moitié des enfants affectés par ce problème ne s'en débarrassaient pas, même pendant leur vie adulte.

Aujourd'hui, on parle couramment de syndrome de l'enfant hyperactif, bien que les psychiatres l'appellent officiellement trouble déficitaire de l'attention avec hyperactivité.

Malgré les nombreux changements de nom, le tableau demeure malheureusement le même. Ces enfants, habituellement des garçons, sont des machines en mouvement perpétuel qui peuvent rendre leurs parents fous de fatigue et de frustration. Dès leur tout jeune âge, ils ne semblent pas pouvoir s'asseoir tranquilles plus d'une minute. La durée de leur attention est d'environ une demi-annonce publicitaire à la télé. Ils courent d'une chose à l'autre et finissent rarement une tâche. Ils sont aisément distraits par les stimuli de l'environnement.

Ces jeunes ne sont pas seulement très actifs ou très turbulents. Leur activité diffère de celle des enfants de leur âge en qualité et en quantité:

- leur impulsivité fait qu'ils bâclent leur travail en dépit d'efforts raisonnables;
- souvent, ils s'imposent aux autres ou les interrompent dans leurs actions ou leurs conversations;
- ils ont du mal à attendre leur tour;
- ils deviennent facilement frustrés, ce qui peut les porter à se battre avec les autres enfants.

Même lorsqu'ils sont bébés, ils peuvent avoir plus de problèmes de coliques, de sommeil et d'alimentation que les nourrissons normaux. Ils peuvent ne pas aimer être tenus dans les bras plus de quelques minutes et ceci peut signifier le début de la frustration de la mère parce qu'elle ne semble pas pouvoir réconforter son bébé.

Lorsqu'ils commencent à marcher, ils se mettent plutôt à courir. Ils peuvent sauter en l'air dans leur lit d'enfant jusqu'à en détruire le matelas ou grimper par-dessus les barrières du lit. Ils ont une témérité inhabituelle et on doit les surveiller étroitement afin de les empêcher de grimper pour atteindre la pharmacie ou de courir dans la rue. Malheureusement, plus souvent qu'autrement, leur devise semble être: «Dernier au lit, premier debout.»

Vers l'âge de quatre ans, l'enfant hyperactif peut être incapable de jouer seul ou avec les autres; sa frustration rapide, son manque de concentration et ses exigences en font un copain ou un invité impopulaire.

Si on l'amène en visite, l'hyperactif court d'un objet à l'autre, brise fréquemment des choses, interrompt les conversations et exige de l'attention. De plus, les jardins d'enfants peuvent refuser de le garder.

Ses parents se plaignent souvent que «rien ne marche», que les compliments n'ont pas plus d'effet que les punitions. Certains hyperactifs vont répondre au renforcement positif, qui doit être plus fréquent, immédiat et varié que pour les enfants normaux.

À l'école primaire, où l'on s'attend à ce qu'il se concentre sur ses études et reste assis pendant des périodes plus longues, il devient très difficile pour les enseignants de lui imposer une discipline et ses résultats sont inférieurs à son habileté intellectuelle. Il a des échecs et il peut alors ajouter une piètre estime de lui-même à ses autres problèmes.

Lorsqu'il atteint l'adolescence, ses problèmes les plus sérieux sont probablement l'échec scolaire et le comportement antisocial. Un bon nombre de ces adolescents passent en cour pour des infractions comme le vagabondage ou le vol. À une période de la vie où il importe d'avoir des amis intimes, l'hyperactif peut être incapable de s'en faire.

On a diagnostiqué ce trouble de comportement partout à travers le monde, dans tous les genres d'environnement, mais les taux de prévalence varient grandement. Dans quelques villes américaines, on en compte 6 sur 100 alors que dans l'Ile de Wight, on en dénombre 1 sur 1 000. Ces différences peuvent être dues aux dissemblances des critères de diagnostic et des méthodes de cueillette des données autant qu'aux différences véritables de prévalence.

Même le rapport de 5 à 9 garçons hyperactifs pour 1 fille hyperactive a été remis en question, car on a émis la possibilité que l'identification du problème chez les garçons était due à un comportement plus perburbateur que celui des filles. On ne dénote pas de symptômes particuliers pour la fille hyperactive comparée au garçon hyperactif: elle présente le même genre de comportement mais à un degré moindre.

On ne connaît pas les causes du syndrome de l'enfant hyperactif. Comme on l'a déjà mentionné, on croyait qu'il était dû à un certain type de lésions cérébrales, mais ceci n'a jamais été prouvé; en ce moment, on a tendance à croire à un certain type de dysfonctionnement du cerveau, probablement d'origine génétique. Nous avons quelques indices qui montrent que des facteurs héréditaires joueraient aussi un rôle.

Selon une opinion très répandue, mais qui n'est pas une certitude, un important facteur serait ici un déséquilibre du système cérébral des catécholamines, des substances chimiques transmises le long de l'axone du neurone et libérées à sa terminaison nerveuse qui font le lien avec le neurone avoisinant. La noradrénaline est l'une de ces substances chimiques que l'on retrouve partout dans le cerveau et qui a trait à la vivacité et à l'attention; mais des observations indiquent que l'un de ses produits de dégradation, la normétanéphrine, se trouve en plus grande quantité chez l'enfant hyperactif.

Donner de la d-amphétamine pendant deux semaines à un enfant hyperactif réduira le taux du produit de dégradation de la noradrénaline dans son urine. Mais, en dépit de cette constatation, il n'existe pas de preuve concluante d'un trouble du métabolisme catécholaminique. Certains autres médicaments comme les amphétamines, qui stimulent normalement l'activité des catécholamines, peuvent avoir un effet paradoxal chez l'enfant hyperactif. Dans une étude effectuée avec la tomographie à émission de positrons concernant l'effet des amphétamines, on a pu voir, chez les enfants hyperactifs, que le métabolisme était ralenti dans l'aire du cerveau qui contrôle l'activité motrice, même si ce médicament accélère le métabolisme des jeunes enfants normaux.

On sait bien que les additifs alimentaires et le sucre ont été tenus responsables d'une aggravation du comportement hyperactif, mais des études contrôlées avec soin n'ont indiqué aucune association concluante. À leur insu, mais avec la permission de leurs parents, on a donné à un groupe d'enfants un régime sans additif et à un groupe contrôle un régime avec des additifs normaux; des observateurs qui ne savaient pas quels enfants suivaient quel régime ont ensuite mesuré leur hyperactivité. Des études croisées ont aussi été effectuées: un enfant suivait un régime alimentaire pendant quelques semaines, puis changeait pour un autre, et vice versa, sans que l'enfant ou ses parents sachent quel régime contenait des additifs.

Avec nombre d'autres études, on est parvenu au même résultat: les additifs alimentaires n'affectent pas l'hyperactivité. La plupart des médecins sont convaincus que ceci est probablement vrai. Toutefois, certaines personnes tiennent mordicus au point de vue opposé, probablement parce qu'ils ont besoin de croire qu'il existe quelque part une cause tangible que l'on peut maîtriser. Cela les rassure, et ils se sentent plus en sécurité que s'ils ne connaissaient pas la cause. De toute façon, éliminer ou réduire les quantités incroyables de ces composés que mangent les enfants peut seulement améliorer leur santé de bien des manières.

Parce que les psychiatres sont d'abord et avant tout des médecins, ils sont d'avis que ces additifs et les aliments sans valeur nutritive en général ont un effet perturbateur; la quantité de ces produits consommée n'est habituellement pas équilibrée avec le poids du malade. En effet, il semble souvent qu'ils soient inversement proportionnels. Quand un enfant dit normal de neuf ans mange quatre sucettes glacées violettes, boit deux coca-colas et engloutit deux sacs de croustilles en un après-midi, les médecins ne peuvent que se lamenter que la dose de sucre, de couleur artificielle, de gras animal saturé et de saveurs artificielles est colossale, comparativement aux 41 kg (90 lb) du garçonnet. Une boisson gazeuse typique contient environ 8 cuillerées à thé de sucre et l'on sait bien que le corps convertit le sucre en énergie quand le pancréas produit de l'insuline. À travers un système de régulation très sophistiqué, le pancréas essaie de produire et de distribuer assez d'insuline pour que le niveau de sucre dans le sang soit à peu près d'environ 100 mg par décilitre, ce qui équivaut à environ 1 cuillerée à thé de sucre dans l'organisme d'une personne de 70 kg (155 lb). Ainsi, quand un médecin voit un enfant manger une collation comme celle que nous avons décrite, il ne peut que s'imaginer le pauvre pancréas sauter sur sa bicyclette et se mettre à pédaler avec frénésie.

Heureusement, il n'y a pas de preuve tangible qui confirme qu'une consommation excessive de sucre et d'autres additifs cause des maladies physiques spécifiques. Mais, évidemment, le diabète est la maladie qui survient quand le pancréas «rend son tablier» ou est détruit par une cause inconnue. C'est pourquoi une consommation moindre de ces additifs alimentaires, barbares pour la plupart, diminuera la pression sur ce système corporel ou les autres. Avant la Seconde Guerre mondiale, ces additifs n'existaient même pas; il est donc normal que les effets de ces substances soient relativement moins connus que ceux, disons, des épinards.

De toute manière, pour ce qui est des enfants hyperactifs, il est difficile de séparer la cause de l'effet par rapport aux autres facteurs environnementaux importants, tels que la famille et l'école. Actuellement, les scientifiques ne peuvent établir avec certitude la partie du comportement d'un enfant qui résulte de la façon dont le traitent ses parents, ses enseignants et ses pairs, dont les réactions sont aussi affectées par l'hyperactivité de l'enfant.

Traitement

Il y a un demi-siècle, au Rhode Island, dans un centre de traitement pour enfants ayant un comportement désordonné, on a trouvé, de façon quelque peu paradoxale, que la moitié d'entre eux présentaient une amélioration de leur comportement et de leur travail scolaire si on leur donnait des stimulants. Le méthylphénidate (Ritalin), un médicament synthétique ayant un effet similaire à celui des amphétamines, semble efficace pour environ 90 % des enfants hyperactifs. La dextroamphétamine est un autre médicament qui a fait ses preuves. Certains jeunes y répondent mieux qu'à l'autre.

En partie à cause de ces résultats, le nombre d'enfants qui reçoivent des stimulants sous surveillance médicale s'accroît.

Dans une étude américaine, on a noté une augmentation de ce nombre de 1,1 % en 1971 à 3,6 % en 1983; dans une autre, on a montré qu'entre 1 et 2 % d'enfants de niveau scolaire primaire recevaient des médicaments pour l'hyperactivité.

Dans plusieurs études bien contrôlées, on montre que ces médicaments produisent apparemment de remarquables résultats. Ils améliorent évidemment la durée de l'attention, le niveau d'activité, la coordination motrice fine et grossière, les calculs mathématiques, la mémoire et les relations avec les autres, tout en réduisant l'impulsivité et l'agressivité.

Néanmoins, plusieurs parents et quelques professionnels de la santé mentale s'inquiètent de la prescription exagérée de ces médicaments, bien qu'aucun sondage ne prouve qu'on le fasse. Quand il soupçonne cette situation, le parent a le droit de demander au médecin les critères diagnostiques utilisés pour déterminer que la thérapie appropriée est la prescription de stimulants. Ce serait une mauvaise pratique que de donner à un enfant ces médicaments seulement parce qu'il est agressif ou se comporte mal.

En fait, les stimulants devraient être prescrits seulement sur une base individuelle après une évaluation minutieuse qui inclut un examen physique de l'enfant, des détails concernant la grossesse et le développement de l'enfant, la gravité et la fréquence de tout symptôme, la présence de tout trouble de l'apprentissage et la perception qu'a l'enfant de lui-même, de sa famille, de ses pairs et de l'école. L'étude des interactions au sein de l'environnement familial et scolaire devrait certainement être incluse dans cette analyse.

La présence d'une enseignante qui a de l'expérience avec les enfants hyperactifs et un programme de traitement à l'intérieur des cours sont les bases d'une planification de soins bien orchestrée; on doit donc inviter l'enseignante à participer à tout programme de traitement.

Considérant que les stimulants sont souvent un traitement utile, il peut sembler paradoxal qu'en classe on limite les distractions pour que les enfants bénéficient d'un environnement physique sans stimulation excessive et d'un encadrement clair et défini.

Bien des enfants hyperactifs ont besoin d'un traitement autre que la médication ou du traitement qui y est associé. Un entraînement de l'enfant aux habiletés sociales et autodisciplinaires, une psychothérapie pour traiter sa piètre estime de lui-même et tout symptôme dépressif, un entraînement des parents et même du counseling familial et une thérapie conjugale peuvent faire partie d'un plan taillé sur mesure.

Malheureusement, même si les stimulants peuvent aider l'enfant à maîtriser son comportement, ils ne guérissent pas cette affection. Les résultats de nombreuses études effectuées pour évaluer le résultat de leur utilisation à long terme sont décevants, ils ne règlent pas les problèmes sous-jacents. Il peut y avoir bien des causes: les enfants peuvent avoir arrêté de prendre les médicaments régulièrement; les doses prescrites n'étaient pas optimales; les enfants n'ont pas eu la thérapie non médicamenteuse dont ils avaient aussi besoin; ils peuvent avoir développé une tolérance aux stimulants; ou ces résultats peuvent découler d'une combinaison de tels facteurs.

La perte de l'appétit et les troubles du sommeil sont les effets secondaires les plus courants des stimulants; ils peuvent être diminués en administrant les médicaments avant le milieu de la journée. Ils peuvent aussi déclencher des convulsions chez les enfants portés à en faire puisqu'ils abaissent le seuil de convulsion.

On a prétendu avec inquiétude que les stimulants pouvaient arrêter la croissance; c'est la raison pour laquelle quelques médecins suppriment cette médication pendant la poussée de croissance de l'adolescence. On a découvert que les enfants qui ne prennent ces médicament que pendant les jours de la semaine et qui n'en prennent pas pendant les week-ends et la saison estivale grandissent normalement.

Recherche

La priorité est de mettre au point des critères diagnostiques qui permettent de distinguer, de façon fiable, la suractivité, qui est simplement due à l'excitation, au manque de discipline ou à d'autres causes, de l'hyperactivité. Ceci aiderait grandement à réduire l'incertitude concernant les enfants qui doivent être traités ou non par une thérapie médicamenteuse ou autre.

En deuxième lieu, on doit découvrir des médicaments plus sûrs et efficaces. Les progrès dans l'étude de la chimie du cerveau sont prometteurs; ils permettraient de créer des médicaments conçus pour frapper des cibles spécifiques sans avoir d'effets secondaires indésirables. On a besoin aussi d'études concernant les effets à long terme des différentes doses de stimulants que l'on utilise maintenant, selon leur impact sur l'adaptation scolaire, sociale et émotionnelle.

On devrait aussi faire un examen plus approfondi des effets à court et à long terme des différentes combinaisons de programmes d'intervention pour différents sous-groupes d'enfants souffrant de trouble déficitaire de l'attention avec hyperactivité.

De plus, on doit améliorer les techniques éducatives existantes, afin de pouvoir offrir à ce genre d'enfant un environnement scolaire, des cours, des stratégies d'enseignement et des méthodes de gestion du comportement qui seront mieux adaptés à sa personnalité.

Beaucoup d'études sont en cours en ce moment pour trouver des moyens d'améliorer les habiletés d'autodiscipline de l'enfant, un problème crucial de l'hyperactivité; bien que les techniques que l'on est en train de mettre au point semblent prometteuses, elle ne sont pas encore éprouvées. Il sera important de voir la façon dont les techniques de modification du comportement et les médicaments agissent les uns sur les autres. Leur effet combiné sera-t-il meilleur que lorsqu'ils sont administrés séparément? Les familles bénéficieraient aussi d'une recherche plus poussée sur le moyen le plus efficace de s'adapter à ces enfants. De plus, les parents auraient une plus grande quiétude d'esprit si on pouvait démontrer que les traitements ont une quelconque valeur scientifique; il en serait de même pour les frères et sœurs, les pairs et les amis de l'enfant hyperactif qui peuvent aussi être gravement affectés par son comportement.

CHAPITRE 15

L'autisme

Un petit garçon est assis tranquille et fait tourner les roues de sa voiture miniature, ne prêtant aucune attention à ce qui se passe autour de lui. Une heure plus tard, il fait encore tourner les roues de sa voiture — n'essayant pas de faire rouler sa petite auto sur le plancher, ne faisant pas de vroum! vroum! comme le font les vraies autos —; il regarde inlassablement les roues qui tournent et tournent.

Il ne répond pas à sa mère qui l'appelle pour venir manger. Il résiste à chaque fois qu'on veut lui enlever l'auto des mains, et repousse abruptement sa mère qui veut l'aider à se lever. Il est comme dans un monde à lui, un monde qu'il ne veut ni quitter ni partager.

L'enfant n'est pas atteint d'un trouble émotif: il souffre d'autisme, un trouble de développement du cerveau qui affectera ses relations avec les autres pour le restant de ses jours. C'est la plus sévère des maladies que l'on regroupe sous le nom de *troubles globaux du développement*.

L'autisme est un syndrome, une combinaison de symptômes qui engendrent une absence complète de communication, un manque d'interaction et une résistance aux changements dans la routine, même les plus minimes. Un enfant qui souffre de cette maladie semble n'avoir aucun intérêt à s'attacher aux autres.

On a décrété que l'autisme était le trouble de l'enfance dont le fardeau de souffrance pour la famille des victimes est le plus lourd et dont le pronostic de guérison est le pire. Lorsqu'on a identifié ce trouble pour la première fois, on croyait qu'il survenait chez 4 ou 5 enfants sur 10 000, et quatre fois plus souvent chez les garçons que chez les filles. Mais, en 1988, on a effectué une étude sur l'autisme, la plus exhaustive et la plus poussée des études faites sur le sujet de par le monde; elle portait sur tous les enfants de six à quinze ans de deux régions de la Nouvelle-Écosse. Le taux d'occurrence s'est révélé de 11 à 13 sur 10 000, c'est-à-dire plus du double du pourcentage que l'on avait fixé.

La plupart des gens pourraient même ne pas être conscients d'avoir vu un enfant ou un adulte autistique. Ils n'ont pas une apparence physique distincte, ne se déplacent pas en chaise roulante et ne s'aident pas d'une canne blanche pour marcher. Les symptômes de chacun varient considérablement et peuvent être très subtils dans certains cas. Ces caractéristiques changent aussi au fur et à mesure qu'ils vieillissent.

Heureusement, ce trouble médical a reçu ces dernières années une assez bonne description puisqu'on a pu voir deux autistes fictifs à la télévision et au cinéma; il s'agit de Tommy, le fils du Dr Westphal, dans la télésérie *St. Elsewhere* et de Raymond, le personnage du film *Rain Man*, interprété par le comédien Dustin Hoffmann qui a gagné un Oscar pour cette performance.

Lorsqu'ils sont petits, les victimes de ce trouble peuvent être décrits comme de «bons bébés»; ils ne se plaignent pas et restent bien tranquilles et heureux dans leur berceau. Mais, même à ce stade, on peut détecter quelques signes du trouble à venir: piètre sucement, manque d'intérêt envers les gens et troubles du sommeil. Au fur et à mesure que les mois passent, les manifestations deviennent plus évidentes.

Par exemple, un bébé autistique ne sourit pas quand il reconnaît des figures familières et il peut sembler terrifié quand il voit un étranger. Il ne tend pas les bras pour se faire prendre et il peut se raidir chaque fois que quelqu'un essaie de le prendre dans ses bras. Il n'essaie pas de dire «dada» ou «mama» quand il voit ses parents et ne babille pas en prononçant des syllabes dépourvues de sens. Il peut même ne pas essayer de communiquer en pointant les objets qu'il veut. Il peut avoir un intérêt obsessionnel pour certains objets ou jouets, comme le petit garçon qui tournait les roues de son auto, mais il ne joue pas avec ceux-ci de façon créative. Il ne se crée même pas un ami imaginaire pour partager sa solitude.

L'autisme chez l'enfant est habituellement diagnostiqué à l'âge où le petit commence à marcher; cependant, certains autistes peuvent atteindre la maternelle avant que l'on ne diagnostique vraiment le trouble. Tout dépend de la gravité des symptômes. Dans la plupart des cas, les parents ont de la difficulté à accepter le manque de réaction de leur enfant. Ils sont blessés par sa résistance à toute tentative de rapprochement ou d'étreinte; ils se sentent rejetés par le message apparent qu'il transmet: il serait beaucoup plus heureux s'il n'était encombré de personne. Les «tape, tape, petites mains» et «coucou» ne l'intéressent pas du tout.

S'il parle, il peut ne s'agir que d'une constante répétition de tout ce qu'on lui dit ou bien il peut utiliser des mots ou des membres de phrases au hasard et de façon inappropriée. Ce qui peut aussi être exaspérant est qu'il n'endure aucun changement. Si son repas est dans un plat différent ou sa viande d'un côté différent, il se met en colère; il faut toujours lui mettre le premier bas du même côté; il faut toujours l'asseoir à la même place dans l'auto.

Ces anomalies du comportement et du développement rendent les années scolaires extrêmement difficiles. Son incapacité à se rendre compte des besoins des autres ou à accepter d'autres points de vue que les siens lui donne une réputation d'égoïste auprès des autres enfants. Il ne semble pas pouvoir tenir une conversation normale; ou il prend l'habitude d'écouter et de suivre les conversations des autres. Il pourrait mémoriser un horaire d'autobus au complet et insister pour le réciter, quoi qu'on en pense autour de lui. S'il se fait des amis, ils seront fort probablement plus jeunes ou handicapés. Son canal de télévision préféré pourrait être celui qui donne seulement les prévisions atmosphériques ou celui qui annonce des choses à vendre.

À l'adolescence, il peut vouloir se mêler aux autres, mais il est facilement bouleversé s'il ne peut établir de relation avec eux. Il n'a jamais appris les règles du jeu social. Il n'a pas la faculté de se voir comme les autres le voient et il est probablement incapable de comprendre qu'ils rient de lui parce qu'il a dit ou fait quelque chose que l'on considère habituellement comme ridicule ou inapproprié.

S'il réussit à obtenir un emploi qui lui convient, on pourrait encore le mettre à la porte à cause de son comportement bizarre; par exemple, à la pause café, un jeune homme autistique s'asseyait dans son coin, déchirait de petits bouts de papier mouillé et les collait partout sur lui. Un autre ne savait pas quoi faire quand il avait fini son travail et essayait violemment de prendre la place d'un de ses collègues.

Environ 75 % des enfants autistiques souffrent aussi de retard mental, bien que quelques-uns soient extrêmement brillants. Environ 30 % développent de l'épilepsie, habituellement pendant l'adolescence.

Causes

Les causes possibles d'autisme sont inconnues; pour compliquer la situation, on a des indications à l'effet qu'un cas d'autisme ne serait jamais attribuable aux mêmes causes qu'un autre. On a pu déceler des anomalies physiques et chimiques dans le cerveau des victimes et une certaine perturbation des structures ou fonctions embryonnaires; cependant, la recherche n'a pas encore permis de déterminer le lien entre ces découvertes.

On avait l'habitude de penser — et on le disait quelquefois aux parents — que l'autisme pouvait avoir été causé par une carence émotionnelle. Cette erreur n'a fait que donner un sentiment de culpabilité injustifié aux parents qui devaient déjà porter le lourd fardeau émotionnel de cette maladie. Des composantes génétiques troublantes alimentent le mystère des causes de l'autisme. Par exemple, ce trouble est plus courant chez les jumeaux identiques que chez les faux jumeaux. Si l'un d'eux est autistique, il y a des risques légèrement plus accrus que son frère ou sa sœur le soit aussi. Le fait que ce trouble se manifeste plus souvent chez les garçons que chez les filles laisse aussi présager un facteur génétique. Néanmoins, dans les rares cas où les filles sont atteintes d'autisme, leur état a tendance à être pire que celui des garçons.

Il existe une foule de questions spécifiques auxquelles il faut répondre:

- quel est le modèle de transmission de la maladie?
- quelles substances sont ou ne sont pas transmises pour une raison ou pour une autre?
- quelle proportion exacte de cas ont une origine génétique?

De plus, les rôles joués par les complications survenues pendant la grossesse et à la naissance, qui sont des facteurs courants de l'autisme, ne sont pas encore clairs.

Traitement

Il n'existe pas de cure pour l'autisme; bien qu'habituellement les enfants ne s'en débarrassent pas en grandissant, ils peuvent s'améliorer. Une aide précoce et pluridisciplinaire est essentielle pour permettre le développement maximal du potentiel de l'enfant et l'adaptation des parents aux stress majeurs déclenchés par l'autisme. Pour qu'un parent soit aidé adéquatement, il peut être nécessaire de combiner l'aide, étroitement coordonnée et finalement très dispendieuse, de plusieurs professionnels: médecins, psychiatres, psychologues, travailleurs sociaux, orthophonistes, éducateurs et autres spécialistes.

Le traitement de l'enfant d'âge préscolaire devrait inclure des programmes médicaux et diagnostiques, un entraînement et le counseling des parents, et des programmes préscolaires pour l'autiste. Les parents peuvent aussi avoir besoin de gardiennes entraînées spécialement pour ces cas et de personnes ressource qui peuvent leur donner un répit occasionnel dans leur lourde tâche.

Heureusement, on a constaté que ces programmes de traitement permettent de réduire l'impact négatif de l'autisme sur la qualité de vie de l'enfant; chez quelques enfants, ils peuvent même avoir un effet positif majeur.

L'éducation formelle est aussi un défi avec ces enfants. On a tout essayé pour les instruire, à partir des classes spéciales jusqu'à l'intégration partielle ou complète dans une classe régulière — les besoins peuvent énormément varier d'un autiste à un autre. Ils ont aussi besoin de ressources et d'entraînement pour les loisirs et les activités récréatives, d'évaluation et d'entraînement en ce qui concerne leur carrière, et éventuellement d'un endroit pour vivre en dehors de la maison familiale.

Étant donné nos capacités limitées en ce moment pour faire face à ce grave trouble, on aurait aussi besoin de ressources multiples concernant l'emploi, le loisir, le logement, les soins médicaux et l'éducation continue ainsi que l'aide financière des autistes adultes.

On a démontré que de faibles doses de neuroleptiques comme l'halopéridol et la thioridazine étaient utiles pour traiter des aspects du comportement de certains enfants comme l'hyperactivité, l'automutilation (les morsures de la main ou l'énucléation), l'agressivité, les comportements répétitifs, l'insomnie et la désorganisation. Toutefois, ces médicaments ne devraient pas être pris longtemps sans surveillance médicale minutieuse et sans réévaluation parce qu'ils peuvent entraîner des troubles de mouvements involontaires permanents appelés *dyskinésie tardive*, dont nous avons parlé au chapitre 2.

On a essayé d'utiliser d'autres médicaments comme la vitamine B_6, le magnésium, la lévodopa (L-Dopa) et les stimulants, mais ils ne se sont pas révélés efficaces et jusqu'ici la solution magique n'a pas encore été trouvée.

Recherche

La nouvelle technologie développée pour voir la structure et la chimie du cerveau permet de creuser plus à fond les causes de l'autisme. L'utilisation de la tomographie à émission de positrons et de la visualisation par résonance magnétique est encore à l'état expérimental, mais ces technologies peuvent s'avérer efficaces pour détecter les différences sous-jacentes de la structure du cerveau qui contribuent à ce syndrome.

En ce moment, les dernières recherches indiquent un métabolisme anormal de la dopamine, une des substances qui transmettent les messages au cerveau. C'est probablement la raison pour laquelle les neuroleptiques peuvent être utiles: ils ont tendance à travailler contre la dopamine.

L'autisme s'accompagne aussi d'un taux élevé de sérotonine, un autre transmetteur qui joue un rôle dans les cas de suicide. On est en train d'évaluer l'importance de son activité chimique. On fait aussi des efforts pour identifier des sous-groupes d'enfants ayant des troubles globaux du développement pour voir quelles sont les causes des différentes manifestations du trouble.

Bien sûr, la découverte du facteur génétique et du chromosome responsable serait une percée dans ce domaine; bien que la recherche continue sur le sujet, en ce moment, il n'y a pas de résultat particulièrement encourageant à rapporter.

En plus des recherches sur les causes biochimiques, il pourrait aussi être utile d'avoir de meilleures méthodes de développement des habiletés sociales de ces enfants, de modification de leur comportement et d'éducation. Des techniques à cet effet amélioreraient grandement la qualité de vie des autistes et aideraient aussi énormément leurs parents.

Nous pourrions aussi bénéficier de nouveaux médicaments. On a connu un certain succès en administrant à certains enfants autistiques du lithium, un médicament habituellement utilisé pour calmer les fluctuations d'humeur de la dépression maniaque; ce médicament a aidé les autistes qui présentent un comportement épisodique à certaines périodes de l'année, mais on continue la recherche pour déterminer si ce médicament est vraiment valable.

Certains chercheurs croient que les enfants atteints d'autisme qui se mutilent le font pour libérer des endorphines, les propres narcotiques du corps humain, et que des médicaments qui atténuent les effets de ces substances pourraient être utiles pour éliminer ce comportement.

Sources d'information

Autism Society of Canada, 20 College St., Suite 2, Toronto, Ontario, M5G 1K2, tél.: (416) 924-4189

GRANDIN, Temple et SCARIANO, Margaret M., *Emergence: Labelled Autistic*. Arena Press, Novato, CA, 1986.

WING, Lorna, *Autistic Children*. Brunner-Mazel Publisher, New York, 1985.

CHAPITRE 16

Les troubles mentaux et les maladies physiques

Des interactions compliquées existent entre la santé et les maladies mentale et physique; les comprendre peut devenir un exercice du style de l'œuf et de la poule. Pour une personne donnée, qu'est-ce qui existe en premier? Ces divers problèmes peuvent même ne pas être reliés en termes de cause à effet. Nous savons très bien que d'avoir une maladie physique ne nous met pas à l'abri d'avoir une maladie mentale et vice versa.

En effet, on s'entend généralement pour dire qu'au moins 20 % des gens qui ont un trouble physique ont aussi un trouble psychiatrique, excluant l'abus d'alcool et d'autres médicaments. Inversement, jusqu'à 40 % des personnes chez qui on a diagnostiqué une maladie mentale ont une maladie physique «diagnostiquable», et chez la moitié d'entre elles, l'une des maladies aggrave sérieusement l'autre.

Ces gens présentent plus de risques d'avoir des maladies cardiovasculaires, y compris l'hypertension artérielle, du diabète, une suractivité des glandes thyroïdes et des infections, surtout la pneumonie.

Il existe quatre situations fondamentales où les deux sortes de maladies surviennent en même temps:

- il peut s'agir d'un hasard seulement, et elles sont indépendantes l'une de l'autre;
- il peut n'y avoir aucun rapport connu, mais elles peuvent être reliées à une irrégularité quelconque de l'organisme; certains chercheurs pensent, par exemple, que les mêmes perturbations biochimiques peuvent contribuer à la maladie de Parkinson et à la dépression;
- d'autres troubles peuvent avoir des symptômes communs, tels que l'anxiété et l'hyperthyroïdie (une glande thyroïde trop active);
- un trouble peut déclencher l'autre, comme le délire qui résulte d'une maladie physique grave.

Comme on peut le soupçonner, la dépression est la maladie psychiatrique survenant le plus couramment en même temps qu'une maladie physique. On peut dire que 30 % des malades éprouvent une détresse émotionnelle accompagnée de tristesse et d'anxiété, et entre 15 et 20 % développent une dépression proprement dite. Pourtant, le médecin traitant la maladie physique ne s'en rend pas toujours compte; il pense que l'humeur morose et la perte d'intérêt pour les plaisirs de la vie sont parties constituantes des souffrances et de la tristesse normalement engendrées par la maladie et qu'elles disparaîtront automatiquement quand la maladie physique sera guérie.

Toutefois, si on traite la dépression comme une entité séparée, les chances de s'en remettre sont très bonnes.

Parmi les survivants d'une crise cardiaque, 15 % sont cliniquement déprimés durant l'année qui suit leur maladie, de 15 à 20 % des personnes qui ont des reins artificiels sont déprimées pendant toute la durée de leur traitement, 40 % des cancéreux sont déprimés. Parmi les gens qui ont un accident cérébrovasculaire (ACV), 25 % ont une dépression majeure après leur accident, surtout s'ils ont eu des lésions du cerveau gauche; 30 % font une dépression significative six mois plus tard et quelques-uns souffrent encore de dépression deux ans après l'ACV.

On essaie d'expliquer cette situation en disant que les changements de structure ou de fonction du système nerveux qui ont causé l'ACV sont les mêmes qui déclenchent la dépression.

Au moins 20 % des gens qui ont un trouble physique ont aussi des troubles reliés à l'abus d'alcool ou de drogues; ceci a bien entendu des effets indésirables et complexes sur les systèmes nerveux, digestif et cardiovasculaire.

On a fait quelques tentatives pour déterminer les symptômes qui accompagnent la dépression mais qui sont aussi associés à des maladies particulières. La perte de l'appétit et la fatigue, par exemple, sont des symptômes courants chez les cancéreux et on croit que c'est le cancer qui les déclenche. La perte d'énergie, l'insomnie et la diminution du désir sexuel sont des symptômes courants chez les personnes sous dialyse rénale, mais on considère que la perte de l'appétit et du poids d'un malade sous dialyse sont des signes révélateurs d'une dépression majeure.

L'anxiété, souvent associée à des symptômes dépressifs bénins, est le deuxième trouble survenant le plus souvent avec les troubles physiques. Des maladies, comme l'hyperthyroïdie, ont des symptômes identiques à ceux de l'anxiété.

On croit que le délire survient chez 10 % des malades hospitalisés pour des maladies physiques et chez 25 % des personnes âgées malades:

- ils deviennent désorientés;
- ils ont des troubles de la mémoire;
- ils ont des troubles du sommeil;
- ils peuvent avoir des hallucinations.

Le délire est souvent le signe d'une maladie physique grave; environ 25 % des gens meurent d'une maladie qui cause le délire. Toutefois, cette maladie peut aussi être causée par les médicaments qui visaient à traiter d'autres troubles.

L'impact économique et social des troubles psychiatriques et physiques concurrents est substantiel. Les personnes qui en sont atteintes consultent deux fois plus de médecins, elles restent plus longtemps à l'hôpital, elles sont référées à des spécialistes cinq fois plus souvent et elles ont plus de rayons X et d'épreuves de laboratoire que les autres. Leur maladie émotionnelle peut les porter à ne pas suivre les ordonnances du médecin pour améliorer leur condition physique et il y a plus de risques qu'elles se suicident. La dépression peut être un facteur de leur non-retour au travail après une maladie physique, comme une crise cardiaque, un accident cérébrovasculaire, une maladie rénale chronique ou une maladie pulmonaire obstructive.

Les gens qui essaient de régler les troubles du malade, comme la famille et les médecins, portent aussi un fardeau émotionnel important; une autre dimension à considérer est le stress financier qui peut exister si les membres de la famille ne peuvent travailler parce qu'ils doivent s'occuper du malade.

Nous avons réuni au tableau 16.1 une série de renseignements qui, croyons-nous, donnent une idée de la complexité des problèmes auxquels doivent faire face les médecins. Ces renseignements sont tirés d'un article intitulé: «A Clinician's Guide to Differential Diagnosis Between Physical and Psychiatric Disorders» (Guide des différences de diagnostic entre les maladies physiques et mentales à l'usage du clinicien) publié dans le journal *Medical Psychotherapy*, en 1988. Le but de cet ouvrage était d'aider le médecin à poser un diagnostic juste.

Tableau 16.1

Vue d'ensemble des principaux éléments d'interaction entre les maladies physiques et mentales

Plaintes ou symptômes psychiatriques	Diagnostic psychiatrique suggéré	Si les symptômes physiques suivants sont présents	Élimination de ce trouble physique	Tests de laboratoire et examens médicaux recommandés
anxiété ou dépression	anxiété ou dépression	spasmes musculaires réflexes tendineux accrus tétanie	hypoparathyroïdie	taux sériques de calcium, phosphore et magnésium taux de calcium dans une excrétion urinaire de 24 heures
anxiété ou dépression	anxiété ou dépression	somnolence irritabilité faiblesse musculaire problèmes gastro-intestinaux anorexie nausées constipation calculs rénaux débit urinaire accru douleur au ventre	hyperparathyroïdie	rayons X de la poitrine ou des os étude de la lyse rénale
dépression négativisme apathie soupçons	dépression	perte de poids perte de l'appétit nausées douleur au ventre diarrhée récurrente diminution de la force fringale pour le sel crampes musculaires	hypoadrénalisme (maladie d'Addison)	taux sériques des hormones de l'hypophyse et des surrénales taux de stéroïdes endogènes dans une excrétion urinaire de 24 heures freinage de la sécrétion

Symptômes mentaux	Diagnostic	Maladie	Symptômes physiques	Tests diagnostiques
(suite)			pression artérielle basse, perte des caractéristiques sexuelles chez la femme, pigmentation accrue	corticosurrénale à la déxaméthasone, stimulation par l'ACTH
idées délirantes somatiques, pensées psychotiques	psychose	hyperadrénalisme (maladie de Cushing)	fatigue, instabilité émotionnelle, gain de poids incongru avec dépôts graisseux centraux et membres très minces, acné, impuissance —, aménorrhée, larges lignes violettes sur le ventre, contusions fréquentes, hypertension, peau fragile, pigmentation accrue, mauvaise guérison des blessures, débit urinaire accru	
affect dépressif, léthargie, perte d'énergie	dépression	hypothyroïdie	gain de poids, hypersomnie, intolérance au froid, douleurs musculaires, peau sèche, perte de cheveux, changement du faciès, constipation, diminution des fonctions sexuelles	freinage de la suppression thyroïdienne, hormone de stimulation de la thyroïde, hormone de libération de la thyrotropine, fixation de l'iode radioactif, mesure des niveaux de thyroxine, triiodothyronine et du taux sérique des protéines
idées délirantes, hallucinations, symptômes paranoïdes	schizophrénie			

Tableau 16.1

Vue d'ensemble des principaux éléments d'interaction
entre les maladies physiques et mentales (suite)

Plaintes ou symptômes psychiatriques	Diagnostic psychiatrique suggéré	Si les symptômes physiques suivants sont présents	Élimination de ce trouble physique	Tests de laboratoire et examens médicaux recommandés
anxiété épisodique dépression	état d'anxiété dépression	intolérance à la chaleur avec sudation excessive palpitations tachycardie tremblements musculaires rapides perte de poids appétit accru avec fatigue et faiblesse problèmes digestifs diminution du flot menstruel fixation curieuse et exophtalmie des yeux	hyperthyroïdie	
dépression léthargie manque d'énergie sentiment de faiblesse inhabileté à compléter des tâches	dépression	haleine fétide senteur d'urine fringales alimentaires excentriques	diabète sucré	taux de glycémie à jeun glycémie provoquée hyperglycémie provoquée

peur confusion anxiété	hystérie démence troubles anxieux intoxication médicamenteuse	effarouchement sudation palpitations cardiaques évanouissements faiblesse	niveaux d'insuline excessifs	examen minutieux de l'état mental et évaluation des fonctions cognitives dépistage des anomalies métaboliques et des toxines EEG ponction lombaire et analyse de laboratoire du liquide céphalorachidien tomographie axiale à calculateur intégré
distractivité négligence de l'hygiène personnelle et de l'environnement	changement de personnalité dépression	fatigue perte de poids retrait social changement de personnalité insidieux perte de la mémoire immédiate rappel immédiat perturbé erreurs de calcul inconstantes	démence précoce (syndrome cérébral organique chronique)	
désorientation hallucinations auditives hallucinations visuelles troubles de la démarche	psychose manie schizophrénie	causes: accident cérébrovasculaire hypertension grave syndrome de Wernicke-Korsakoff méningite encéphalite hyperthyroïdie grave insuffisance rénale aiguë empoisonnement perception extrasensorielle, anticholinergiques hypoglycémie déficiences vitaminiques infections systémiques	délire (état confusionnel aigu ou syndrome cérébral organique aigu)	

Tableau 16.1

Vue d'ensemble des principaux éléments d'interaction entre les maladies physiques et mentales (suite)

Plaintes ou symptômes psychiatriques	Diagnostic psychiatrique suggéré	Si les symptômes physiques suivants sont présents	Élimination de ce trouble physique	Tests de laboratoire et examens médicaux recommandés
(suite)		insuffisance rénale insuffisance hépatique déséquilibre des électrolytes du sang hématome sousdural		
confusion désorientation	psychose délire	comportement automatique claquement des lèvres ramassage de linge errance inconscience de l'environnement accès de colère violents	trouble convulsif (de l'aire psychomotrice ou d'une autre aire du lobe temporal)	EEG anamnèse et essai thérapeutique avec un médicament anticonvulsif
passage à l'acte	trouble de la personnalité explosive réactions aux médicaments	hallucinations visuelles, olfactives ou auditives		
changement de personnalité dépression vagues plaintes neurologiques ou endocriniennes	démence dépression	développement de symptômes graduels et progressifs incluant: perte de sang-froid nouvelle sorte de mal de tête	tumeur cérébrale	tomographie axiale à calculateur intégré consultation neurologique

(suite)				
changement de personnalité léthargie accrue	dépression	perte spécifique de contrôle neurologique ou musculaire développement de convulsions pendant la vie adulte traumatisme de la tête récent histoire de pertes de conscience diminution de l'énergie diminution des niveaux d'activité (surtout chez les personnes âgées et les alcooliques)	hématome sousdural	tomographie axiale à calculateur intégré
indolence irritabilité périodes de faiblesse musculaire	dépression	diminution de la force musculaire fatigue fréquente	myasthénie grave	épreuve de Tensilon EMG ou sérodiagnostic
vagues plaintes de pertes neurologiques	réaction d'hystérie avec conversion	épisodes répétés où la nature migratoire des symptômes devient apparente et les pertes neurologiques deviennent plus persistantes	sclérose en plaques	vérification des protéines du liquide céphalorachidien et électrophorèse du liquide
problème d'engourdissement ou de douleur diffuse fatigabilité de degré variable	hypocondrie	problèmes continus s'accompagnant seulement de changements subtils de symptômes physiques (surtout chez les alcooliques et les personnes ayant des déficiences de vitamine B)	neuropathie périphérique	études de conduction nerveuse bilan médical

Tableau 16.1
Vue d'ensemble des principaux éléments d'interaction entre les maladies physiques et mentales (suite)

Plaintes ou symptômes psychiatriques	Diagnostic psychiatrique suggéré	Si les symptômes physiques suivants sont présents	Élimination de ce trouble physique	Tests de laboratoire et examens médicaux recommandés
dysphorie	dépression	anorexie faiblesse fatigue irritabilité douleur diffuse démarche instable incoordination	anémie pernicieuse	examen physique taux des globules test de Shilling
instabilité émotionnelle bouffées soudaines d'anxiété	réaction de conversion état d'anxiété	douleurs au ventre (coliques) vomissements faiblesse généralisée convulsions débit cardiaque rapide	porphyrie aiguë	test de sang vérification de l'usage de barbituriques antécédents familiaux
émoi réactions d'adaptation épisodes schizophréniformes	réaction d'anxiété dépression psychose	histoire de maladie hépatique, rénale ou neurologique agressivité fluctuations de l'humeur perturbation intellectuelle	maladie de Wilson	examen de la cornée pour détecter l'anneau de Kayser-Fleischer taux sériques de céruloplasmine et de cuivre
dépression	dépression	problèmes et symptômes physiques inexpliqués	tumeurs dans plusieurs systèmes organiques	bilan physique

dépression	dépression	développement de douleur au foie ou de jaunisse douleur sourde au haut du ventre constipation	carcinome pancréatique	tomographie axiale à calculateur intégré
attaques épisodiques d'anxiété anxiété extrême	troubles anxieux	hypertension attaques de panique anxiété sudation mal de tête tremblements tous ces symptômes sans signes d'adaptations névrotiques	phéochromocytome (tumeur surrénalienne) ou tumeur carcinoïde	taux de métabolites spécifiques dans une excrétion urinaire de 24 heures
hallucinations idées délirantes agitation troubles de l'association fuite des idées vagues symptômes d'origine somatique	schizophrénie trouble d'hystérie avec conversion	affect instable plutôt qu'ennuyeux fièvre inexpliquée éruption cutanée arthrite douleurs à la poitrine et au ventre	lupus érythémateux systémique	épreuves sérologiques biopsies de la peau et des tissus
agitation	manie	fièvre autres complications compatibles avec une infection virale	infections virales (grippe, fièvre Q ou suite de l'encéphalite de Saint-Louis de type A)	tests de sang dépendant du siège et du type d'infection
dépression	dépression	fièvre masses symptômes d'infection localisée	infection bactérienne	

Traitement

Des techniques traitant directement le trouble physique et limitant sa gravité et les manifestations de ses symptômes peuvent aussi permettre de réduire l'anxiété et la dépression chez les gens atteints de maladies comme l'hypertension artérielle, les maladies cardiaques coronariennes, l'asthme, les ulcères gastro-duodénaux, la colite ulcéreuse et le syndrome d'hypersthénie intestinale. Ces approches peuvent inclure des informations sur la maladie, un entraînement à la relaxation, du soutien psycho-logique et une thérapie behaviorale.

Des groupes de soutien pour les gens qui ont eu une crise cardiaque, le diabète, une maladie rénale, le cancer et une mala-die pulmonaire obstructive chronique les ont aidés à s'adapter à la maladie, mais on a noté une absence de prévention efficace des troubles psychiatriques. Le traitement habituel de la dépres-sion chez ceux qui ne sont pas malades physiquement entraîne un taux d'amélioration de 70 %, mais ce dernier tombe à seule-ment 40 % lorsque des maladies concurrentes sont présentes.

Une telle diminution d'efficacité peut être due à des compli-cations médicales, à l'impact des médicaments donnés pour la maladie physique ou à l'apparition rapide des effets secondai-res des antidépresseurs, ce qui fait qu'on ne peut donner des doses adéquates.

Dans les cas de dépression majeure, quand les médicaments ne sont pas tolérés, la thérapie électroconvulsive peut être une solution de rechange. Les troubles anxieux peuvent être allégés en traitant la condition médicale qui les précède, telle qu'une activité exagérée de la glande thyroïde ou quelques sortes de convulsions, de même qu'avec le traitement des troubles de l'anxiété, de la panique et des phobies utilisé pour les gens qui n'ont aucune autre maladie physique.

En ce qui concerne le délire, le traitement consiste à régler les troubles médicaux, à améliorer les habitudes de sommeil et à prescrire un médicament antipsychotique. Les enfants ayant des troubles médicaux comme une infirmité physique ou de l'épilepsie devraient être élevés aussi normalement que possible afin qu'ils puissent développer une identité de *personne atteinte d'épilepsie* plutôt que d'*épileptique*.

En même temps, ils peuvent avoir besoin de soutien spécial pour participer aux activités régulières des autres enfants. Par exemple, on devrait enseigner à un enfant atteint d'épilepsie de ne jamais nager seul, à un enfant atteint de diabète de toujours avoir sous la main des aliments ou des boissons pour pouvoir corriger immédiatement une réaction insulinique.

Recherche

Dans ce domaine, les études scientifiques ont été entravées par la complexité des interactions entre les troubles physiques et psychologiques et la grande diversité des malades. Il est difficile de trouver assez de gens qui sont exactement dans la même situation pour pouvoir étudier les aspects qui seraient statistiquement significatifs.

La première étape consisterait à faire des études pour définir l'étendue du problème, puis un suivi à long terme pour vérifier le résultat de tout traitement que le malade reçoit.

On étudierait ensuite l'efficacité de l'intervention en donnant à un groupe de soignants un programme de formation sur mesure pour un trouble psychiatrique ou médical donné et, en comparant ce groupe à un autre n'ayant pas reçu ce programme, on verrait le succès obtenu avec ce genre d'approche.

Il serait nécessaire d'avoir beaucoup plus de recherches sur les effets des médicaments psychoactifs sur les personnes âgées et les malades. On fait habituellement appel à des volontaires jeunes et en santé pour vérifier la sûreté et l'efficacité de tels produits.

CHAPITRE 17

Le suicide

Le suicide est l'expression ultime du désespoir.

Nous avons une réaction de recul quand nous entendons dire que quelqu'un s'est suicidé; c'est comme si nous ne voulions pas accepter qu'une personne soit assez dénuée d'espoir pour ne pas vouloir faire face au lendemain.

Pourtant, les chiffres sont troublants. Par exemple, au Canada, le taux annuel de décès par suicide est de 15 par population de 100 000 personnes; ce taux est plus élevé que celui causé par le diabète, la cirrhose du foie ou la maladie rénale. En fait, plus de 3 000 Canadiens se suicident chaque année.

Aux États-Unis, là où la population est dix fois plus nombreuse, ces chiffres sont environ dix fois plus grands, puisque 30 000 Américains se suicident chaque année. Et ces chiffres n'englobent que les décès reconnus comme étant des suicides; dans des études en cours, on indique que le taux de suicide est sous-estimé d'au moins 20 %. Quelquefois, les suicides sont déguisés en accidents. Les coroners qui certifient la cause d'un décès peuvent quelquefois céder à des pressions pour établir le verdict, surtout lorsqu'il y a un doute quelconque, pour épargner à la famille de la victime une douleur additionnelle.

Ce qui est peut-être encore plus triste que la perte de vie elle-même, c'est la perte d'années potentielles de vie pour ces personnes et leur pays, parce que le suicide ne cesse d'augmenter chez les jeunes. Une étude intéressante a quantifié cette situation au Canada afin de fournir une certaine idée des coûts sociaux impliqués. Lorsque l'on compare l'âge du suicidé à une espérance de vie normale de soixante-dix ans, on peut conclure qu'au Canada, on a perdu deux millions d'années de vie entre 1963 et 1976. Ces tragédies enlèvent aux femmes plus d'années de vie qu'aucune autre cause et en font la deuxième cause de décès chez les hommes, la première étant les crises cardiaques.

Les taux de suicide varient énormément à travers le monde. Les statistiques de 15 par population de 100 000 personnes du Canada dépassent celles de 13 par population de 100 000 personnes aux États-Unis; le taux est d'environ 40 pour la Hongrie et de 3 pour la Grèce, soit le taux le plus bas au monde; quant aux pays scandinaves, sauf la Norvège, ce taux est de 20 à 30; les pays comptant une prédominance de catholiques comme l'Irlande, l'Italie et le Mexique ont un faible taux de suicide.

Causes

Comme on pourrait le soupçonner en comparant les taux de suicide des divers pays, il existe des facteurs environnementaux qui peuvent jouer un rôle dans la vulnérabilité d'une personne au suicide, mais d'importants facteurs psychologiques et biologiques sont aussi à considérer.

Jusqu'à un certain point, les suicides ont tendance à se produire dans les mêmes familles. Si un jumeau identique se suicide, dans 18 cas sur 100, son jumeau se suicidera. Dans une étude danoise-américaine portant sur des enfants adoptés pendant l'enfance, on a remarqué que ceux qui se suicidaient présentaient plus de risques d'avoir un membre de leur famille biologique qui s'était suicidé, ce qui laisserait supposer l'existence d'un facteur génétique.

Bien qu'il semble peu probable qu'il y ait un facteur génétique relié au suicide, indépendant de la dépression ou d'autres troubles mentaux, il semble y avoir une composante génétique séparée. Le suicide en l'absence d'un trouble grave est rare; mais si une personne a un trouble psychiatrique, la possibilité de son suicide est plus grande si un membre de sa famille s'est déjà suicidé. On ne connaît pas encore la nature de cette tendance génétique en ce moment, mais quelques personnes pensent qu'elle peut inclure de l'impulsivité. Un individu impulsif, qui est aussi déprimé, présente un plus grand risque de succomber à une pulsion suicidaire qu'une personne qui a plus de maîtrise de soi. Il est plausible que l'impulsivité soit héréditaire.

Les alcooliques ont un taux de suicide qui est, de façon incroyable, 80 fois plus élevé que la normale. Plusieurs commencent à prendre de l'alcool comme remède maison contre la dépression et ensuite la consommation d'alcool devient un but en soi. Choisir l'alcool comme moyen de traitement est mauvais puisque cette substance est elle-même un dépresseur; comme l'alcoolisme chronique est reconnu pour induire la dépression, cette maladie contribue probablement à ce haut taux de suicide. De plus, les alcooliques sont souvent victimes de ce qu'on pourrait appeler un suicide accidentel, par exemple, en prenant une trop forte dose de pilules pour dormir ou d'autres médicaments alors que leur jugement et leur perception sont perturbés par l'alcool.

Les gens qui ont des troubles de la personnalité ou qui font un usage impropre des drogues illicites courent 20 fois plus de risques que la normale de se suicider. Souvent, on ne se rend compte qu'après leur décès qu'ils avaient beaucoup de difficulté à maintenir des relations saines avec les autres à cause de leur trouble de la personnalité.

De nombreuses «autopsies psychologiques» des suicides, effectuées en interviewant la famille et les amis après le décès, indiquent que dans la grande majorité des cas il existait une maladie mentale. Le plus souvent, il s'agissait de dépression, mais l'alcoolisme, la schizophrénie et une maladie organique du cerveau étaient aussi souvent diagnostiqués. Dans seulement 5 % des cas, la cause était une maladie médicale fatale; chez 4 % uniquement, on n'a découvert aucune maladie mentale. Les gens déprimés souffrent d'un pessimisme, d'une impuissance et d'un désespoir accablants que le traitement peut soulager; mais comme ces gens ne se rendent habituellement pas compte que leurs sentiments découlent de leur maladie, ils ne consultent pas de spécialistes médicaux ou psychiatriques.

Tel qu'on peut le voir au tableau 17.1, la dépression est un facteur majeur de suicide.

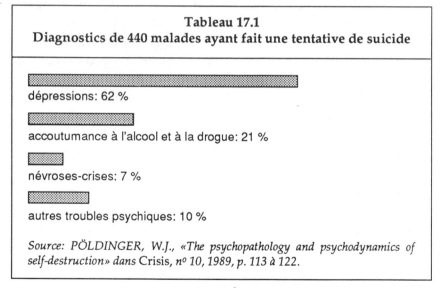

Tableau 17.1
Diagnostics de 440 malades ayant fait une tentative de suicide

dépressions: 62 %

accoutumance à l'alcool et à la drogue: 21 %

névroses-crises: 7 %

autres troubles psychiques: 10 %

Source: PÖLDINGER, W.J., «The psychopathology and psychodynamics of self-destruction» dans Crisis, n° 10, 1989, p. 113 à 122.

Un sociologue du XIXe siècle, Émile Durkheim, avait déjà remarqué que dans les sociétés unies, ayant un sens moral élevé et des idéaux collectifs, le taux de suicide était faible. C'est dans les sociétés bouleversées par le chaos, où les valeurs sont moins évidentes et les règles de conduite presque nulles, que les taux sont élevés; il en résulte ce qu'il appelle une anomie. Les gens ne sentent pas qu'ils ont leur place dans leur propre communauté et ils adoptent une attitude de «chacun pour soi».

Quelquefois, le système de valeurs d'une société donnée peut être si déformé que l'on décrète un suicide collectif, comme ce fut le cas dans la tragédie des fidèles du révérend Jim Jones, en Guyane.

On a noté une diminution du taux de suicide pendant les deux guerres mondiales, probablement parce que les gens avaient le sentiment de partager une cause commune. Mais, durant ces années, il y avait aussi plus d'emplois, un autre facteur majeur qui influe sur le taux de suicide.

Il faut éviter de prendre automatiquement des rapports pour des causes; par exemple, faire une association de cause à effet entre chômage et suicide. De toute évidence, tous les individus qui font partie d'une catégorie donnée ne commettent pas le suicide, mais il semble émerger des patterns valables.

Dans des études canadiennes effectuées récemment, on a comparé les taux de suicide à travers les provinces à un certain moment donné, puis dix ans plus tard, et on a vu que le suicide était clairement relié au divorce, à l'alcoolisme, à l'isolement social et au manque d'intégration. Dans les provinces où on notait le taux de suicide le plus élevé pendant cette décennie, on remarquait un taux de chômage plus élevé; pourtant, on remarquait aussi une plus grande richesse moyenne de la population. Il semblerait que les personnes dont les voisins sont mieux nantis sont plus portées à se suicider que lorsqu'elles ont l'impression que tout le monde est dans le même bateau économique.

On a demandé à un groupe de travail canadien, nommé par le gouvernement, d'identifier les groupes à risque élevé; il les a définis dans un rapport remis en 1987 comme étant:

- les personnes atteintes d'un trouble mental (y compris l'alcoolisme);
- les jeunes gens;
- les personnes âgées;
- les autochtones;
- les personnes emprisonnées.

Tableau 17.2
Données sur le suicide des autochtones
par opposition à la population canadienne

	Autochtones	Population canadienne
taux de décès par population de 100 000 en 1987	965	650
taux de décès de nourrissons (moins d'un an) par population de 1 000 en 1986	17,4	7,9
taux de décès par blessure ou empoisonnement (y compris les accidents d'automobiles mortels causés par l'alcool) par population de 100 000 en 1987	216	54,4
taux de décès par suicide par population de 100 000	1984-1988	1984-1987
tous les âges	36,1	13,8
de 15 à 19 ans	65,7	12,3
de 20 à 24 ans	94,3	18,3
de 25 à 29 ans	64,4	18,3
taux de décès par maladies respiratoires (causées partiellement par des logements insalubres) par population de 100 000 en 1987	90,5	49,8
taux de décès par infections et maladies parasitaires (incluant la tuberculose, les maladies causées par un mauvais régime alimentaire, une hygiène douteuse, etc.) par population de 100 000	15,6	4,3
espérance de vie moyenne à la naissance en 1984-1986	65,9 ans	75 ans

Source: *Santé et Bien-être social Canada, Statistique Canada, Assemblée des premières nations.*

À travers l'Amérique du Nord, on remarque une recrudescence de suicides parmi les adolescents et les jeunes adultes; ils présentent aussi des taux accrus de dépression et de maladies connexes, y compris l'abus d'alcool et d'autres drogues. Les garçons de quinze à vingt-quatre ans sont le groupe d'âge à risque le plus élevé, mais on note une augmentation du suicide chez les enfants masculins de cinq à quatorze ans; ces jeunes choisissent habituellement des moyens violents d'en finir avec la vie.

Les personnes âgées comptent pour 10 % des suicidés. Des facteurs comme la maladie d'Alzheimer, la dépression, une santé chancelante, la solitude, le désœuvrement et un revenu inadéquat peuvent tous mener à un sentiment de désespoir.

De façon incroyable, 36 % des décès chez les autochtones sont des morts violentes, plusieurs sont des suicides. Chez les jeunes autochtones de quinze à vingt-quatre ans, 60 % meurent de leur propre main, la moitié en se tirant une balle. On peut voir d'autres comparaisons au tableau 17.2. Par exemple, les autochtones de quinze à dix-neuf ans présentent cinq fois plus de risques de se suicider que les Canadiens en général.

En dehors de ces catégories, les statistiques indiquent que l'individu le plus susceptible de se suicider est un chômeur divorcé, de toute race ou nationalité, âgé de plus de quarante-cinq ans, vivant seul et récemment sorti de l'hôpital.

Malheureusement, nous devons accepter ultimement que, dans bien des cas, il est impossible de prévenir le suicide, même quand la personne a reçu beaucoup d'affection, de soins et d'attention de sa famille, de ses amis et des membres de la profession médicale. On pourrait en prévenir plus si l'on reconnaissait plus tôt que le désespoir d'un individu est une partie traitable d'un trouble psychiatrique.

Tentatives de suicide

La tentative de suicide, ou le *parasuicide*, comme les professionnels de la santé mentale l'appellent, n'est habituellement pas un essai déterminé, mais on ne devrait jamais le prendre à la légère parce qu'un essai plus sérieux et réussi pourrait suivre.

Il y a huit fois plus de gens qui essaient de se suicider que de gens qui se suicident; la plupart des parasuicides sont tentés par de jeunes femmes. Au fur et à mesure que les gens vieillissent, la possibilité qu'ils se donnent véritablement la mort augmente, comme on peut le constater dans la recherche schématisée au tableau 17.3.

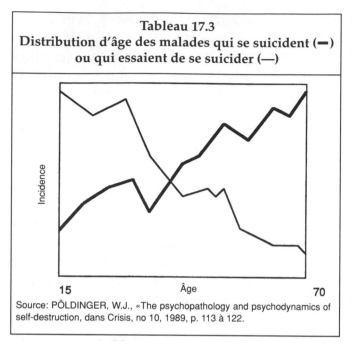

Tableau 17.3
Distribution d'âge des malades qui se suicident (━)
ou qui essaient de se suicider (─)

Source: PÖLDINGER, W.J., «The psychopathology and psychodynamics of self-destruction, dans Crisis, no 10, 1989, p. 113 à 122.

Bien des gens qui prennent des surdoses de drogues ou se taillent les poignets en guise d'appel au secours pour qu'on les aide à régler leurs problèmes prennent leurs précautions pour être découverts à temps. Mais, malheureusement, un grand nombre de ces personnes finiront éventuellement par se tuer si leur vie ne s'améliore pas.

Ceux qui essaient délibérément de se tuer ont subi quatre fois plus d'événements stressants pendant les six mois qui ont précédé leur tentative de suicide que les personnes normales. Ils ont généralement de piètres habiletés d'adaptation et leur vie personnelle est souvent désorganisée. Il est probable qu'ils aient été victimes d'abus pendant leur enfance, qu'ils aient subi des pertes ou qu'ils aient été témoins de l'automutilation de personnes qu'ils connaissaient. Dans un nouveau livre sur le sujet, on a pu déterminer clairement un certain nombre d'indicateurs de comportement et de communication qui témoignent de l'intention sérieuse de se suicider.

Indicateurs de comportement

- perte d'intérêt pour les loisirs; retrait social;
- difficulté à se concentrer;
- trouble du jugement et de la mémoire;
- changement majeur de la qualité du travail scolaire et de la performance scolaire;
- sentiments de tristesse, de vide et de désespoir qui peuvent s'exprimer dans les dissertations de l'étudiant;
- troubles du sommeil, insomnie fréquente mais aussi hypersomnie;
- expression ouverte de colère et de rage, allant de la violence verbale à l'agression physique;
- abus de drogue et d'alcool;
- promiscuité;
- comportement délinquant inhabituel; recherche d'émotions fortes;
- absence d'interlocuteurs, comme les amis et la famille.

Indicateurs de communication verbale ou non verbale

- tentative de suicide ou gestes suicidaires;
- déclaration révélant un désir de mort ou une préoccupation pour la mort (peut aussi se déceler dans les dissertations);
- commentaires nihilistes: la vie n'a pas de sens, la vie est remplie de misères;
- menaces verbales ou écrites;
- gestes pour se faire remarquer (automutilation, égratignures, etc.);
- planification de sa mort, préparatifs funéraires, don de biens personnels favoris;
- euphorie soudaine après une dépression prolongée, pouvant représenter un «soulagement» que la décision soit prise.

Prévention

Il n'est pas facile de remédier aux facteurs qui favorisent le suicide, comme le chômage; mais le gouvernement peut réduire la pauvreté et l'humiliation qui accompagnent ces problèmes sociaux. Il est aussi possible aux gouvernements de restreindre l'accès à quelques-uns des moyens de suicide auxquels on peut avoir recours impulsivement. Le tiers des suicides en Amérique du Nord résultent de blessures d'armes à feu et, comme on pourrait s'en douter, aux États-Unis, c'est après un resserrement du contrôle des armes à feu que les taux de suicide ont baissé.

Se mettre la tête dans le fourneau de la cuisinière à gaz était une méthode commune de suicide au Royaume-Uni jusqu'en 1960, moment où ce pays a changé de carburant pour offrir du gaz naturel non toxique. Il y a encore des gens qui essaient de se suicider de cette manière, et, comme résultat, le taux de suicides réussis a chuté considérablement. De plus, les suicides au moyen de l'oxyde de carbone provenant du tuyau d'échappement d'une voiture étaient les plus fréquents de 1950 à 1960; le taux de suicide a baissé lorsque les voitures ont été équipées de catalyseurs et d'autres dispositifs de contrôle de l'échappement. L'utilisation de cette méthode a augmenté de nouveau quand les gens ont réussi à débrancher ces dispositifs. Le nombre de suicides commis en sautant du Golden Gate Bridge de San Francisco a diminué quand on a rendu plus difficile l'accès au lieu d'où les gens se précipitaient dans le vide. L'installation d'un système qui rendrait difficile le saut devant une rame de métro pourrait avoir des résultats similaires.

Accorder moins de publicité médiatique aux suicides serait une autre façon d'aider, car les gens qui sont très perturbés émotionnellement ont tendance à imiter les suicidés. Il faudrait améliorer l'accès aux sources d'aide ainsi que l'évaluation, le traitement et le suivi de ces gens. Une meilleure éducation de la population afin de démystifier la maladie mentale aiderait aussi à réduire le nombre de suicides.

De plus, et ceci est très important, les communautés devraient prendre des moyens spécifiques pour développer des
programmes qui diminuent l'isolement des jeunes, des personnes âgées et des autochtones afin qu'ils se sentent moins es-
seulés. C'est cette question qui mérite le plus d'attention.

Il n'y a pas de doute que quelques formes d'intervention
sont nécessaires lorsque les gens expriment des intentions suicidaires ou se sont déjà automutilés. On ne doit pas toujours re-
courir au psychiatre à ce stade; d'autres médecins, des
infirmières et des travailleurs sociaux peuvent être efficaces s'ils
sont entraînés adéquatement. Des bénévoles bien entraînés qui
répondent aux lignes d'écoute téléphonique peuvent aussi dépister les gens suicidaires et les référer aux centres de soins appropriés. Récemment, des spécialistes de ce domaine ont écrit
un livre qui présente les techniques spécifiques dont une
grande variété de médecins, de professionnels de la santé et de
bénévoles impliqués dans la prévention du suicide pourraient
bénéficier (voir MacLean dans les références). Mais l'incidence
de ce problème et les coûts sociaux engendrés sont si élevés
qu'il ne pourrait qu'être avantageux de mettre au point un
éventail encore plus grand de méthodes efficaces.

Le personnel des départements de psychiatrie des hôpitaux
généraux qui offre des évaluations poussées et des traitements à
court terme peut non seulement agir lors des situations de
crises mais aussi donner un entraînement valable au personnel,
aux étudiants et aux membres de la communauté.

En considérant tous les aspects de ce problème, on a formé
dans quelques grandes villes des groupes d'entraide pour l'entourage du suicidé. Des spécialistes du deuil peuvent aider et
conseiller les personnes qui se trouvent dans un état émotionnel
très perturbé à la suite du suicide d'un ami ou d'un membre de
la famille. Ces personnes peuvent partager leur colère, leur tristesse, leur déroute et leur sentiment de culpabilité avec d'autres
gens qui ont vécu la même expérience et ont réussi à faire face
au blâme: «Si seulement j'avais...» De telles souffrances sont

particulièrement intenses chez les parents dont l'enfant s'est suicidé. Plusieurs d'entre eux trouvent que le fardeau de cette expérience est la pire souffrance parce qu'elle ne s'éteint jamais, même des années après l'événement.

Recherche

L'incidence du suicide est si considérable et les coûts sociaux si élevés qu'un redoublement d'efforts pour régler ce problème est nécessaire.

Une meilleure compréhension de tous les troubles reliés au suicide est aussi nécessaire (voir les chapitres sur l'accoutumance, la dépression et la schizophrénie), de même que des recherches plus poussées sur les facteurs de risque spécifiques.

Il y a dix ans, les chercheurs suédois ont découvert à la suite de plusieurs études intéressantes que les malades déprimés qui tentaient de se suicider avaient des niveaux remarquablement bas du produit de dégradation ou métabolite de la sérotonine, un des messagers chimiques du système nerveux central. On doit encore pousser la recherche pour vérifier la possibilité de l'association entre un faible taux de sérotonine dans le cerveau et le suicide. Une telle carence a été trouvée depuis chez les gens qui ont fait des tentatives de suicide, qui souffrent aussi d'autres maladies mentales, comme la schizophrénie et les troubles de la personnalité. Des anomalies de la sérotonine ont été découvertes lors de l'autopsie des cerveaux de suicidés.

On croit aussi que la sérotonine joue un grand rôle dans la régulation de l'humeur, de l'agressivité, du comportement sexuel, de l'appétit et du sommeil. On a trouvé que de faibles taux de métabolite s'observent chez les gens qui commettent impulsivement des crimes violents et s'observent encore plus souvent chez les gens qui essaient de se suicider impulsivement par des méthodes violentes. On peut penser que le malfonction-nement du système de la sérotonine peut causer une perte soudaine de maîtrise de son agressivité qui peut alors se déchaîner contre soi ou contre d'autres. On sait aussi que l'alcool affecte le taux de sérotonine dans le cerveau. Une recherche plus approfondie de la chimie et de la régulation de cette substance pourrait conduire à la mise au point de médicaments qui augmenteraient et maintiendraient le taux de sérotonine.

Bien que l'on ait voté de nombreuses politiques sociales visant à réduire l'isolement des groupes qui sont vulnérables au suicide, on n'a pas encore adéquatement évalué leur efficacité en rapport avec le suicide.

Sources d'information

American Association of Suicidology, 2459 S. Ash., Denver, Colorado 80222

Canadian Association of Suicide Prevention, P.O. Box 56, Station K, Toronto, Ontario, M4P 2G1

The Council of Suicide Prevention, 10 Trinity Square, Toronto, Ontario, M5G 1B1

COUNCIL OF SUICIDE PREVENTION, HAMILTON AND DISTRICT, *A Handbook for the Caregiver on Suicide Prevention*. On peut se procurer ce document en écrivant au: Board of Education, City of Hamilton, P.O. Box 558, 100 Main Street West, Hamilton, Ontario, L8L 3L1

HAWTON, K.H. et CATALAN, J., *Attempted Suicide*. Oxford University Press, New York, 1987.

MACLEAN, George A., éditeur responsable, *Suicide in Children and Adolescents*. Hogrefe & Huber Publishers, Toronto, 1990.

HEALTH AND WELFARE CANADA, *Suicide in Canada: A Report of the National Task Force*. Ottawa, 1987.

CHAPITRE 18

La psychiatrie et la loi

À deux heures du matin, deux hommes se retrouvent à l'urgence d'un hôpital. L'un y est venu parce qu'il est tellement déprimé qu'il ne voit pas pourquoi il continue à vivre: il se sent inutile. L'autre a des douleurs violentes de la poitrine: l'examen révèle qu'il vient de faire une crise cardiaque. On leur dit qu'il faut les hospitaliser; les deux refusent.

On laissera partir le cardiaque après lui avoir fait signer une déclaration à l'effet qu'il agit à l'encontre de la recommandation du médecin. Quant au déprimé, on pourrait bien l'hospitaliser contre son gré, grâce aux nouvelles lois locales qui obligent le traitement involontaire de toute personne qui est considérée atteinte d'une maladie mentale et dangereuse pour elle-même ou pour les autres.

Cependant, chacun des deux hommes, s'il quitte l'hôpital, peut mettre en péril sa vie et celle des autres. Le déprimé pourrait lancer sa voiture contre celle d'un autre dans le but de se suicider; le cardiaque pourrait perdre la maîtrise de son véhicule et se retrouver en sens inverse de la circulation.

Ces scénarios prouvent que la société fait encore des distinctions majeures, pour ce qui est du traitement, entre les maladies mentales et physiques; on tient pour acquis que seul un trouble mental peut rendre inapte à donner un consentement éclairé. Ces distinctions donnent au psychiatre un rôle qui souvent le met en conflit avec ses collègues ou avec d'autres médecins et avec la société.

Quand un individu souffrant de maladie mentale est incapable de prendre les décisions qui s'imposent pour son bien-être physique, on a habituellement recours au consensus d'un groupe de médecins pour prendre ces décisions jusqu'à ce qu'il soit de nouveau en mesure de s'assumer lui-même.

En Amérique du Nord, on croit généralement que la société a, à la fois, la responsabilité et le droit de protéger les gens contre eux-mêmes et contre les autres. Ce droit peut s'exercer sous la forme d'un rôle «parental», comme on le fait dans la législation sur la maladie mentale quand quelqu'un qui a besoin de soins semble incapable ou non désireux d'aller en chercher. Dans les autres cas, la société peut exercer le pouvoir de «police» d'après le Code criminel: on peut obliger les individus malades mentalement et dangereux à se plier à une évaluation et à un traitement psychiatriques.

Malheureusement, on tient souvent pour acquis que les malades psychiatriques sont plus dangereux que ceux qui souffrent d'autres maladies, bien que des études indiquent le contraire. Une des raisons de cette croyance est notre tendance à avoir peur des gens dont le comportement est imprévisible ou bizarre ou dont l'apparence est différente de ce qui est considéré comme «normal».

Une autre raison de cette attitude est probablement la couverture médiatique accordée à un crime grave, comme le meurtre, quand il est commis par un malade psychiatrique. Les idées préconçues concernant certains groupes ethniques ou sociaux sont renforcées lorsqu'un de leurs membres commet un crime; mais tous les motocyclistes ne sont pas des criminels et la plupart des schizophrènes sont repliés sur eux-mêmes plutôt qu'agressifs.

En règle générale, le devoir principal d'un médecin est d'assurer le bien-être de son malade, mais, dans certaines circonstances, il peut être obligé de faire prévaloir les besoins de la société. Conformément à certaines lois, un médecin doit rapporter aux autorités gouvernementales un malade qui n'est pas capable de piloter un avion ou de conduire une voiture pour des raisons médicales, ou un malade qui est porteur de l'une des maladies transmissibles à déclaration obligatoire.

D'un autre côté, on demande souvent aux psychiatres de donner leur avis sur des personnes, qui peuvent ou non être leurs patients, afin d'aider les intervenants juridiques à prendre des décisions.

Les implications légales au Canada

Les lois locales concernant la santé mentale varient baucoup, mais, en général, elles obligent une personne à séjourner dans une institution psychiatrique si elle a un trouble mental et est considérée dangereuse pour elle-même ou pour les autres. C'est ce que l'on appelle d'ordinaire l'internement. Selon l'endroit où l'on se trouve en Amérique du Nord, les médecins et un certain nombre de professionnels de la santé, employés par le gouvernement, ont le pouvoir de décider si une personne répond aux critères requis et doit être internée. À d'autres endroits, seuls les psychiatres ont ce pouvoir juridique. Dans plusieurs mais non dans toutes les situations, on requiert deux opinions différentes, après examen psychiatrique, pour prendre la décision d'interner un malade afin de lui faire subir une évaluation psychiatrique.

Dans bien des cas, on doit utiliser toute la force physique nécessaire pour faire entrer un individu dans un hôpital psychiatrique sans son consentement. Dans quelques situations, on peut aussi traiter un individu sans son consentement après que son cas a été étudié par un comité ou une commission d'examen médical.

Il y a toujours eu un débat au sujet de ces pouvoirs. Dans les sociétés libres, l'accent est mis sur la liberté personnelle; pourtant, l'ensemble des citoyens ont des droits à faire respecter. Par des révisions périodiques de la législation sur la santé mentale, on essaie d'améliorer l'équilibre entre ces obligations conflictuelles; les gens critiquent souvent le législateur pour avoir été trop indulgent ou trop dur. On accuse souvent les psychiatres de restreindre arbitrairement la liberté dans l'exercice de leurs fonctions; pourtant, dans certaines circonstances, la loi les oblige à admettre des personnes dans des institutions psychiatriques contre leur gré.

On peut aussi demander aux psychiatres de donner leur opinion pour évaluer si une personne est capable ou non de subir un procès: si elle peut comprendre les charges portées contre elle ainsi que les procédures et si elle peut donner des directives à un avocat. Si l'on croit que cette personne est atteinte d'une maladie mentale, on demande au psychiatre de lui faire subir un examen psychiatrique et de donner son avis. En se basant sur ces renseignements, le juge décide alors de la capacité ou de l'incapacité de la personne à subir son procès. Si le juge trouve que la personne en est incapable, il ordonne de l'envoyer dans une institution psychiatrique pour soixante jours pour qu'elle subisse un examen plus approfondi et, si possible, un traitement.

Ensuite, la personne retourne en cour munie d'un rapport du psychiatre de l'institution et le juge décide si elle est apte ou non à subir un procès. Sinon, au Canada, on la renvoie dans une institution psychiatrique sous une ordonnance du lieutenant-gouverneur. Théoriquement, ceci signifie qu'une personne peut être internée à vie, mais le Code criminel a prévu des commissions d'examen qui sont appelées à réévaluer la situation de ces malades au moins une fois par année. Ces commissions d'examen se composent d'un avocat ou d'un juge, de deux psychiatres et d'un représentant du public. Le malade est représenté par un avocat, et la commission d'examen entend la déposition du psychiatre responsable du malade, donnée sous serment.

Lors d'un procès au criminel, on peut demander au psychiatre de donner son avis concernant l'aptitude mentale du prévenu à commettre un crime. Est-ce que le crime aurait pu être le résultat d'une maladie mentale grave, tel un individu délirant qui attaque un étranger en croyant véritablement qu'il s'agit d'un ours qui s'apprête à le dévorer? C'est au juge, ou au juge et au jury, qu'il revient de décider si une personne peut être tenue responsable de son crime. Au Canada, une personne ne peut être tenue responsable d'un crime lorsqu'elle souffre d'*aliénation mentale*, mais la définition d'aliénation mentale du Code criminel est légale et non médicale.

Un individu trouvé non coupable pour cause d'aliénation mentale est confié à une institution psychiatrique à la suite de l'émission d'une ordonnance du lieutenant-gouverneur.

Lors des évaluations périodiques effectuées pendant le séjour du malade dans une institution psychiatrique, la commission d'examen recommande le congé du malade, une garde moins restrictive ou la continuation d'une détention complète.

Cette recommandation est acheminée au ministère de la Justice provincial qui fait ses propres recommandations au cabinet provincial qui, à son tour, fait ses recommandations au lieutenant-gouverneur, qui rend alors la décision finale concernant la libération ou la détention de l'individu. Inutile de dire que ce processus est incroyablement dispendieux, mais il souligne la valeur que l'on accorde au choix et à la responsabilité individuels; si l'on évalue que l'individu est maître de ses actes, il doit en répondre. Mais à cause de ces garanties, il existe encore des cas où des crimes horribles sont commis et le criminel est traité plutôt que puni comme il se devrait.

Bien sûr, dans les procès criminels, on fait souvent appel aux psychiatres au moment de prononcer la sentence pour qu'ils donnent leur avis à propos du traitement possible et des solutions de réadaptation, afin d'aider le tribunal à prendre la décision appropriée.

Au Canada, le témoignage psychiatrique est aussi requis légalement en vertu de la Loi sur les délinquants dangereux. Si le juge déclare qu'un individu est un délinquant dangereux, il peut prononcer une sentence de garde et le confier à une institution pour une période de temps indéterminée. Sa détention peut être prolongée indûment à moins que la commission des libérations conditionnelles n'en décide autrement. Les sentences sont normalement réexaminées au bout de trois ans puis ensuite à chaque deux ans.

Pour déclarer quelqu'un «délinquant dangereux», il faut montrer qu'il est en effet dangereux — qu'il commettrait de nouveau des infractions similaires et que sa conduite serait dangereuse pour les autres. Deux psychiatres, l'un pour la défense et l'autre pour la Couronne, doivent déterminer s'il répond à ces deux conditions.

Autant aux États-Unis qu'au Canada, ce genre de situation peut mettre les psychiatres devant un difficile problème d'éthique parce que la loi les oblige à prédire le comportement d'individus et à évaluer le danger qu'ils peuvent faire courir à des victimes potentielles, alors qu'il n'y a pas encore de connaissances scientifiques sur lesquelles ils peuvent fonder de telles prédictions.

Il est facile de décrire un comportement dangereux. Une personne prise d'une folie furieuse qui court dans la rue en faisant tournoyer un couperet à viande est dangereuse. Mais de là à prédire une telle conduite — à dire que tel individu pourrait être pris d'une folie furieuse et courir dans la rue avec un couperet à viande à un moment donné dans le futur —, c'est une tout autre histoire.

Les implications légales aux États-Unis

Aux États-Unis, les procédures sont assez semblables à celles du Canada parce que la loi dans ces deux pays vient du système anglais de droit coutumier *(Common Law)*. Mais il existe des différences entre les diverses régions.

Dans la plupart des États, la défense pour motif d'aliénation mentale est la même puisqu'elle dérive de la loi anglaise; cependant, en 1954, le juge David Bazelon de la Cour d'appel du district de Columbia a prononcé la fameuse décision Durham, dans laquelle il dit simplement qu'un prévenu n'est pas responsable de son crime si son infraction à la loi était attribuable à une maladie ou à une anomalie mentale. En 1984, le Congrès a promulgué le *Insanity Defense Reform Act* (Loi de réforme de la défense d'aliénation mentale) qui a uniformisé la variété de lois dans les différents États. Cette loi raffine la décision Durham en déclarant que si le défendeur, au moment de commettre l'acte qui constitue l'infraction, souffrait d'une grave maladie ou d'une anomalie mentale et était donc incapable de juger de la nature, de la qualité ou de la malice d'un acte, il n'est pas légalement responsable. À la suite d'une telle sentence, ces malades sont généralement confiés à la garde de l'hôpital de leur État où ils sont hospitalisés, conformément aux procédures de mandat civil. Dans plusieurs États, de tels mandats peuvent être émis pour une courte période de temps seulement.

Dans quelques États (Alaska, Connecticut, Géorgie, Illinois, Indiana, Kentucky, Michigan et Nouveau-Mexique), un nouveau verdict, «coupable mais mentalement malade», a été adopté, mais on a conservé le verdict de non-culpabilité pour cause d'aliénation mentale. Ceci implique que le coupable recevra des traitements pour sa maladie mentale, mais ce n'est pas obligatoire. L'American Psychiatric Association (Association américaine de psychiatrie) en 1982 et l'American Bar Association (Association américaine du barreau) en 1986 ont toutes deux exprimé leur opposition à l'ajout du verdict «coupable mais mentalement malade».

L'aptitude à subir un procès. Les lois de la plupart des États spécifient que l'inaptitude doit résulter d'une maladie ou d'une anomalie mentale. S'il est trouvé inapte à subir son procès, le défendeur est habituellement confié pour garde et traitement à une institution psychiatrique. Lorsqu'il est déclaré apte, il peut subir un procès et être trouvé coupable à moins qu'on ne l'ait déclaré aliéné au moment de l'infraction. Toutefois, la période de détention est limitée et les institutions doivent traiter les gens pour les rendre aptes à subir leur procès afin qu'ils retournent devant le tribunal le plus vite possible.

L'internement. Ces dernières décennies, on a apporté des garanties contre l'abus de l'internement. Alors qu'auparavant on parlait d'internement en termes de mois et d'années, les nouvelles procédures le font en termes d'heures et de jours. Après une période d'observation de soixante-douze heures, on peut garder les malades contre leur gré pour deux semaines si on les trouve dangereux pour eux-mêmes ou pour les autres ou s'ils souffrent d'incapacité très grave. Cette décision revient au personnel de l'institution psychiatrique. Un malade qui essaie de se suicider pourrait être détenu pendant encore deux semaines. On n'a pas prévu d'internement plus long pour les malades souffrant d'incapacité, mais on a plutôt développé un concept de tutelle. Un tuteur a moins de pouvoir qu'un curateur et acquiert seulement des pouvoirs limités. Un tuteur a l'autorité de faire admettre à l'hôpital à titre de malade volontaire une personne sous sa tutelle et d'agir à titre de décideur substitut pour consentir au traitement. La période de tutelle est limitée par statut — en Californie, elle est d'un an et n'est permise qu'en cas d'incapacité grave que l'on définit comme «une inhabileté à cause d'une maladie mentale de se procurer de la nourriture, des vêtements et un abri».

Dans quelques États, on a des procédures d'internement pour les psychopathes sexuels ou les délinquants sexuels désé-

quilibrés. La tendance nationale est éloignée de tels interne-
ments spécialisés, mais il existe maintenant de nouvelles procédures d'internement pour les délinquants déséquilibrés violents
qui permettent la détention de telles personnes même après
l'expiration de leur délai d'emprisonnement. Tous les États et le
district de Columbia ont prévu des procédures d'internement
pour les délinquants qui ont choisi de se déclarer inaptes à subir leur procès ou non coupables pour cause d'aliénation mentale. Il existe un nouveau type d'internement pour les malades
non hospitalisés qui doivent se rendre à la clinique pour une
thérapie ou un ajustement de médication, mais ne sont pas obli-
gés de restreindre leurs activités d'aucune autre façon.

    Le droit au traitement. En 1960, on a déclaré que le malade
interné contre son gré avait un droit constitutionnel au traitement et ceci a forcé les États à se plier à des normes minimales
de soins et de traitement. Ceci a été établi pour la première fois
dans une cour fédérale en 1972.

    En règle générale, ce vaste domaine où interagissent la
psychiatrie et le droit est ambigu. Comme d'autres sortes de
médecins, les psychiatres ont une connaissance scientifique et
une compétence pour reconnaître et traiter la maladie, mais ils
sont trop souvent inconfortables dans le rôle d'agent social
que les statuts légaux leur imposent. Ceci est particulièrement
vrai pour les psychiatres, dont la spécialité est une science qui
s'est énormément améliorée ces trente dernières années, mais
qui ne leur permet pas encore de prédire le comportement humain.

Recherche

Les découvertes requises dans ce domaine ne peuvent se faire
en laboratoire. On a besoin d'une meilleure compréhension de
ce qui permettrait de communiquer encore mieux, de rétrécir
l'écart entre les systèmes juridique et médical et de trouver des

solutions qui serviraient autant à la protection du public qu'à la sauvegarde des droits individuels.

Les instituts de droit et de médecine sont aux prises avec ces problèmes, et on est en train de développer un nouveau domaine qui serait à mi-chemin entre ces deux disciplines et qui s'intéresserait à l'éthique de la pratique juridique et aux politiques de santé. Les experts de ce nouveau domaine ont beaucoup de matière à examiner, même si les questions juridiques courantes sont presque résolues. De plus, comme la biologie moléculaire génétique joue un rôle de plus en plus grand dans la recherche psychiatrique, la société sera confrontée à d'autres questions du genre: «Bien que nous puissions maintenant le faire, devrions-nous le faire?» Par exemple:

- si on découvrait que la transplantation de tissu fœtal cérébral peut guérir certaines déficiences du cerveau, devrions-nous nous servir de fœtus avortés pour le faire?
- si on disposait d'un test qui indiquerait à la femme enceinte que son enfant court de grands risques de devenir schizophrène, à qui devrait-on offrir ce test? Comment devrait-on conseiller les femmes enceintes?
- est-ce que la volonté de réduire les coûts ou d'atteindre l'efficacité aux moindres coûts va entraîner des critiques ou des sanctions contre les femmes qui refusent soit de subir ces tests, soit d'agir de façon «appropriée» en prenant connaissance des résultats?

Les juristes sont aux prises avec une autre question épineuse: quels sont les critères de base pour interner une personne atteinte d'un trouble psychiatrique? La plupart des juridictions évaluent le danger que la personne peut constituer pour elle-même ou pour les autres. La plupart des gens qui ont des troubles psychiatriques ne sont pas dangereux, mais plusieurs perdent leur capacité d'introspection pendant leur maladie et ne se rendent pas compte qu'ils sont malades. C'est pourquoi ils ne vont pas chercher d'aide et souffrent énormément.

Quelques avocats soutiennent que les lois actuelles privent les malades d'un droit important: le droit au traitement. La tâche ardue qui s'impose aux juristes est celle de définir la *perte de la capacité d'introspection*, qui est un état physique, comme forme d'incapacité juridique. En d'autres termes, quand une personne devient incapable d'agir dans l'intérêt de sa santé, peut-on en faire une définition légale, qui décrirait cet état avec précision et qui, en même temps, ne contreviendrait pas aux droits des personnes saines?

CHAPITRE 19

La recherche d'aide

Les histoires de cas présentées dans ce livre laissent voir à quel point il est souvent difficile de prédire dès le départ qu'un trouble psychiatrique deviendra un problème majeur. Il est tout à fait normal d'être triste, anxieux ou confus à l'occasion, mais combien de temps doit durer cette situation avant que la personne pense à aller chercher de l'aide?

Au début, la famille et les bons amis font de leur mieux. Mais quand la personne ne peut vraiment plus être remontée ou calmée et que le problème dure toujours, ils commencent à se sentir impuissants, frustrés et même malades. Ils en viennent à espérer que le problème disparaisse ou que la personne aille chercher de l'aide ailleurs. C'est une réaction parfaitement naturelle et c'est aussi le signal indiquant la nécessité de consulter un professionnel.

Mais souvent les gens ne se rendent pas compte qu'ils ont besoin d'aide. Ils se sont déjà fait une idée du problème... si seulement quelqu'un d'autre pouvait changer, si seulement ils étaient soumis à moins de stress, si seulement un événement malheureux n'était pas survenu dans le passé, et ainsi de suite...

À ce stade, bien des gens sont d'accord pour se tourner vers la première ligne de défense du système de soins, un des groupes d'entraide qui heureusement abondent dans la plupart des communautés. Quelques-uns sont énumérés à la fin des chapitres appropriés dans ce livre. Les associations de santé mentale, québécoises, canadiennes et américaines, répertoriées dans les pages blanches de la plupart des annuaires téléphoniques vous renseignent sur ceux qui sont accessibles dans différentes localités.

De plus, les membres du clergé sont souvent bien renseignés sur les questions de santé mentale et ils peuvent aider un individu à traverser une crise ou le diriger vers d'autres sources d'aide si le problème est plus sérieux.

Dans certains milieux de travail, il existe des programmes d'aide aux employés, ce qui est une autre solution de rechange. Au début, ce genre de programme avait pour but d'aider les employés à maîtriser leur dépendance à l'alcool ou à d'autres drogues; puis, ils ont élargi leurs horizons. Les entreprises engagent des consultants — souvent des psychologues ou des travailleurs sociaux — vers lesquels peuvent se tourner avec confiance les employés ou des membres de leur famille, car ces professionnels respectent le secret professionnel et ne rapportent rien à l'employeur. Les conseillers peuvent aider les gens à régler le problème ou bien les référer à une ressource communautaire appropriée.

Les médecins de famille sont aussi bien placés pour déceler les problèmes parce qu'ils connaissent le malade ou sa famille depuis des années. Ils connaissent aussi les réactions des gens aux changements des cycles de la vie, comme l'adolescence, le mariage ou la retraite, ou même à des événements comme les accidents ou les décès. Ils sont souvent capables de faire de la psychothérapie à court terme pour aider quelqu'un à passer à travers de telles crises. Les médecins de famille n'ont pas tous la même formation et les mêmes intérêts pour ces questions; certains d'entre eux s'impliqueront plus alors que d'autres peuvent suggérer aux gens d'aller consulter un psychiatre; un patient peut d'ailleurs accepter une telle suggestion si elle vient d'un médecin qu'il connaît et en qui il a confiance.

Au tableau 19.1, on peut voir la grande variété de services disponibles pour traiter la maladie mentale, de l'hôpital psychiatrique très spécialisé d'État ou de province aux maisons de santé et aux médecins de première ligne. On peut voir l'utilisation des divers services par la population et remarquer que les gens font moins appel à la police qu'à ceux qui fournissent des premiers soins.

Tableau 19.1
Utilisation des institutions civiles
pour le traitement de la santé mentale

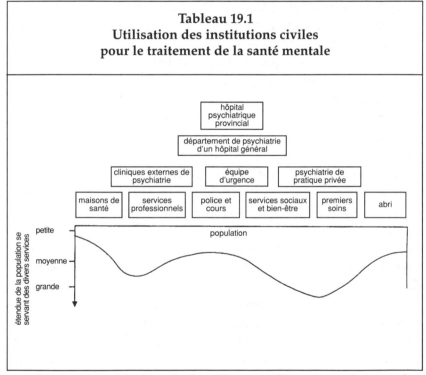

Quelques médecins de famille travaillent avec des psychologues qui les aident à aborder les problèmes émotionnels de la vie de tous les jours et à évaluer les complications possibles. Quand les problèmes deviennent excessifs, il faut une aide urgente et rapide. L'American Psychiatric Association a récemment publié dix signes indicateurs de la maladie mentale, des signes qui indiquent que les événements dépassent les crises de la vie quotidienne.

Ces signes indicateurs sont:

- un changement de personnalité marqué et persistant;
- une incapacité persistante à faire face aux problèmes de la vie quotidienne;
- des idées bizarres et grandioses persistantes;
- une anxiété persistante et excessive;
- une dépression et une apathie prolongées;
- des changements marqués dans les habitudes de sommeil et d'alimentation;
- des pensées ou des discours suicidaires;
- des fluctuations d'humeur excessives;
- des abus d'alcool et d'autres drogues;
- un comportement excessivement hostile, colérique ou violent.

Chacun de ces signes nécessite une évaluation, un traitement et une référence à un psychiatre ou à une clinique externe de psychiatrie. Si la situation est critique, l'urgence d'un hôpital est le meilleur endroit où aller, puisque les gens qui y travaillent seront capables de traiter les problèmes physiques les plus urgents et ensuite de trouver les autres sources d'aide nécessaires.

Contrairement à la croyance populaire, la plupart des gens ayant des troubles psychiatriques ne sont pas très dangereux pour les autres; c'est pourquoi très peu de ces malades sont acheminés dans une institution psychiatrique par l'intermédiaire du système judiciaire, comme le malade souffrant de dépression décrit dans le chapitre sur la dépression. C'est parce qu'il était tout à fait inconscient d'avoir un problème qu'il devint agressif envers le policier qui l'arrêta pour une infraction au code de la route; c'est à la suite de cet incident qu'on lui a fourni les soins psychiatriques requis.

Améliorer sa santé

La santé mentale est plus que l'absence de maladie mentale, et les travailleurs non médicaux de la santé mentale trouvent souvent que les psychiatres ne mettent pas assez l'accent sur la santé mentale. Ils croient qu'il est de la responsabilité des individus, des groupes auxquels ils appartiennent et de l'environnement social élargi d'interagir de façon à inciter les gens à se sentir bien et à utiliser leur potentiel humain au maximum. Ceci inclut non seulement leur intelligence, mais aussi leurs facultés émotives et leur habileté à créer des relations satisfaisantes et constructives.

D'innombrables cas ont indiqué que les individus peuvent acquérir de nouvelles aptitudes et ressources qui leur permettront de répondre à leurs besoins personnels et de prendre une part active dans la société. Ceci est vrai non seulement pour les gens qui sont en bonne santé mais aussi pour ceux qui ont été atteints d'une maladie mentale.

Bien des gens qui ont été malades peuvent acquérir une santé meilleure que celle qu'ils avaient au départ. Même si leur maladie est récurrente, il ne faut pas qu'ils passent le reste de leur vie à avoir peur de cette maladie. En effet, ils peuvent être en excellente santé entre les périodes de récurrence.

Inversement, une personne peut s'être remise d'une grave maladie mentale, mais ne pas avoir recouvré une bonne santé mentale. Peut-être ses amis et sa famille l'ont-ils rejetée. Elle peut se sentir stigmatisée par sa maladie et être incapable de trouver ou de garder un logement ou un emploi approprié. Elle peut aussi manquer d'occasions de socialiser, de se distraire et de s'instruire, ne pas avoir les habiletés d'adaptation et les renseignements nécessaires pour corriger ces situations.

La pauvreté est un exemple classique de condition sociale contribuant aux troubles de santé mentale, que quelqu'un ait eu ou non des troubles mentaux dans le passé. Un logement inapproprié en est un autre exemple.

L'institutionnalisation n'est plus le cauchemar qu'elle était au tournant du siècle. Les hôpitaux psychiatriques d'aujourd'hui sont petits et ont un meilleur personnel qu'auparavant, en grande partie grâce à la mise au point de médicaments efficaces pendant les années cinquante. Mais un problème différent s'est développé, surtout dans les grandes villes, où les malades qui étaient institutionnalisés vivent dans des ghettos de maisons de chambres ou littéralement dans la rue, complètement négligés par leur famille et la société. Des milliers d'entre eux vivent dans des conditions sordides et sont vulnérables à toute forme d'exploitation.

Cette situation est aggravée par un resserrement des lois qui empêchent l'hospitalisation de malades contre leur gré, sauf pour une courte période d'évaluation, dans le cas de ceux qui pourraient mettre leur vie ou celle des autres en péril. En effet, une assez grande tension s'est développée en Amérique du Nord entre ceux dont le souci premier est la protection des droits de l'individu et ceux qui travaillent en santé mentale ou ceux dont un membre de la famille souffre d'une maladie mentale, car ces deux derniers groupes se rendent compte qu'une personne atteinte d'une maladie mentale peut ne pas avoir conscience de la situation, ce qui l'empêche d'aller chercher de l'aide.

Comme pour toutes les maladies, la prévention s'impose en maladie mentale; ce terme est devenu un des refrains de tous les travailleurs de la santé mentale, domaine où on doit faire face à des coûts exorbitants. En santé mentale, la prévention dépend de la connaissance des facteurs de risque et de la possibilité d'une intervention rapide et efficace. Malheureusement, cette dimension de la psychiatrie clinique est encore très mal développée.

D'un autre côté, certains des moyens de prévention les plus fondamentaux sont assez évidents. Comme on le mentionne au chapitre 3, dans le cas de femmes déprimées, mères monoparentales d'enfants de moins de dix ans, n'ayant pas de confidents, le risque couru pourrait être prévenu par des mesures bien simples, prises par des intervenants dans la communauté, pour améliorer leur système de soutien. S'occuper de ce genre de situation ne demande par de recherche biochimique exhaustive, mais simplement l'application de connaissances psychiatriques vérifiées avec précision il y a des décennies. Le défi actuel est de mettre à exécution ces solutions simples, même si elles sont quelquefois coûteuses, parce que les économies réalisées dans le futur pourraient être énormes.

Un autre exemple vient du fait que bien des maladies mentales sont déclenchées par les événements stressants de la vie qui produisent d'abord de l'anxiété. On devrait enseigner aux gens comment gérer leur stress, dans le cadre d'un cours donné à l'école, par exemple. On ne sait toutefois pas si ce genre d'intervention va diminuer la fréquence de la maladie mentale.

Il existe aussi des cours pour aider les gens à apprendre à s'affirmer et à faire face aux problèmes de la vie — affirmation de soi efficace et non agressivité déplaisante. On peut aussi renseigner les individus et les familles sur les cycles de la vie et les changements reliés au développement afin qu'ils prévoient ces transitions dans leur vie, les anticipent et planifient en conséquence.

Alors que les scientifiques ont la capacité de trouver des solutions aux maladies psychiatriques majeures dans les décennies à venir, pour le meilleur ou pour le pire, ce sont les élus du gouvernement qui auront le plus grand pouvoir décisionnel, par leurs politiques et leurs programmes, en ce qui à trait à l'avenir de la santé mentale et de la psychiatrie.

De plus, des fonds de recherche adéquats sont bien sûr requis. Par exemple, nous avons vu que plusieurs des troubles psychiatriques les plus graves peuvent avoir des causes biochimiques directes. Si l'on trouvait la cause biologique de ces troubles, il en résulterait un profit énorme pour la société, si l'on considère les coûts directs, tels que les coûts des institutions psychiatriques, les procédures juridiques et l'implication dispendieuse des nombreux professionnels de la santé mentale. Mais, en termes de coûts indirects, les bénéfices pourraient être beaucoup plus grands, si l'on considère la perte de productivité et de créativité ainsi que la réduction de la qualité de vie des familles des gens malades de la schizophrénie, de l'autisme, de la dépression et des autres maladies mentales.

Au-delà des subventions scientifiques, il serait aussi utile que le public développe une meilleure compréhension de la nature de la maladie mentale. Les gens doivent avoir sous la main des renseignements à ce sujet, afin de pouvoir insister pour que les divers services, programmes et traitements, qui ont été éprouvés avec succès, soient accessibles à ceux qui en ont besoin.

Les références à la fin de chaque chapitre de ce livre peuvent être des sources de renseignements supplémentaires sur tous les sujets dont nous avons traité. De plus, nous encourageons toute personne qui, personnellement ou par l'entremise d'un membre de sa famille ou d'un de ses amis, est confrontée à la maladie mentale à entrer en communication avec les associations canadienne ou américaine de psychiatrie afin d'obtenir rapidement la référence la plus utile:

- American Psychiatric Association: (202) 682-6000;
- Association canadienne de psychiatrie: (613) 234-2815;
- Association des médecins-psychiatres du Québec: (514) 845-3259.

LISTE DES COLLABORATEURS

Dr Donald Addington (dépression)
Department of Psychiatry, Foothills Hospital, Calgary

Dr Rudy C. Bowen (anxiété et révision de tous les chapitres)
Department of Psychiatry, University Hospital, Saskatoon

Dr John Bradford (dysfonctions sexuelles)
Department of Psychiatry, Royal Ottawa Hospital, Ottawa

Dr Evan Collins (sida)
Queen St., Mental Health Center, Toronto

Dr John M. Cleghorn (introduction et tous les chapitres)
Department of Psychiatry, McMaster University, Hamilton et
University of Toronto

Dr Charles Cunningham (hyperactivité)
Department of Psychiatry, McMaster University, Hamilton

Dr Benjamin Goldberg (retard mental)
Department of Psychiatry, University of Western Ontario, London

Dr Stanley Greben (psychothérapie)
Departement of Psychiatry, Mount Sinai Hospital, Toronto

Dr Paul Grof (dépression)
Department of Psychiatry, Royal Ottawa Hospital, Ottawa

Dr Nady A. el-Guebaly (dépendances)
Departement of Psychiatry, University of Calgary, Calgary

Dr Laurent Houde (troubles de l'apprentissage)
Département de pédopsychiatrie, Hôpital du Haut-Richelieu,
Saint-Jean

Dr Steven Hucker (dysfonctions sexuelles)
Forensic Service, Clarke Institute of Psychiatry, Toronto

Dr Barrie Humphrey
Epidemiology and Psychiatric Services
Department of Psychiatry, McMaster University, Hamilton

Dr Allan S. Kaplan (troubles de l'alimentation)
Eating Disorder Clinic, Toronto General Hospital, Toronto

Dr Phillip Katz (psychothérapie)
Department of Psychiatry, University of Manitoba, Winnipeg

Dr David L. Keegan (troubles médicaux)
Department of Psychiatry, University Hospital, Saskatoon

Dr Sydney H. Kennedy (dépression)
Department of Psychiatry, Toronto General Hospital, Toronto

Dr Eddie Kingstone (dépendances)
Chairman, Department of Psychiatry, McMaster University, Hamilton

Dr Nizarali B. Ladha (droit)
Department of Psychiatry, Memorial University, St. Phillips, Newfoundland

Dr Saul Levine (critique générale)
Sunnybrooke Health Sciences Center, Toronto

Dr Sebastian K. Littman (décédé) (schizophrénie)
Department of Psychiatry, University of Calgary, Calgary

Dr W. John Livesley (troubles de la personnalité)
Deparment of Psychiatry, University of British Columbia, Vancouver

Dr Brian J. McConville (dépression chez l'enfant)
Division of Child and Adolescent Psychiatry, University of Cincinnati, Cincinnati

Dr Heather Munroe-Blum (schizophrénie)
Dean, School of Social Work, University of Toronto, Toronto et Department of Psychiatry, McMaster University, Hamilton

Dr Hamish Nichol (troubles de l'enfance)
Department of Psychiatry, Vancouver General Hospital, Vancouver

Dr D.R. Offord
Director, Child Epidemiology Unit
Department of Psychiatry, McMaster University, Hamilton

Dr Gary Rodin (dépression et maladie physique)
Department of Psychiatry, Toronto General Hospital, Toronto

Dr Isaac Sakinofsky (suicide)
Psychiatrist-in-Chief, St. Michael's Hospital, Toronto

Dr Mary V. Seeman (schizophrénie)
Psychiatrist-in-Chief, Mount Sinai Hospital, Toronto

Dr Brian F. Shaw (thérapie behaviorale cognitive)
Psychologist-in-Chief, Toronto General Hospital, Toronto

Dr Kenneth Shulman (maladie d'Alzheimer)
Department of Psychiatry, Sunnybrooke Hospital, Toronto

Dr Peter Szatmari (autisme)
Child Epidemiology Unit, Department of Psychiatry, McMaster
University, Hamilton

Dr Wendell W. Watters (dysfonctions sexuelles)
Department of Psychiatry, McMaster University, Hamilton

Dr Gabrielle Weiss (hyperactivité)
Hôpital pour Enfants de Montréal, Montréal

Dr D. Blake Woodside (troubles de l'alimentation)
Eating Disorder Clinic, Toronto General Hospital, Toronto

Dr Donald Zarfas (retard mental)
Children's Psychiatric Research Institute, London

Ce livre est un bon recueil des connaissances actuelles concernant le diagnostic, le traitement et les diverses options offertes au malade psychiatrique. Je pense qu'il aidera grandement à renseigner le public sur toute question importante reliée à la psychiatrie et aux soins psychiatriques.

P.J. Fink, médecin psychiatre, ex-président de l'American Psychiatric Association

Ce livre est l'œuvre de l'éminent psychiatre John M. Cleghorn, de l'écrivain scientifique bien connu Betty Lou Lee et d'une équipe de 34 psychiatres et psychologues. Il a été traduit par la journaliste et écrivain médical Jocelyne Delage. Il s'agit d'une exploration intéressante, très facile à lire et tout à fait à jour des troubles majeurs de la santé mentale et des meilleurs traitements connus.

Dans ce livre, il est question des toutes dernières techniques scientifiques accessibles aux professionnels de la santé mentale et au grand public, y compris les techniques d'imagerie, et des récentes découvertes en psychopharmacologie. C'est d'une façon très claire que sont présentés, selon les règles de l'art, les connaissances et traitements concernant une grande variété de troubles psychiatriques. De plus, il y est fait mention avec candeur de l'étendue des pouvoirs des divers professionnels de la santé mentale. On y présente aussi d'importants aspects juridiques des traitements complémentaires, aux États-Unis et au Canada. On peut aussi trouver une liste des principaux groupes de soutien à travers l'Amérique du Nord aux chapitres appropriés.

En un mot, il s'agit d'un aperçu de nos forces actuelles en santé mentale; ce livre est facile à lire et contient de multiples renseignements qui seront utiles aux professionnels des soins de santé. Il est aussi accessible au grand public, aux étudiants, aux membres de la famille des personnes qui sont traitées pour des troubles émotionnels ou psychiatriques et à ceux qui désirent faire carrière dans ce domaine. Bien entendu, les autres professionnels de la santé, dans des domaines connexes, qui désirent un résumé à jour des pratiques psychiatriques, y trouveront aussi leur compte.

TABLE DES MATIÈRES

Achevé   Imprimerie
d'imprimer Gagné Ltée
au Canada Louiseville